Das Buch

Jubel und Begeisterung kannten in Deutschland keine Grenzen, als im August 1914 der Krieg ausbrach. Endlich sah man die Gelegenheit gekommen, sich gegen die Feinde Deutschlands zur Wehr zu setzen, und in dem erhebenden Bewußtsein, mit Gottes Hilfe für Kaiser und Vaterland in einem vermeintlich aufgezwungenen Krieg zu kämpfen, zogen die Deutschen tatendurstig den Schlachten entgegen – in dem überheblichen Glauben, diesen Akt der Befreiung bis Weihnachten siegreich beendet zu haben. Der vorliegende Band verfolgt das Anwachsen und die zahllosen Manifestationen dieses Hochgefühls (und auch die wenigen ungehörten Stimmen der Vernunft) sowie den allmählichen Stimmungsumschwung an Hand von Dokumenten besonderer Art: Nicht nur Gedichte, sondern auch Gassenhauer und Witze verdeutlichen die Volksmeinung; nicht nur Verordnungen und Bekanntmachungen, sondern auch Briefe, Predigten und Leitartikel legen Zeugnis ab von dem Geist dieser Zeit, der in verblüffend prägnanter Form auch in den abgedruckten Werbeanzeigen faßlich wird. Die auf diese Weise entstehende ›Innenansicht eines Krieges‹ läßt an Eindringlichkeit nichts zu wünschen übrig.

Der Herausgeber

Ernst Johann wurde 1909 geboren, studierte in Leipzig, Heidelberg und an der Sorbonne, war von 1952–1956 Cheflektor des S. Fischer Verlags, ist heute freier Schriftsteller und Journalist und Mitglied des PEN-Zentrums der BRD. Seit 12 Jahren ist Ernst Johann Generalsekretär der Deutschen Akademie für Sprache und Dichtung.

D0582302

Innenansicht eines Krieges
Deutsche Dokumente 1914–1918

Herausgegeben von Ernst Johann

Deutscher
Taschenbuch
Verlag

Vom Herausgeber für die Taschenbuchausgabe
gekürzte Fassung
April 1973
Deutscher Taschenbuch Verlag GmbH & Co. KG,
München
© 1968 Verlag Heinrich Scheffler, Frankfurt
am Main · ISBN 3-7973-0069-7
Umschlaggestaltung: Celestino Piatti, unter
Verwendung eines preisgekrönten Plakatentwurfs
Gesamtherstellung: C. H. Beck'sche Buchdruckerei,
Nördlingen
Printed in Germany · ISBN 3-423-00893-8

Hochmut kommt vor dem Fall; wenn sich aber der Fall über vier Jahre hinzieht, verliert der Betroffene das Gefühl dafür, daß ihm der Boden unter den Füßen weggenommen ist. Und bei allem, was er tut, tut er nur so, als ob ... Allerdings kommt ihm zur Hilfe, daß er mit Blut und Tränen handelt, also das Geschäft des höchsten Einsatzes betreibt, das ausdauernder macht, je mehr Blut und Tränen fließen.

Deutschlands Hochmut war der Wilhelminische, gewachsen aus dem Sieg von 1870 und genährt von der Vorstellung, die besseren Soldaten seien auch die besseren Menschen. Das Sendungsbewußtsein eines Kaisers, der sich von Gottes Gnaden dünkte, kam hinzu. Daß der liebe Gott auch andere Waffen segnen könnte als deutsche, wurde nie in Erwägung gezogen. Erst recht nicht, daß er, der »Alliierte von Roßbach«, mit uns Katz und Maus spielen könnte; immer noch ahnungslos siegten wir uns zu Tode. Unsere Schuld war nicht die Schuld am Kriege, sondern daß wir den Krieg so geführt haben, wie wir ihn führten, uneinsichtig, taktlos und eine Gelegenheit um die andere versäumend, sein Ende herbeizuführen. Kriegführen hieß für uns die Fortführung der Selbstverblendung der Politik mit anderen Mitteln und den gleichen Männern. Einzig Hindenburg tritt als neue Figur auf: ein pensionierter General, der als Leutnant schon im Bruderkrieg von 1866 mit dem Roten Adlerorden vierter Klasse mit Schwertern ausgezeichnet worden war; tapfer ist er auch im Siebziger-Krieg dabei und wird am 18. Januar 1871 zur Kaiserkrönung nach Versailles kommandiert – ein Mann also, ganz nach den Vorstellungen der preußischen Schullesebücher. Jetzt, im Alter von 67, läßt er sich in seinen dritten Krieg holen – er wird ihn zu seinem Krieg machen. Nach dem Sieg von Tannenberg, dessen Ruhm er allein ausnutzt, obgleich er ihm nicht allein zukommt, war für ihn und für die Deutschen kein Halten mehr: Diese martialische Erscheinung, die geistig nichts anderes beherrschte als das kleine preußische Einmaleins: Durchhalten und Gottvertrauen ist gleich Sieg, wurde zur eigentlichen Vater- und Führergestalt, zum eigentlichen Kriegsgott; in dieser Eigenschaft löste er den Kaiser ab, der als Handelnder ebenso glänzend versagte, wie er sich als Redner großgetan hatte. Folgerichtig trat der Kaiser beiseite und beschränkte sich nur noch darauf, Hindenburg – und seinem Mann im Hintergrunde, Ludendorff, Beifall zu spenden. Eine politische Führung haben wir nicht gehabt, weil wir keine haben konnten, denn immer noch war der Reichskanzler nicht vom Vertrauen des Parlaments abhängig, schuldete also dem Reichstage keine Rechenschaft, sondern allein dem Kaiser, der ihn ernennen und entlassen konnte. Kein Wunder, daß der Reichstag auf Mitverantwortung und auf Verantwortlichkeit des Kanzlers drängte, kein Wunder, daß sich Hindenburg – um ihn als Symbol für die Gottverantwortlichkeit des Herrschers zu nehmen – gegen jene Demokratisierung des Parlaments, also der Regierung, wehrte. Seit August 1916 herrschten Siegfried und Wotan, wie der Kaiser das Paar Hindenburg/Ludendorff im Ton der germanischen Heldensage nannte, diktatorisch über Deutschland. Der Reichstag war ihnen nur gut genug zur Herstellung jener Gesetze zur Eintreibung von Männern und von Geld, wie sie der von Ludendorff ersehnte Zustand des totalen Krieges erforderte. So führten wir also den bis dahin schrecklichsten, grausamsten, längsten und teuersten Krieg aller Zeiten, mit einem mundtot gemachten Parlament, mit einer von der Laune des Kaisers abhängigen Reichsregierung (für welche im allmächtigen Großen Hauptquartier bald die verächtliche Bezeichnung »die Reichsleitung« aufkam), und mit zwei Männern an der Spitze, von denen der eine, Ludendorff, mit dem Starrsinn des Fachmanns geschlagen, und der andere, Hindenburg, mit der Unzulänglichkeit des Gesichtskreises geboren war. Erst als das kleine preußische Einmaleins unter keinen Umständen aufgehen wollte, kam in beiden Diktatoren Zweifel auf – nicht aber an ihrer eigenen Tüchtigkeit, sondern an der Qualität des Menschenmaterials, welches sie für ihre Rechenkunststücke benötigten, wobei es etwa um folgende Größenordnungen ging: »Vorausberechnete Verluste für die Frühjahrsoffensive 1918: 600 000 Mann.«

Rechenkunststücke – gewiß ein hartes Wort; klingt es aber nicht verständlicher, wenn man bedenkt, daß schon der vielbeschriene Sieg von Tannenberg ohne Folgen geblieben war – denn Rußland machte uns noch drei Jahre lang schwer zu schaffen – und daß mit dem Rückzug an der Marne für die Einsichtigen unter den hohen und höchsten Militärs (dem Volke wurde die Bedeutung dieses Schrittes verschwiegen) der deutsche Sieg mit dem Schwert verspielt war? Jetzt hätte die Diplomatie das Wort haben, der Kaiser eingreifen müssen. Statt dessen setzten die Ersatzhandlungen der Rechenkunststücke des Großen Hauptquartiers ein. Sie führten so sicher von einem Sieg zum anderen wie zum Untergang des Reiches. Schon während des Krieges kam das bittere Wort auf, daß wir uns »zu Tode siegen« würden. Ludendorff, gedeckt durch die Autorität Hindenburgs, war kühl genug, nüchtern genug, menschenverächterisch genug, das Experiment zu wagen: er hat uns zu Tode gesiegt.

Die Haltung der Front – gegen eine übermächtige Welt von Feinden, und die Haltung der Heimat – gegen eine zermürbende Welt von Hunger und Tränen in diesem großen Trauerspiel unseres Hochmutes, sind in die Geschichte als die einer Bewährung eingegangen. Jedoch haben all diese unsäglichen Opfer nichts anderes erreicht, als die Siege, die sie ermöglicht haben: Wir haben uns auch zu Tode geopfert und waren dann nur noch zu einer halben Demokratie (mit dem gleichen Hindenburg als Reichspräsidenten) und schließlich zu einer ganzen Dolchstoßlegende fähig, die den nächsten Weltkrieg großziehen sollte ...

Der außenpolitische Zickzackkurs des Kaisers hatte die – im Banne des Imperialismus stehende, das heißt auf das Gleichgewicht Europas bedachte – Welt im Juli 1914 nicht zum erstenmal an den Rand eines Krieges gebracht. Aber jetzt zum erstenmal wurde der Krieg, und zwar von allen Seiten – nicht mehr als Verhängnis, sondern als Befreiung empfunden. Die Chauvinisten jeder Nation – keineswegs nur der deutschen – hielten die Stunde für gekommen. Leichtsinnigerweise; denn wie die deutschen, so rechneten auch die französischen, englischen, russischen Militärs mit einem Krieg von nur kurzer Dauer; man übertrug dem Krieg die Funktion eines Gewitters: Wäre es abgezogen, läge die europäische Landschaft zwar mit veränderten Grenzen, aber in neuem, friedlichem Lichte da. »Zu Weihnachten sind wir wieder zu Hause«, dies war die Ansicht von allen, die da ausziehen mußten. Die Begeisterung war groß in Berlin, in Wien, in Paris, in London und in St. Petersburg gleichermaßen und schon deshalb, weil sie auf eine kurze, steile Flamme angelegt war.

In dieser Stimmung begann der Krieg. Unser Buch verfolgt nun das Anwachsen und das sich allmählich Ändernde dieser Stimmung an Hand von Dokumenten, chronologisch, von Tag zu Tag, von Jahr zu Jahr. Auf diese Weise ergibt sich eine Innenansicht des Krieges (wie jedes Krieges), die stutzig macht: Wo blieb die Vernunft? Wo der gesunde Menschenverstand?

Zeugnisse des Chauvinismus finden wir nicht in Deutschland allein; unseren Haßgesängen ebenbürtig sind diese französischen:

Vorwärts! Vorwärts! Damit der Boden Frankreichs,
Den sie uns rauben wollten, einmal ihr Grab wird.
Menschendünger ist gut. Wir brauchen Dünger.
Tausend Ähren werden sich erheben über einem Boche, der fällt.

Vorwärts! Vorwärts! Diese Schurken
Haben unsre Frauen und Töchter vergewaltigt,
Unsre Kinder verstümmelt. Sie haben geplündert, gestohlen.
Sie haben ihre schmutzigen Leidenschaften gestillt! –

Töten! Töten! Töten! Laßt uns mit Fleisch sättigen
Das fleischfressende Bajonett.
Das Blut rötet, der Himmel taucht in Blau seinen weißen Stahl:
Das Bajonett – – die Trikolore! – –

Aus Bruneau: ›Heroische Gedichte‹ [5]

Auch die englischen können es mit den deutschen Haßgesängen
aufnehmen:

Nieder die Deutschen! Nieder sie alle!
O Flotte, o Heer! Zweifelt nicht an ihrem Falle!
Sollt nicht einen verschonen von den falschen Spionen!
Ihre Zunge abschneiden! Ihre Augen auskrallen!
Nieder, nieder mit ihnen allen!

›Daily Graphic‹ vom 20. August 1914 [2]

Daß sich der Hochstimmung des Kriegsausbruches auch eine
Anzahl von damals namhaften Dichtern nicht verschlossen, sei
bemerkt, von Ganghofer, dem Lieblingsschriftsteller des Kaisers, bis zu Gerhart Hauptmann, dem Aufsässigen, dem man
kürzlich noch das ›Jahrhundertspiel‹ verübelt hatte, reicht ihre
Skala.

Unter »Dokumenten« verstehen wir nicht die bekannten der
Geschichtsbücher, sondern die unbekannten jener Zeit: Leitartikel, Predigten, Briefe, Zeitungsanzeigen, Gedichte, Verordnungen, Bekanntmachungen, Gassenhauer, Witze usw. Dabei wird keine Zeile verwendet, die nicht damals niedergeschrie-
ben wurde. Es wird also auf die zahllosen Erinnerungen ebenso
verzichtet wie auf die Kriegsromane, die alle nachträglich entstanden sind.

Österreich war Deutschlands Verbündeter, deshalb fehlen die

Stimmen aus Österreich nicht; zählen sie doch von der Sprache und von der Sache her zu den »deutschen« Dokumenten.

Fünfzig Jahre nach Beendigung dieses Krieges hat sich die Welt verändert – jedoch nicht so grundsätzlich, daß die Lehren, die aus dieser Chronologie zu ziehen sind, überflüssig wären.

Ernst Johann

›Reclams Universum‹, 11. Mai 1918

Zum Geleit

... Denn Grausamkeit, noch dazu begangen am ungeeignetsten Objekt, ist es doch, wenn auf einmal jede wollene Weste, jede Leberwurst und jede Leibbinde gut genug ist, den Namen Hindenburg zu tragen.

›Neue Hamburger Zeitung‹, nach dem Sieg von Tannenberg, 1914

Ihr habt unseren Feinden unter Zuchthausstrafe den Frieden angedroht!

Ein Neutraler zu Erzberger, 1916

Niemals hat eine weltgeschichtliche Katastrophe geringere Veränderungen im hergebrachten Denken der Führenden hinterlassen.

›Die Tat‹, Oktoberheft 1917, in einem Aufsatz aus dem Felde ›Vom Weltkriege und vom neuen Geiste‹

Dieses Gebiet sollte so bleiben. Keine Straße, kein Brunnen, keine Siedlung sollte darin entstehen. Jeder Herrscher, jeder leitende Staatsmann, jeder Präsident eines Volkes müßte, statt einen Eid auf die Verfassung zu leisten, vor dieses Bild geführt werden. Von nun an bis in Ewigkeit: dann gäbe es keine Kriege mehr.

Rudolf G. Binding, angesichts des Schlachtfeldes nach der Siegfried-Offensive, 4. April 1918

Das deutsche Volk hat sich vier Jahre lang in einer Weise und mit einer Hingabe gewehrt, die einfach ans Unerklärliche geht. Dies um so mehr, als gerade die Führer die Person sozusagen immer vor die Sache stellten. Das Vergehen der Ludendorff und Tirpitz ist deshalb um so niederträchtiger, und es gehört eine unglaubliche Frechheit dazu, von einem Dolchstoß in den Rücken der Front zu reden.

Der Industrielle Robert Bosch, 1921

DIE MASCHINE SETZT SICH IN BEWEGUNG

25. Juli, 9.30 abends
Österreichisch-ungarische Teilmobilisierung gegen Serbien; sie umfaßt 22 Divisionen. (Die Verstärkungen der österr. Grenzgarnisonen an der russischen Grenze zählen nicht als Teilmobilmachungen.)
26. Juli
Inkrafttreten der »Kriegsvorbereitungsperiode« in Rußland.
29. Juli
Warnungstelegramm an Heer und Flotte in England. (Die drei englischen Heimflotten hatten am 16. Juli eine Übungsmobilmachung vorgenommen, die nichts mit der politischen Lage zu tun hatte, unterließen es aber, die für den 26. Juli vorgesehene Demobilmachung vorzunehmen.)
30. Juli
Befehl der Aufstellung des Grenzschutzes in Frankreich.
30. Juli, 6 Uhr abends
Mobilmachung in Rußland.
31. Juli
»Der Zustand drohender Kriegsgefahr« in Deutschland.
31. Juli, 12.23 Uhr mittags
Mobilmachung in Österreich-Ungarn.
1. August, 4.40 Uhr nachmittags
Mobilmachung in Frankreich.
1. August, 5 Uhr nachmittags
Mobilmachung in Deutschland.
2. August, 2.25 Uhr morgens
Mobilmachung der Flotte in England.
3. August, 12 Uhr mittags
Mobilmachung des Landheeres in England.

ZUR INFORMATION

1. Die Gliederung des Heeres

Bei Beginn des Krieges ist das Heer in acht Armeen, die I. bis VII. im Westen, die VIII. im Osten, gegliedert. Jede Armee untersteht einem Armeeführer, meist einem Generaloberst, und umfaßt neben andern, dem Armeeführer unmittelbar unterstellten Verbänden (wie Fliegern, schwerste Artillerie) mehrere Armeekorps – die 1. Armee z. B. sechs Armeekorps –, die durchschnittlich 30 000 Mann stark sind und einem Kommandierenden General unterstehen.

Jedem Armeeführer und jedem Kommandierenden General steht beratend ein »Chef des Stabes« zur Seite, meist ein jüngerer General oder ein Oberst. Dieser Chef des Stabes wird unterstützt von Generalstabsoffizieren, die im Großen Generalstab zu Berlin geschult waren. Ein Armeekorps besteht aus zwei Divisionen. Die Division, unter einem Generalleutnant, umfaßt zwei Infanterie-Brigaden, Artillerie und Kavallerie, Pioniere und Train.

Infanterie: 1 Brigade (General) = 2 Regimenter, jedes 3 200 Mann. 1 Regiment (Oberst) = 3 Bataillone. 1 Bataillon (Major) = 4 Kompanien. 1 Kompanie (Hauptmann) = 3 Züge, von denen jeder einem Zugführer untersteht: Oberleutnant oder Leutnant oder (später) Offiziersstellvertreter.

Kavallerie: 1 Regiment = 4 Eskadrons zu je 180 Reitern.

Feldartillerie: Brigade. Regiment. 1 Regiment = 2 Abteilungen. 1 Abteilung = 3 Batterien. 1 Batterie = 6 Geschütze.

2. Die Kräfteverhältnisse

Die Kräfte der angetretenen Feinde – hier die Mittelmächte, dort die Entente – verhielten sich so:

Infanterie-Divisionen:
wir: 150
die anderen: 220

Kavallerie-Divisionen:
wir: 20
die anderen: 40

Feldartillerie:
wir: 9 000 Geschütze
die anderen: 11 060 Geschütze

Schwere Artillerie:
wir: 750 Geschütze
die anderen: 600 Geschütze

[nach 5]

Berlin, 31. Juli 1914

Gestern Abend bewegte sich ein großer Zug von »Unter den Linden« unter patriotischen Gesängen die Wilhelmstraße herab und machte vor dem Palais des Reichskanzlers halt. Der Reichskanzler erschien kurz vor Mitternacht an dem Mittelfenster des Kongreßsaales und wurde mit stürmischen Rufen begrüßt. Als Stille eintrat, sprach der Kanzler mit weithin schallender Stimme folgende Worte: In ernster Stunde sind Sie, um Ihren patriotischen Gefühlen Ausdruck zu geben, vor das Haus Bismarcks gekommen, Bismarck, der uns mit Kaiser Wilhelm dem Großen und dem Feldmarschall Moltke das Deutsche Reich schmiedete. Wir wollten im Reiche, das wir in 44jähriger Friedensarbeit ausgebaut haben, auch ferner im Frieden leben. Das ganze Wirken des Kaisers war der Erhaltung des Friedens gewidmet. Bis in die letzten Stunden wirkte er für den Frieden Europas und er wirkt noch für ihn. Sollte all sein Bemühen vergeblich sein und sollte uns das Schwert in die Hand gezwungen werden, werden wir in das Feld ziehen mit gutem Gewissen und dem Bewußtsein, daß nicht wir den Krieg wollten. Wir werden dann den Kampf um unsere Existenz und unsere nationale Ehre mit der Einsetzung des letzten Bluttropfens führen. Im Ernste dieser Stunde erinnere ich Sie an das Wort, das einst Prinz Friedrich Karl den Brandenburgern zurief: »Laßt Eure Herzen schlagen zu Gott, Eure Fäuste auf den Feind!« Mit begeisterten Hochrufen auf den Kaiser und den Kanzler und unter Gesängen der Nationalhymne und der Wacht am Rhein setzte der Zug seinen Weg durch die Wilhelmstraße fort. [3]

DER NOT GEHORCHEND – ABER GEHORCHEND

Berlin, 1. August 1914

Die Herausgeber der Wochenschrift für Politik, Literatur, Kunst ›Die Aktion‹, Franz Pfemfert, eröffnet die heutige Nummer mit einem Artikel ›Die Besessenen‹. (Er schrieb ihn am 27. Juli während seiner Sommerfrische in Ilsenburg im Harz.)

Das also ist die Kulturhöhe, die wir erreichten: Hunderttausende, die gesündesten, wertvollsten und wertevollsten Kräfte zittern, daß ein Ungefähr, ein Wink der Regierer Europas, eine

Böswilligkeit oder eine sadistische Laune, ein Cäsarenwahn oder eine Geschäftsspekulation, ein hohles Wort oder ein vager Ehrbegriff, sie morgen aus ihrem Heim jagt, hinweg von Weib und Kind, hinweg von allem mühselig Aufgebauten, in den Tod. Der irre Zufall kann heute, kann morgen, kann jede Minute rufen, und alle, alle werden kommen. Der Not gehorchend – aber gehorchend. Anfangs werden sie heulen, daß sie ihr bißchen Erdenglück zusammenbrechen sehen – bald jedoch werden sie, wenn auch nicht mit ganz sauberer Unterwäsche vom allgemeinen Taumel besessen sein und besinnungslos morden und gemordet werden ... Es ist dumm, ein Wort der Vernunft zu sprechen, wenn die Stunde der Vernunft nicht da ist ... Der Chauvinismus ist die ständige Lebensgefahr der Menschheit. Er, allein er, kann über Nacht aus Millionen Vernunftwesen Besessene machen ... [42]

NUN DANKET ALLE GOTT

Berlin, 1. August 1914

Heute Nachmittag Punkt 5 Uhr fuhr ein Generalstabsoffizier die Linden entlang, schwang im Vorüberfahren an den wogenden Menschenmengen das Taschentuch und verkündete die am Nachmittag erfolgte Mobilisation Deutschlands. Auf Befehl des Kaisers trat kurz nach 5 Uhr aus dem Portal des Schlosses ein Schutzmann und teilte der harrenden Menge mit, daß die Mobilisation beschlossen sein. Die tief ergriffene Menge stimmte unter den Klängen der Domglocken den Choral an: »Nun danket alle Gott!« [3]

UNBESCHREIBLICHER JUBEL

Berlin, 1. August 1914

Unter den Linden und vor dem königlichen Schloß sammelten sich bald nach der Bekanntgabe der Mobilmachung viele Hunderttausende von Menschen. Jeder Wagenverkehr hörte auf. Der Lustgarten und der freie Platz vor dem Schloß waren dicht angefüllt von den Menschenmassen, die patriotische Lieder sangen und wie auf Kommando gleichmäßig immer wieder den Ruf erneuerten: »Wir wollen den Kaiser sehen!« Gegen $\frac{1}{2}$7 Uhr erschien der Kaiser am mittleren Fenster der ersten Etage, von einem unbeschreiblichen Jubel und von Hurrarufen begrüßt. Patriotische Lieder wurden angestimmt. Nach einiger Zeit trat in der Menge Ruhe ein. Die Kaiserin trat an die Seite des Kaisers, der den Massen zuwinkte, daß er sprechen wolle. Unter tiefstem Schweigen sprach der Kaiser dann ungefähr mit weithin vernehmbarer, langsam stärker werdender Stimme: »Wenn es zum Kriege kommen soll, hört jede Partei auf, wir sind nur noch deutsche Brüder. In Friedenszeiten hat mich zwar die eine oder andere Partei angegriffen, das verzeihe ich ihr aber jetzt von ganzem Herzen. Wenn uns unsere Nachbarn den Frieden nicht gönnen, dann hoffen und wünschen wir, daß unser gutes deutsches Schwert siegreich aus dem Kampf hervorgehen wird.«

An diese Worte des Kaisers schloß sich ein Jubel, wie er wohl noch niemals in Berlin erklungen ist. Die Menge stimmte begeistert erneut patriotische Lieder an. [3]

DER KAISER BRAUCHT SOLDATEN

Berlin, 2. August 1914

Das Armeeverordnungsblatt veröffentlicht folgenden Gnadenerlaß:

Ich will allen Personen des aktiven Heeres, der aktiven Marine und der Schutztruppen, vom Feldwebel (Wachtmeister) oder Deckoffizier abwärts und allen unteren Militärbeamten des Heeres, der Marine und der Schutztruppe, soweit nicht einem der hohen Bundesfürsten das Begnadigungsrecht zusteht, die gegen sie von Militärbefehlshabern oder von Militärgerichten des preußischen Kontingents, vom Gouvernementsgericht Ulm, sowie von preußischen Gerichten und Verwaltungsbehörden verhängten Geld- und Freiheitsstrafen bzw. den noch nicht vollstreckten Teil derselben aus Gnade erlassen, sofern

a) die lediglich wegen militärischer Verbrechen oder Vergehen ihnen auferlegte Strafe insgesamt 5 Jahre

b) die lediglich wegen gemeiner Verbrechen, Vergehen oder Übertretungen ihnen an erster Stelle und an Stelle der Geldstrafe auferlegte Freiheitsstrafe insgesamt 1 Jahr,

c) beim Zusammentreffen militärischer und gemeiner Verfehlungen die wegen letzterer verhängte oder in Ansatz gebrachte Freiheitsstrafe ein Jahr, die Freiheitsstrafe insgesamt fünf Jahre nicht übersteigt.

Ausgeschlossen von der Begnadigung sollen jedoch diejenigen Personen sein,

1. welche unter der Wirkung von Ehrenstrafen stehen,
2. welche wegen eines mit dem Verlust der bürgerlichen Ehrenrechte bedrohten Verbrechens oder Vergehens verurteilt sind, auch wenn auf die Ehrenstrafe nicht erkannt ist,
3. welche während der Strafverbüßung, sofern diese bereits begonnen hat oder während einer vorangegangenen Untersuchungshaft sich schlecht geführt haben. Auf Personen des Beurlaubtenstandes vom Feldwebel (Wachtmeister) oder Deckoffizier abwärts findet vorstehende Ordre entsprechende Anwendung, sofern sie aus Anlaß der gegenwärtigen Mobilmachung einberufen werden und zur Einstellung gelangen.
gez.: Wilhelm [3]

KRIEGSTRAUUNGEN

Berlin, 2. August 1914

Bei den Standesämtern der Stadt- und Landgemeinden Großberlins sind am Samstag und Sonntag rund 1800 Nottrauungen vollzogen worden; auf Berlin entfallen etwa 1000 Nottrauungen. In den Krankenhäusern und Wöchnerinnenheimen, wo die Bräute der zum Felddienst Einberufenen liegen, wurden gestern allein sechs Kriegstrauungen am Krankenbett durch den Standesbeamten vollzogen, wobei zumeist Ärzte als Trauzeugen fungierten. [3]

EIN VERSPRECHEN

Berlin, 3. August 1914

Der Große Generalstab hat heute früh den Pressevertretern erklärt:

Vorerst gibt es nur eine Forderung: Vertrauen, unbedingtes Vertrauen in unsere oberste Armeeleitung; das weitere wird sich schon finden! Der Generalstab wird mit seinen Meldungen auf keinen Fall Schönfärberei treiben, sondern er wird sachlich und offen alles sagen, was zu sagen ist; wir sagen entweder nichts, aber wenn wir etwas sagen, ist es wahr! [3]

Anfang August, 1914

*Das am meisten gesungene Soldatenlied der ersten Kriegswochen besteht
aus drei Strophen; die ersten vier Zeilen sind aus ›Der Gute Kamerad‹
von Ludwig Uhland; die angehängten Zeilen fünf bis zehn sind ein neuer
Refrain, der in der zweiten und dritten Strophe gleich lautet, also:*

Ich hatt' einen Kameraden,
einen bessern find'st du nit,
Die Trommel schlug zum Streite,
Er ging an meiner Seite.
Gloria, Gloria, Gloria, Viktoria!
Mit Herz und Hand fürs Vaterland, fürs Vaterland!
Die Vöglein im Walde, die singen ja so wunder-wunder-
schön:
In der Heimat, in der Heimat, da gibt's ein Wiederseh'n,
In der Heimat, in der Heimat, da gibt's ein Wiederseh'n. [4]

Das beliebteste Matrosenlied war:

Stolz weht die Flagge Schwarz-Weiß-Rot
An unsres Schiffes Mast.
Dem Feinde weh, der sie bedroht,
Der diese Farben haßt!
Sie flattert an dem Heimatstrand
Im Winde hin und her,
Und fern vom teuren Vaterland
Auf sturmbewegtem Meer.
Ihr woll'n wir treu ergeben sein,
Getreu bis in den Tod.
Ihr woll'n wir unser Leben weih'n,
Der Flagge Schwarz-Weiß-Rot.
Hurra!

INSCHRIFTEN AUF DEN TRANSPORTWAGGONS ZUR FRONT

Anfang August, 1914

Jeder Schuß ein Russ'
Jeder Stoß: ein Franzos'

Auch in Serbien sollen sie sterbien
Und in Belgien uns nicht behelligen

Wem Gott will rechte Gunst erweisen,
Den läßt er jetzt nach Frankreich reisen! –

Russischer Kaviar,
Französischer Sekt;
Deutsche Hiebe,
Ei, wie das schmeckt! –

O Nikolaus, du armer Mann,
Wie bist du jetzt doch übel dran;
Den Wilhelm hast du uns verkohlt,
Dafür kriegst du den ... versohlt!
Nikolaus, du dummes Luder,
Frankreich ist dein Leidensbruder!

Nikolaus, du Lump,
Führst den Krieg auf Pump!

Franzosen, Russen, Belgier, England, Serben und
                                    Montenegro,
Gegen Deutschland und Österreichs Staaten? So, so!
Fangt nur das Drängen und Schieben nicht an:
»Bei uns kommt einer nach dem andern dran!«

Erst kommt der Franzose
Und dann kommt der Ruß';
Dann kommt John Bull,
Der ersaufen muß! –

Ach, wenn das der Franzmann wüßte,
Was für Schläg' er kriegen müßte;
Seine Angst die wäre groß,
Denn der Deutsche prahlt nicht bloß! –

Mit schlechten Stiefeln an den Füßen
Kommst, Franzmann du, nicht in mein Haus!
Ich werde es dir sagen müssen:
»Solch' Lumpen wirft man einfach raus!« –

Es braust ein Ruf von stolzer Höh':
Nimm dich in acht, Poincaré!

Dem Zaren in das Stammbuch!
Die Kugel ist zu gut für dich,
Fort, hin zum Galgen, verstehst du mich! –

Wageninhalt:
Mutters Lieblinge,
Frankreichs Schrecken! –

Die Serben sind alle Verbrecher,
Ihr Land ist ein dreckiges Loch!
Die Russen, die sind nicht viel besser
Und Keile kriegen sie doch! –

Hier werden noch Kriegserklärungen entgegengenommen!

Zar, es ist 'ne Affenschande,
Daß wir dich und deine Bande
Müssen erst desinfizieren
Und dann gründlich kultivieren! –

Wenn es Russenköpfe regnet
Und Franzosenköpfe schneit;
Dann bitten wir den lieben Gott,
Daß das Wetter noch so bleibt! –

Das wird in Petersburg 'ne Keilerei
Und auch das Väterchen ist mit dabei;
Dem wird der Buckel oft und gern gegrüßt,
Wie das mit deutscher Faust so üblich ist! [4]

Und in Erinnerung an das Königreich Westfalen von Napoleons Gnaden:

Alle Schuld rächt sich auf Erden,
Frankreich muß westfälisch werden. [5]

Marienburg (Westpr.), Anfang August 1914

Bernhard von der Marwitz, ein deutscher Schriftsteller, geboren 1890, gestorben 1918 in einem Kriegslazarett, gibt der Stimmung seiner Generation Ausdruck:

... Wie ist das Leben mit einem Male so anders geworden. Wer hätte geahnt, daß es plötzlich vor aller Augen sichtbar werden würde, was uns so lange unser dunkler Glaube, unsere geheime Hoffnung war, diese große Erhebung für ein einziges Großes, um den Preis alles anderen. Das Schwert ist aufgerichtet, und ein ganzes Volk betet zu den Waffen. Denn dieser Krieg ist ein einziges großes Gebet, herausgestoßen mit dem Geschrei der Schlachtendonner. Von den Ereignissen wirst Du mehr als ich wissen; aber so einen Teil nahe vor Augen erleben, ist ein ganzes Leben wert. Mein einziger Wunsch ist, auch bald in die vordere Reihe zu kommen. Leb wohl! Und denke einmal an mich mit wenigen Worten. [99]

BEWILLIGUNG DER KRIEGSKREDITE

Berlin, 4. August 1914

Der Eröffnung des Reichstages im Weißen Saal folgt um 3 Uhr (nachmittags) die Sitzung des Reichstages. Im Mittelpunkt steht die Rede des Reichskanzlers mit der Rechtfertigung des deutschen Einmarsches in Belgien (›Ein Fetzen Papier‹). Die Sitzung wird nach fünfzig Minuten unterbrochen und um 5 Uhr fortgesetzt. Auf der Tagesordnung stehen die durch den Krieg notwendig gewordenen Gesetzentwürfe. Das Wort erhält der Abgeordnete der Sozialdemokratischen Partei Hugo Haase, der folgende Erklärung abgibt. (Die Sozialdemokraten waren zur Eröffnung des Reichstages im Weißen Saal nicht erschienen!)

Wir stehen vor einer Kriegsabstimmung, die Folge der imperialistischen Politik, durch die ein verhängnisvolles Wettrüsten herbeigeführt und die Gegensätze unter den Völkern verschärft worden sind. Die Verantwortung hierfür falle den Trägern dieser Politik zu. Wir lehnen sie ab. [Zustimmung.] Die Sozialdemokratie hat diese verhängnisvolle Entwicklung mit allen Kräften bekämpft, und bis in die letzten Stunden hinein hat sie durch machtvolle Kundgebungen in allen Ländern, namentlich im innigen Einvernehmen mit den französischen Brüdern [Zustimmung bei den Sozialdemokraten] auf die Aufrechterhaltung des Friedens gedrungen. Ihre Anstrengungen sind vergeblich gewesen. Jetzt stehen wir vor der ehernen Tatsache des Krieges und dem drohenden Schrecken der feindlichen Invasion. Nicht für oder gegen den Krieg haben wir jetzt zu entscheiden, sondern über die Frage der für die Verteidigung des Landes erforderlichen Mittel. Nun haben wir zu denken an die Millionen Volksgenossen, die ohne Schuld in dieses Verhängnis hineingezogen worden sind und die von den Verheerungen des Krieges am schwersten getroffen sind. [Sehr richtig! bei den Sozialdemokraten.] Heiße Wünsche begleiten unsere zu den Fahnen gerufenen Brüder ohne Unterschied der Partei. [Stürmischer Beifall bei allen Parteien.] Wir denken an die Mütter, die ihre Söhne hergeben müssen, an die Frauen und die Kinder, die ihrer Ernährer beraubt werden und zu den drohenden Schrecken des Hungers werden noch die Zehntausende verwundeter und verstümmelter Kämpfer kommen. Ihnen allen beizustehen und ihr Schicksal zu erleichtern, diese ungeheuren Schrecken zu lindern, erachten wir als eine zwingende Pflicht. [Lebhafter Beifall.] Wie mag es mit unserem Volke und seiner freiheitlichen Zukunft stehen? Bei dem Siege des russischen Despotismus, der sich mit dem Blute der Besten des eigenen Volkes befleckt hat? Vieles, wenn nicht alles, steht auf dem Spiele. Es gilt, diese Gefahren abzuwehren, Kultur und Unabhängigkeit unseres eigenen Landes zu sichern. Da machen wir wahr, was wir immer betont haben. Wir lassen in der Stunde der Gefahr das eigene Vaterland nicht im Stich. [Stürmischer Beifall bei allen Parteien.] Wir fühlen im Einvernehmen mit der Internationale, die das Recht jedes Volkes auf nationale Selbständigkeit und Selbstverteidigung jederzeit anerkennt, wenn wir in Übereinstimmung mit ihr jeden Eroberungskrieg verurteilen. Wir fordern, daß dem Kriege, wenn das Ziel der Sicherung erreicht ist und die Gegner zum Frieden geneigt sind, ein Ende gemacht wird, ein Ende, das die Freundschaft mit den Nachbarvölkern ermöglicht. Das fordern wir nicht nur im Interesse des deutschen Volkes. Wir hoffen, daß die grausamen Stunden der Kriegsleiden in Millionen den Abscheu vor dem Kriege wecken und sie für das Ideal des Völkerfriedens und des Sozialismus gewinnen werden.

Von diesem Grundsatz geleitet, bewilligen wir die geforderten Kredite. [Lebhafter Beifall.] [3]

(In der Fraktionssitzung der Sozialdemokratischen Partei hatten 14 Abgeordnete gegen die Kredite gestimmt, darunter der Vorsitzende, Haase.)

Berlin, 5. August 1914

Ein kaiserlicher Erlaß ordnet an:

Ich bin gezwungen, zur Abwehr eines durch Nichts gerechtfertigten Angriffs das Schwert zu ziehen und mit aller Deutschland zu Gebote stehenden Macht den Kampf um den Bestand des Reiches und unsere nationale Ehre zu führen. Ich habe Mich während Meiner Regierung ernstlich bemüht, das deutsche Volk vor Krieg zu bewahren und ihm den Frieden zu erhalten. Auch jetzt ist es mir Gewissenssache gewesen, wenn möglich, den Ausbruch des Krieges zu verhüten; aber Meine Bemühungen sind vergeblich gewesen. Reinen Gewissens über den Ursprung des Krieges bin Ich der Gerechtigkeit unserer Sache vor Gott gewiß. Schwere Opfer an Gut und Blut wird die dem deutschen Volke durch feindliche Herausforderung aufgedrungene Verteidigung des Vaterlandes fordern. Aber Ich weiß, daß Mein Volk auch in diesem Kampfe mit der gleichen Treue, Einmütigkeit, Opferwilligkeit und Entschlossenheit zu Mir steht, wie es in früheren schweren Tagen zu Meinem in Gott ruhenden Großvater gestanden hat. Wie Ich von Jugend auf gelernt habe, auf Gott den Herrn Meine Zuversicht zu setzen, so empfinde Ich in diesen ernsten Tagen das Bedürfnis, vor ihm Mich zu beugen und seine Barmherzigkeit anzurufen. Ich fordere Mein Volk auf, mit Mir in gemeinsamer Andacht sich zu vereinigen und mit Mir am 5. August einen außerordentlichen, allgemeinen Bettag zu begehen. In allen gottesdienstlichen Stätten im Lande versammle sich an diesem Tage Mein Volk in ernster Feier zur Anrufung Gottes, daß er mit uns sei und unsere Waffen segne. Nach dem Gottesdienst möge dann, wie die dringende Not der Zeit es erfordert, ein jeder zu seiner Arbeit zurückkehren. [74]

HOCHGEFÜHL

Anfang August 1914

In der › Berliner Hausfrau‹ schreibt Dorothea Göbler:

Ist es nicht eine Wonne zu leben, in diesen wonnevollen Tagen? Was für ein wunderbares Schicksal ist über uns hinweggegangen. [29]

EINE FRAGE

Anfang August 1914

Theodor Fritsch, Leipzig, Antisemit, Herausgeber des ›Hammer‹,
fragt sich und seine Leser:

Täten wir nicht klüger, für immer im Kriegszustand zu bleiben?
[29]

NUN WOLLEN WIR SIE VERDRESCHEN

7. August 1914

Dank, Kaiser Wilhelm, für das Wort
Es widerhallt von Ort zu Ort:
»Nun wollen wir sie verdreschen!«
Ihr Preußen haltet guten Takt
Mit euren Ernteflegeln.
Ihr Bayern, feste angepackt,
Ihr kennt ja auch die Regeln.
Ihr, Württemberg und Baden auch,
Gebt gute Dreschen beide,
Und was in Sachsen alter Brauch,
Jetzt sei's dem Feind zuleide.
Nehmt, nehmt die Flegel fest zur Hand
Und drescht mit deutschem Grimme,
Es geht ums deutsche Vaterland
Und unsers Kaisers Stimme.
Sein großes Wort am großen Tag,
Das gab den Takt beim Ernteschlag:
»Nun wollen wir sie verdreschen!«

M. Rinckleben [40]

DER RAUSCHZUSTAND

Darmstadt, 11. August 1914

Friedrich Gundolf, Jünger und Prophet des »Meisters« Stefan George,
schreibt an seinen Freund Edgar Salin:

Ich teile Ihre Freude und Ihre Zuversicht und lebe so ganz in der
Größe des Augenblicks, in der unzweifelhaften Gegenwart eines
deutschen Volkes voll Kraft und Tüchtigkeit, in der Bewun-

derung dieser ungeheuren einheitlichen Gewalt die das deutsche Heer heißt, in der von Hader und Zweifel gereinigten Luft unsrer Mengen, im Glauben an einen Sieg der das Deutschtum neu auf sich selbst stellt und auf sich selbst zurückweist, daß die Frage nach der Zukunft in mir gar nicht aufkommt, obwohl ich ahne, daß die Aufgabe nachher nicht leichter, sondern schwerer, aber größer und konzentrierter wird: soviel Zwischenkram wird wegfallen! Aber auch bloß diese Stunden erfahren zu haben genügt, komme was kommen mag! Wir leben in einem Rauschzustand der seinen ewigen Wert in sich hat. [113]

GESUCH EINES PENSIONISTEN

Hannover, Wedekindstr. 15, 12. August 1914

Sehr verehrter Herr von Stein!
Im Vertrauen auf unsere alte Bekanntschaft kurz eine Bitte:
Denken Sie meiner, wenn noch im Laufe der Dinge irgendwo ein höherer Führer gebraucht wird!

Ich bin körperlich und geistig durchaus frisch und war daher auch bis vorigen Herbst trotz meiner Verabschiedung designiert. Fabeck kann Ihnen darüber Näheres berichten.

Mit welchen Gefühlen ich jetzt meine Altersgenossen ins Feld ziehen sehe, während ich unverschuldet zu Hause sitzen muß, können Sie sich denken. Ich schäme mich, über die Straße zu gehen.

Antwort auf diese Zeilen erwarte ich nicht. Sie haben Wichtigeres zu tun. Ihre Rückkehr in den Generalstab hab ich mit aufrichtiger Freude begrüßt. Gott sei mit Ihnen!
Stets in alter treuer Kameradschaft
Euerer Exzellenz sehr ergebener
v. Beneckendorff u. v. Hindenburg
General der Infanterie à la suite des 3. Garde-Regts. z. F.

STARKES SANGESBEDÜRFNIS

Berlin, 15. August 1914

Ein Aufruf des Familienblattes ›Die Woche‹:

Auch die ›Woche‹ will in einer großen Zeit ihre patriotische Pflicht erfüllen und fordert deshalb ihre Leser auf, ihr Dichtungen für flotte Marschlieder einzusenden. Unser Heer hat zwar keinen Mangel an derartigen Dichtungen, aber auch die größte Zahl von Marschliedern ist bei dem starken Sangesbedürfnis unserer braven Truppen bald erschöpft. Deshalb wollen wir ihnen neue Marschlieder bieten, die der Gegenwart sich anpassen, möglichst nach einer bekannten Marschweise zu singen und durch ihren kraftvollen Inhalt, ihre kernige und derbe Sprache und ihren lebendigen Rhythmus geeignet sind, die Truppen auch nach den stärksten Strapazen wieder neu zu beleben und alle Mühe und Not vergessen zu lassen. Wer dichterische Kraft in sich fühlt und die ›Woche‹ bei diesem patriotischen Unternehmen unterstützen will, sende Beiträge mit genauer Adreßangabe an die Redaktion der ›Woche‹, Berlin SW 68, die über Art und Zeit der Veröffentlichung solcher Beiträge entscheiden wird. [41]

›Die Woche‹ Nr. 49 vom 5. Dezember 1914

ACH, LASST MICH MIT!

18. August 1914

Die ›Kölnische Volkszeitung‹ veröffentlicht den Notschrei eines Freiwilligen, dem nicht geholfen werden konnte. Er hatte sich bei sechs Regimentern vergeblich zum Eintritt gemeldet.

Laßt mich zum Heer, zum deutschen Freiheitsheer,
Laßt in den zweiten Freiheitskampf mich mit!
Laßt für das Vaterland mich sterben auf dem Meer,
Laßt sterben mich im Feld im gleichen Schritt,
    Nur laßt mich mit!

Laßt mich nach Frankreich an den gall'schen Hahn,
Ich will dem Frechling mit Gewalt ans Blut,
Gebt mir ein Schwert und zeiget mir die Bahn,
Es gilt das Vaterland, des Deutschen höchstes Gut!
    Ach laßt mich mit!

Wenn England geht mit Rußland Hand in Hand,
Mein Vaterland zu Boden schmettern will,
Dann laßt auch mich mit in des Feindes Land,
Ich muß ins Feld und halte nicht mehr still!
    Ach laßt mich mit!

Ach laßt mich fechten für mein deutsches Reich,
Und wenn ich sterben muß im blut'gen Feld,
So laßt mich fallen denn, mir ist es gleich,
Wenn nur mein liebes Vaterland nicht fällt!
    Ach laßt mich mit!

Otto Wolf [1]

»UND JETZT WOLLEN WIR SIE DRESCHEN«

19. August 1914

*Am Schluß seiner Ansprache an das 1. Garde-Regiment zu Fuß vor
dessen Ausrücken sagte der Kaiser:*

Unser alter Ruhm ist ein Appell an das deutsche Volk und sein
Schwert. Und das ganze deutsche Volk bis auf den letzten Mann
hat das Schwert ergriffen. Und so ziehe Ich denn das Schwert,
das Ich mit Gottes Hilfe jahrzehntelang in der Scheide gelassen
habe. [*Bei diesen Worten zog der Kaiser das Schwert aus der Scheide
und hielt es hoch über seinem Haupte und fuhr fort:*] Das Schwert ist
gezogen, das Ich ohne siegreich zu sein, ohne Ehre nicht wieder
einstecken kann, und ihr alle sollt und werdet Mir dafür sorgen,
daß es in Ehren wieder eingesteckt werden wird. Dafür bürgt
ihr Mir, daß ich den Frieden Meinen Feinden diktieren kann.
Auf in den Kampf mit den Gegnern, und nieder mit den Feinden
Brandenburgs! Drei Hurras auf unser Heer!
    Und dann fügte der Kaiser hinzu: Und jetzt wollen wir sie dre-
schen! [47]

20. August 1914

Otto v. Gottberg, Verfasser von Militärromanen und patriotischen Schriften (›Nein, der Krieg ist schön ... Das sei Jungdeutschlands Himmelreich‹) schildert den ersten Anblick eines Schlachtfeldes:

Der Vormarsch des nächsten Tages führte bei Sonnenaufgang über das noch nicht aufgeräumte Schlachtfeld. Namentlich auf einem von der Marschstraße durchquerten Areal von Größe wohl zweier Quadratkilometer hatte die bayerische Artillerie ungemein saubere Arbeit getan. »Wie im Panoptikum«, meinten die Berliner unter unseren Leuten. Verwüstung und Zerstörung, zertrümmertes Gerät und Gefährt waren kaum zu sehen. Toter lag bei Totem. Im Chausseegraben, den wohl eine feindliche Nachhut behauptet hatte, hielten die Leichen Schulter an Schulter oft noch das Gewehr im Anschlag. Auf den Feldern reiften gelb und hoch Roggen und Weizen. Daneben und darin schliefen Rothosen in Reih und Glied. Sie schließen sich beim Rückzug sehr früh zusammen. Nicht Schützen, sondern Züge und Kompagnien hatte darum unsere Artillerie erschlagen, während die nachdrängende Infanterie dem abziehenden Feind noch fern gewesen sein mußte, da kein Feldgrau auf dem blau und rot gesprenkelten Leichenfeld zu sehen war.

Das launige Geplauder der Kolonne verstummte, aber die kriegsfremde Mannschaft sah das furchtbare Bild verstümmelter und zerrissener Leichen eigentlich ohne Grauen. Söhne eines starknervigen, soldatisch erzogenen Volkes, hatten die Leute ihr Hirn auf solchen Anblick vorbereitet und machten einander gelassen auf besonders vernichtende Feuerwirkung aufmerksam. Vor der Masse feindlicher Leichen scheint der Soldat nur Genugtuung zu spüren. Im einzelnen Toten sieht er dagegen das Individuum, und dem verwundeten oder gefangenen Feind bekundet unser Mann viel Güte. [84]

Helmut v. Moltke, bis Oktober 1914 Chef des Generalstabs des Heeres,
schreibt an seine Frau Eliza:

Luxemburg, 29. August 1914

Ich bin froh, für mich zu sein und nicht am Hofe. Ich werde ganz
krank, wenn ich dort das Gerede höre; es ist herzzerreißend, wie
ahnungslos der hohe Herr über den Ernst der Lage ist. Schon
kommt eine gewisse Hurrastimmung auf, die mir bis in den Tod
verhaßt ist. Nun, ich arbeite mit meinen braven Leuten ruhig
weiter. Bei uns gibt es nur den Ernst der Pflicht, und keiner ist
sich darüber im unklaren, wie viel und Schweres noch getan
werden muß. [49]

EINER SCHÄMT SICH

August, 1914

Der Schriftsteller Georg Hermann, Verfasser vielgelesener Berliner
Romane (›Jettchen Gebert‹, ›Henriette Jacoby‹), zählt zu der rühm-
lichen Reihe derer, die kühles Blut bewahrten. Er zog es vor, lieber zu
schweigen, als nationale Phrasen zu dreschen. Doch führte er ein eigenes
Tagebuch seiner Gedanken zum Kriegsgeschehen. Er sagte sich: »In
fünfzig Jahren vielleicht, oder schon eher, wird die Welt sich fragen, wie
das geschehen konnte, und ob denn niemand, wenigstens innerlich, vom
ersten Augenblick an, sich dagegen gesträubt hat. Dann jedoch wollte ich
die Genugtuung haben, für meine Person zeigen zu können, von der ersten
Stunde dieses grauenvollsten Krieges an . . .« Eine seiner ersten Eintra-
gungen lautet:

Ich schäme mich als Mensch. Ich erinnere mich deutlich: ich
habe als Kind mir einmal in der Schule in die Hosen gesch . . . –
[Es war Pflaumenzeit!] – und ich habe mich so geschämt, [war
mir so ekelhaft, unsauber, kam mir so ausgestoßen vor, so über
und über rot, vom Weinen geschüttelt, all meines Ichs entkleidet,
ein schmutziger Waschlappen über den Rand eines Aufwasch-
eimers gehangen, hätte mich selbst nur mit einer Feuerzange
anfassen mögen] – wie nie wieder später im Leben, das einen
doch so durch mancherlei Dreck zu zerren weiß.

Ich dachte auch nicht, daß ich dieses Gefühl jemals wieder
durchleben würde. Aber jetzt – als ich der Tatsache dieses Krieges gegenüberstand – habe ich es ein zweites Mal und in erhöhter
Kraft kennen gelernt. [52]

München, 28. August 1914

Der bayerische Kriegsminister hat angeordnet:

Angesichts der Haltung der sozialdemokratischen Partei im gegenwärtigen Kriege darf der Lektüre und Verbreitung dieser Presse unter den Heeresangehörigen kein Hindernis in den Weg gelegt werden. [2]

Die Wirklichkeit sah anders aus. Die Beförderung des Kriegsfreiwilligen von 1914, Ernst Lemmer, zum Offizier verzögerte sich »wegen der Lektüre von sozialdemokratischen Zeitungen« um ein ganzes Jahr. [90]

OFFENER BRIEF AN GERHART HAUPTMANN

Das ›Journal de Genève‹ veröffentlicht den folgenden offenen Brief des französischen Dichters Romain Rolland an Gerhart Hauptmann:

Genf, 29. August 1914

Ich, Gerhart Hauptmann, bin keiner derjenigen Franzosen, die Deutschland als barbarisches Land behandeln; ich kenne die geistige und sittliche Größe Ihrer mächtigen Rasse; ich weiß, was ich alles den Denkern des alten Deutschland verdanke; und auch im gegenwärtigen Augenblick noch gedenke ich des Beispiels und der Worte unseres Goethe – er gehört der ganzen Menschheit an –, worin er jeden nationalen Haß von sich weist und seine Seele auf jene Höhen erhebt, »wo man das Glück und das Unglück der anderen Völker wie sein eigenes empfindet«. Ich habe mein ganzes Leben lang daran gearbeitet, beide Nationen sich geistig näherzubringen, und die Schrecken des ruchlosen Krieges, der sie zum Unglück für europäische Zivilisation feindlich gegenüberstellt, werden mich niemals dazu führen, meinen Geist mit Haß zu beschmutzen.

Es fehlt mir heute also nicht an Gründen, mich über Ihr Deutschland zu beklagen, die deutsche Politik und die Mittel, deren sie sich bedient, als verbrecherisch zu erachten, aber ich mache das Volk, das sie über sich ergehen läßt und sich zu ihrem blinden Werkzeug hergibt, nicht dafür verantwortlich. Ich erblicke nämlich keineswegs, wie Sie, im Kriege ein Verhängnis. Der Franzose glaubt nicht an das Verhängnis. Das Verhängnis dient willenlosen Seelen zur Entschuldigung. Der Krieg ist die

31

Frucht der Schwäche und der Dummheit der Völker; man kann sie deshalb nur beklagen, ihnen aber nicht zürnen. Ich werfe Ihnen auch nicht unsere Gefallenen vor; die Trauer ist bei Ihnen nicht geringer. Wenn Frankreich zugrunde geht, so wird auch Deutschland zugrunde gehen. Ich habe meine Stimme selbst dann nicht erhoben, als ich Ihre Armeen die Neutralität des edlen belgischen Volkes verletzen sah. Dieser Gewaltstreich gegen die Ehre, der jedes rechtlich fühlende Gewissen zur Verachtung herausfordert, liegt zu sehr in der Tradition der Politik Ihrer Könige von Preußen: er hat mich nicht überrascht.

Was aber zu viel ist, das ist die Wut, womit Ihr diese hochherzige Nation behandelt, deren einziges Verbrechen darin besteht, bis zur Verzweiflung ihre Unabhängigkeit zu verteidigen und das Recht so wie Ihr, Deutsche, es selbst gehalten habt im Jahre 1813. Die Welt bäumt sich in Entrüstung auf; spart diese Gewalttätigkeiten auf für uns Franzosen, Eure wahren Feinde! Aber welche Schande, diese Verbitterung gegen Eure Opfer, gegen dieses kleine, unglückliche, unschuldige belgische Volk!

Ihr begnügt Euch aber auch nicht damit, Euch an dem lebenden Belgien zu vergreifen. Ihr bekriegt auch die Toten und ihren jahrhundertealten Ruhm. Ihr bombardiert Mecheln, Ihr steckt Rubens in Brand! Löwen mit seinen künstlerischen und wissenschaftlichen Schätzen, das heilige Löwen ist nur noch ein Aschenhaufen! Aber Sie, Hauptmann, wer sind denn Sie und wie wollen Sie von jetzt an noch genannt werden, wenn Sie den Titel: »Barbar« ablehnen? Sind Sie Nachkomme Goethes oder Attilas? Führen Sie Krieg gegen Armeen oder gegen den menschlichen Geist? Töten Sie die Menschen, aber haben Sie Achtung vor ihren Werken! Der Patriotismus der Menschheit, den Sie ebenso hüten wie wir, verlangt das, und wenn Sie fortfahren, diese Werke zu plündern, so erweisen Sie sich unwürdig der großen Erbschaft, unwürdig eines Platzes in der kleinen europäischen Armee, welche die Ehrenwache der Zivilisation bildet.

Ich wende mich übrigens gegen Sie, nicht an die Meinung der Welt, ich wende mich an Sie selbst, Hauptmann. Im Namen Europas, zu dessen berühmtesten Wortführern Sie bisher gehört haben, im Namen der Zivilisation, für welche die größten Männer seit Jahrhunderten kämpfen, im Namen der eigenen Ehre Ihrer deutschen Rasse beschwöre ich Sie und die ganze geistige Elite Deutschlands, unter der ich so viele Freunde zähle, mit aller Kraft die Stimme gegen dieses Verbrechen zu erheben, das auf Sie zurückfällt.

Tun Sie das nicht, so werden Sie beweisen, entweder daß Sie das Geschehene billigen, und in diesem Falle wird die Meinung der Welt Sie zermalmen, oder aber daß Sie ohnmächtig sind, die Stimme gegen die Hunnen zu erheben, die Sie befehligen. Und mit welchem Recht können Sie dann noch beanspruchen, wie Sie geschrieben haben, für die Sache der Freiheit und des menschlichen Fortschritts zu kämpfen? Unfähig, die Freiheit der Welt zu verteidigen, liefern Sie der Welt den Beweis, daß Sie selbst Ihre eigene Freiheit nicht verteidigen können und daß die Elite Deutschlands dem schlimmsten Despotismus dienstbar ist, demjenigen, der die Meisterwerke verstümmelt und den Menschengeist mordet.

Ich erwarte von Ihnen, Hauptmann, eine Antwort, eine Antwort, die eine Tat bedeuten soll. Die Meinung Europas erwartet sie ebenso wie ich. Bedenken Sie: in einem solchen Augenblick wäre das Schweigen selbst eine Tat.
Romain Rolland [3]

SELBST BARBAREI...

Friedrich Gundolf an Stefan George:

Darmstadt, 30. August 1914

Ich lebe und webe in der Größe der deutschen Taten die ihresgleichen nicht in der Welt haben und ein neues Weltalter heraufführen müssen. Aber was auch FOLGEN mag (selbst wenns Barbarei wäre), schon dieser Augustmonat selbst ist eine Erfüllung, den größten deutschen Zeiten ebenbürtig über alle Hoffnungen hinaus – »die Tat ist aufgerauscht in irdischem Jubel« (›Stern des Bundes‹ S. 47) die Aufgabe des deutschen Geistes ist ungeheuer gesteigert mit dieser Bewährung deutscher Kraft und deutschen Reichs. [112]

VOLKES STIMME

Georg Hermann erlebt die ersten Kriegswochen in Garmisch. Er notiert weiter:

Garmisch, Ende August 1914

Mein Wirt sagt: Passen S' auf, zum Schluß noch wird herauskommen, die größten Lumpen san mir gewesen. – Er wirft eine Kolporteurin, die Einbanddecken mit der Inschrift »Aus großer

33

Zeit« vertreibt, hinaus ... Schreien S' doch nicht vorher, warten S' doch ab, ob's a große Zeit werden wird.

Auf dem Markt verprügeln sie einen Mann, weil er gesagt hat: Wenn der Krieg zu Ende ist, wird sich der deutsche Kaiser sein Kaiserreich unter einem Lindenbaum zusammensuchen können.

Als die Menschen in den Krieg ziehen, lacht und jubelt alles, und die Burschen schuhplatteln mit den Mädchen auf dem Bahnhof, und des Juhus ist kein Ende ... Als aber die Pferde eingezogen werden, da jammert und weint alles, und immer wieder streicheln und küssen sie die Tiere, wie sie von ihnen Abschied nehmen. [52]

DER FETZEN PAPIER

Der Publizist Bernhard Guttmann schreibt in sein Kriegstagebuch:

Frankfurt, Ende August 1914

Daß jetzt Deutschland die von ihm mitverbürgte Neutralität Belgiens gebrochen, ein rechtskräftiges Abkommen für einen Fetzen Papier erklärt hat, ist ein schreckliches Ereignis. Es muß ein seelisches Trauma hinterlassen, von dem sich unser Erdteil nicht wieder erholt, nur die Gewalt gilt. [20]

HASSGESANG

September 1914

Der Schriftsteller Ernst Lissauer, geboren 1882 und vaterländischen Themen geneigt, gibt nach Ausbruch des Krieges lyrische Flugblätter heraus ›Worte in die Zeit‹. Im ersten Heft findet sich ein Gedicht ›Haßgesang gegen England‹, welches dem Dichter bis zu seinem Tode (in der Emigration, 1937) den Ruf einbrachte, der Verfasser der infamen Zeile »Gott strafe England« zu sein. Man tat ihm unrecht: Jene Zeile findet sich weder im ›Haßgesang‹, den wir zum Beweise im vollen Wortlaut wiedergeben, noch in anderen Kriegsliedern Lissauers.

Was schiert uns Russe und Franzos,
Schuß wider Schuß und Stoß um Stoß,
Wir lieben sie nicht,
Wir hassen sie nicht,
Wir schützen Weichsel und Wasgaupaß, –
Wir haben nur einen einzigen Haß,

Wir lieben vereint, wir hassen vereint,
Wir haben nur einen einzigen Feind:

Den Ihr alle wißt, den Ihr alle wißt,
Er sitzt geduckt hinter der grauen Flut,
Voll Neid, voll Wut, voll Schläue, voll List,
Durch Wasser getrennt, die sind dicker als Blut.
Wir wollen treten in ein Gericht,
Einen Schwur zu schwören, Gesicht in Gesicht,
Einen Schwur von Erz, den verbläst kein Wind,
Einen Schwur für Kind und für Kindeskind.
Vernehmt das Wort, sagt nach das Wort,
Es wälze sich durch ganz Deutschland fort:
Wir wollen nicht lassen von unserm Haß:
Wir haben alle nur einen Haß,
Wir lieben vereint, wir hassen vereint,
Wir haben alle nur einen Feind:
    England.

In der Bordkajüte, im Feiersaal,
Saßen Schiffsoffiziere beim Liebesmahl, –
Wie ein Säbelhieb, wie ein Segelschwung,
Riß einer grüßend empor den Trunk,
Knapp hinknallend wie Ruderschlag,
Drei Worte sprach er: »Auf den Tag!«
Wem galt das Glas?
Sie hatten alle nur einen Haß.
Wer war gemeint?
Sie hatten alle nur einen Feind:
    England.

Nimm du die Völker der Erde in Sold,
Baue Wälle aus Barren von Gold,
Bedecke die Meerflut mit Bug bei Bug,
Du rechnest klug, doch nicht klug genug.
Was schiert uns Russe und Franzos:
Schuß wider Schuß und Stoß um Stoß!
Wir kämpfen den Kampf mit Bronze und Stahl
Und schließen Frieden irgend einmal,
Dich werden wir hassen mit langem Haß,
Wir werden nicht lassen von unserm Haß,
Haß zu Wasser und Haß zu Land,
Haß des Hauptes und Haß der Hand,

Haß der Hämmer und Haß der Kronen,
Drosselnder Haß von siebzig Millionen,
Sie lieben vereint, sie hassen vereint,
Sie haben alle nur einen Feind:
        England. [122]

O TAG VOLL BLUT UND WUNDEN

2. September 1914

Zum heutigen »Sedanstag« – dem ersten des Weltkriegs – schreibt der Dichter Arno Holz ein paar Strophen, deren erste lautet:

O Tag, an dem in leuchtender Wehr
noch immer schwarz-weiß-rot
die deutsche Flagge von Fels zu Meer
nord-, ost- und westwärts loht:
In Einigkeit verbunden
durch die heilige Schar, die an dir verblich,
o Tag voll Blut und Wunden,
wir grüßen dich! Wir grüßen dich! [128]

SEIN ENTSCHULDIGUNGSZETTEL

7. September 1914

Der Kaiser richtet an den Präsidenten der USA, Wilson, ein Telegramm, um die Weltmeinung über den Brand von Löwen zu beruhigen.

Ich betrachte es als Meine Pflicht, Herr Präsident, Sie, als den hervorragendsten Vertreter der Grundsätze der Menschlichkeit, zu benachrichtigen, daß nach der Einnahme der französischen Festung Longwy Meine Truppen dort Tausende von Dum-Dum-Geschossen entdeckt haben, die durch eine besondere Regierungswerkstätte hergestellt waren. Ebensolche Geschosse wurden bei getöteten und verwundeten Soldaten und Gefangenen, auch britischen Truppen, gefunden. Sie wissen, welche schrecklichen Wunden und Leiden diese Kugeln verursachen und daß ihre Anwendung durch die anerkannten Grundsätze des internationalen Rechts streng verboten ist. Ich richte daher an Sie einen feierlichen Protest gegen diese Art der Kriegführung, welche dank den Methoden unserer Gegner eine der barbarischsten geworden ist, die man in der Geschichte kennt. Nicht nur haben sie diese grausamen Waffen angewendet, sondern die belgische Regierung hat die Teilnahme der belgischen Zivilbevölkerung an dem Kampfe offen ermutigt und seit langem sorgfältig vorbereitet. Die selbst von Frauen und Geistlichen in diesem Guerillakrieg begangenen Grausamkeiten, auch an verwundeten Soldaten, Ärztepersonal und Pflegerinnen (Ärzte wurden getötet, Lazarette durch Gewehrfeuer angegriffen), waren derartig, daß Meine Generale endlich gezwungen waren, die schärfsten Mittel zu ergreifen, um die Schuldigen zu bestrafen und die blutdürstige Bevölkerung von der Fortsetzung ihrer schimpflichen Mord- und Schandtaten abzuschrecken. Einige Dörfer und selbst die alte Stadt Löwen, mit Ausnahme des schönen Stadthauses, mußten in Selbstverteidigung und zum Schutze Meiner Truppen zerstört werden. Mein Herz blutet, wenn Ich sehe, daß solche Maßregeln unvermeidlich geworden sind, und wenn Ich an die zahllosen unschuldigen Leute denke, die ihr Heim und Eigentum verloren haben, infolge des barbarischen Betragens jener Verbrecher. [74]

EIN KRUPP-DIREKTOR BETET

Eberhard v. Bodenhausen an seine Frau:

Essen, 8. September 1914

In diesen Tagen kommt nun noch die große Spannung hinzu wegen des Fortgangs der Dinge in Galizien. Welche Nerven muß ein solcher Heerführer haben...

Ich habe gestern abend auf meinem Balkon im stillen Mondschein gebetet, mit der ganzen schwachen Kraft meiner Seele. In dieser Zeit müssen wir alle beten um Kraft für jeden und für die Nation. [53]

ERSTICKEN

Helmut v. Moltke an seine Frau Eliza:

Luxemburg, 9. September 1914

Es geht schlecht. Die Kämpfe im Osten von Paris werden zu unseren Ungunsten ausfallen. Die eine unserer Armeen muß zurückgehen, die andern werden folgen müssen. Der so hoffnungsvoll begonnene Anfang des Krieges wird in das Gegenteil umschlagen. Ich muß das, was geschieht, tragen, und werde mit meinem Lande stehen oder fallen. Wir müssen ersticken in dem Kampf gegen Ost und West. – Der Feldzug ist ja nicht verloren, ebensowenig wie er es bisher für die Franzosen war, aber der französische Elan, der auf dem Punkt stand, zu erlöschen, wird mächtig aufflammen, und ich fürchte, unser Volk in seinem Siegestaumel wird das Unglück kaum ertragen können. – Wie schwer mir dies wird, kann niemand besser ermessen als Du, die Du ganz in meiner Seele lebst. [49]

HOHENZOLLERNBLUT

Prinz Joachim von Preußen, der jüngste Sohn des Kaisers, wurde als Ordonnanzoffizier auf dem östlichen Kriegsschauplatz bei Gerdauen durch einen Schrapnellschuß am Oberschenkel leicht verwundet; der Knochen war nicht verletzt. Der Kaiser sagte: »Nun ist auch Hohenzollernblut geflossen.« Der Verwundete richtete an die Großherzogin von Baden folgendes Telegramm:

9. September 1914

Durch Gottes Gnade war es mir vergönnt, im Schrapnellfeuer für unser geliebtes Vaterland verwundet zu werden. Du kannst Dir denken, wie stolz ich bin. Das Eiserne Kreuz zweiter Klasse wird mich stets an diesen schönsten Tag meines Lebens erinnern. [74]

DIE ANTWORT HAUPTMANNS

In der ›Vossischen Zeitung‹ beantwortet Gerhart Hauptmann den an ihn gerichteten Offenen Brief Romain Rollands vom 29. August:

Berlin, 10. September 1914

Sie richten, Herr Rolland, öffentlich Worte an mich, aus denen der Schmerz über den (von Rußland, England und Frankreich erzwungenen) Krieg hervorgeht, der Schmerz über die Gefährdung der europäischen Kultur und den Untergang geheiligter Denkmäler alter Kunst. Diesen allgemeinen Schmerz teile ich. Allein ich verstehe mich nicht dazu, eine Antwort zu geben, die Sie mir im Geiste schon vorgeschrieben haben und von der Sie mit Unrecht behaupten, daß ganz Europa sie erwarte. Ich weiß, daß Sie deutschen Blutes sind. Ihr schönes Buch ›Johann Christoph‹ wird unter uns Deutschen neben dem ›Wilhelm Meister‹ und dem ›Grünen Heinrich‹ immer lebendig sein. Frankreich wurde Ihr Adoptiv-Vaterland; darum muß Ihr Herz jetzt zerrissen, Ihr Urteil ein getrübtes sein. Sie haben an der Versöhnung beider Völker mit Eifer gearbeitet. Trotzdem sehen Sie jetzt, wo der blutige Riß auch Ihr schönes Friedenskonzept, wie so vieles andere, vernichtet hat, unser Land und Volk mit französischen Augen an, und jede Mühe wird ganz gewiß vergeblich sein, Sie deutsch- und klarblickend zu machen.

Natürlich ist alles schief, alles grundfalsch, was Sie von unserer Regierung, unserem Heer, unserem Volke sagen; es ist so falsch, daß mich in dieser Beziehung Ihr offener Brief wie eine leere schwarze Fläche anmutet. Krieg ist Krieg; Sie mögen sich über den Krieg beklagen, aber nicht über Dinge wundern, die von diesem Elementarereignis unzertrennlich sind. Gewiß ist es schlimm, wenn im Durcheinander des Kampfes ein unersetzlicher Rubens zu Grunde geht, aber – Rubens in Ehren! – ich gehöre zu jenen, denen die zerschossene Brust eines Menschenbruders einen weit tieferen Schmerz abnötigt. Und, Herr Rolland, es geht nicht an, daß Sie einen Ton annehmen, als ob Ihre Landsleute, die Franzosen, mit Palmwedeln gegen uns zögen, wo sie doch in Wahrheit mit Kanonen, Kartätschen, ja sogar mit Dum-Dum-Kugeln reichlich versehen sind. Gewiß sind Ihnen unsere heldenmütigen Armeen furchtbar geworden! Das ist der Ruhm einer Kraft, die durch die Gerechtigkeit ihrer Sache unüberwindlich ist. Aber der deutsche Soldat hat mit den ekelhaften und läppischen Werwolf-Geschichten nicht das allergeringste gemein, die Ihre französische Lügenpresse so eifrig verbreitet, der das französische und das belgische Volk sein Unglück verdankt. Mag uns ein müßiger Engländer »Hunnen« nennen, mögen Sie meinethalben die Krieger unserer herrlichen Landwehr als »Attilas Söhne« bezeichnen; es ist uns genug, wenn diese Landwehr den Ring unserer unbarmherzigen Feinde zerschmettert. Weit besser, Sie nennen uns Söhne Attilas, machen drei Kreuze über uns und bleiben außerhalb unserer Grenzen, als daß Sie uns als den geliebten Enkeln Goethes eine empfindsame Inschrift auf das Grab unseres deutschen Namens setzen! Das Wort von den Hunnen ist von solchen Leuten geprägt, die, selber Hunnen, sich in ihren verbrecherischen Anschlägen auf das Leben eines gesunden und kerntüchtigen Volkes getäuscht sehen, weil dieses Volk einen furchtbaren Stoß noch furchtbarer zu parieren verstand. Der zur Ohnmacht Verurteilte greift zu Beschimpfungen.

Ich sage nichts gegen das belgische Volk. Der friedliche Durchzug deutscher Truppen, eine Lebensfrage für Deutschland, wurde von Belgien nicht gewährt, weil sich seine Regierung zum Werkzeug Englands und Frankreichs gemacht hatte. Dieselbe Regierung hat dann, um ihren verlorenen Posten zu stützen, einen Guerillakampf ohnegleichen organisiert und dadurch – Herr Rolland, Sie sind Musiker! – die schreckliche Tonart der Kriegsführung angegeben. Wenn Sie eine Möglichkeit haben wollen, durch den Riesenwall deutschfeindlicher Lügen sich hindurchzuarbeiten, so lesen Sie einen Bericht unseres Reichskanzlers vom 7. September an Amerika; lesen Sie ferner das Telegramm, das am 8. September der Kaiser selbst an den Präsidenten Wilson richtete. Sie erfahren dann Dinge, die zu wissen notwendig sind, um das Unglück von Löwen zu verstehen!

Gerhart Hauptmann [3]

CHRISTI LÄSTERUNG

12. September 1914

Haß ohne Liebe

Ich sah am Kreuze Jesu Christ,
Der aller Liebe Vater ist

Und noch in Kreuz- und Todesnot
Den Feinden seine Liebe bot.

Es sprach zu mir sein mild Gesicht:
Nun singe Liebe! hasse nicht!

Ich hab' mich abgewandt,
Nehm hier die Feder in die Hand

Und schreibe her: Ich hasse, Herr!
Aus tiefster Seele haß' ich, Herr!

Und blick dir doch klar ins Gesicht:
Mein Haß weicht deiner Liebe nicht!

Weil dieser Haß, Herr Jesu Christ,
Die Frucht der höchsten Liebe ist.

Mein Vaterland in tiefer Not:
Haß allen Feinden bis in den Tod!

Will Vesper [68]

JÜDISCHER PATRIOTISMUS

Hamburg, September 1914

Dr. Elias Auerbach aus Haifa in Palästina ist mit einer Anzahl deutscher Juden nach Anordnung der deutschen Mobilmachung zu Fuß von dort aufgebrochen und hat nach 20tägigen Eilmärschen durch das unwirtliche Taurusgebirge Konstantinopel erreicht. Er steht jetzt als Oberarzt in der Bayerischen Armee im Felde gegen Frankreich. [4]

NACH DEM RÜCKZUG AN DER MARNE

Graf Häseler, ein unmittelbarer Augenzeuge, schreibt:

12. September 1914

Ich bin sehr besorgt und sehe mit schwarzen Ahnungen in die Zukunft. Wie konnte man nur versuchen, unsere braven Truppen mit offener Flanke bei Paris vorzutreiben ohne staffelförmige Deckung im Rücken? Wie konnte man versuchen, zur selben Zeit zwischen Nancy und Toul durchbrechen zu wollen? ... Ich fürchte, im Großen Hauptquartier irrt man sich vollständig über die wahren Machtverhältnisse unserer Gegner. [24]

DEUTSCHLAND, HASSE!

September 1914

O, Deutschland, jetzt hasse mit eisigem Blut,
Hinschlachte Millionen der teuflischen Brut,
Und türmten sich berghoch in Wolken hinein
Das rauchende Fleisch und das Menschengebein!
O, Deutschland, jetzt hasse: geharnischt im Erz:
Jedem Feind einen Bajonettstoß ins Herz!
Nimm keinen gefangen! mach jeden gleich stumm!
Schaff zur Wüste den Gürtel der Länder ringsum!

Heinrich Vierordt [37]

September 1914

Hermann Hesse schreibt in der ›Neuen Zürcher Zeitung‹ unter dieser Überschrift u. a.:

... Da sind uns in letzter Zeit betrübende Zeichen einer unheilvollen Verwirrung des Denkens aufgefallen. Wir hören von Aufhebung der deutschen Patente in Rußland, von einem Boykott deutscher Musik in Frankreich, von einem ebensolchen Boykott gegen geistige Werke feindlicher Völker in Deutschland. Es sollen in sehr vielen deutschen Blättern künftig Werke von Engländern, Franzosen, Russen, Japanern nicht mehr übersetzt, nicht mehr anerkannt, nicht mehr kritisiert werden. Das ist kein Gerücht, sondern Tatsache und schon in die Praxis getreten ...

Anderseits sehen wir Künstler und Gelehrte mit Protesten gegen kriegführende Mächte auf den Plan treten. Als ob jetzt, wo die Welt in Brand steht, solche Worte vom Schreibtisch irgendeinen Wert hätten. Als ob ein Künstler oder Literat, und sei er der beste und berühmteste, in den Dingen des Krieges irgend etwas zu sagen hätte.

Andere nehmen am großen Geschehen teil, indem sie den Krieg ins Studierzimmer tragen und am Schreibtisch blutige Schlachtgesänge verfassen oder Artikel, in denen der Haß zwischen den Völkern genährt und ingrimmig geschürt wird. Das ist vielleicht das Schlimmste. Jeder, der im Felde steht und täglich sein Leben wagt, habe das volle Recht zu Erbitterung und momentanem Zorn und Haß, und jeder aktive Politiker ebenso. Aber wir anderen, wir Dichter, Künstler, Journalisten – kann es unsere Aufgabe sein, das Schlimme zu verschlimmern, das Häßliche und Beweinenswerte zu vermehren?

Gewinnt Frankreich etwas, wenn alle Künstler der Welt gegen die Gefährdung eines schönen Bauwerkes protestieren? Gewinnt Deutschland etwas, wenn es keine englischen und französischen Bücher mehr liest? Wird irgend etwas in der Welt besser, gesünder, richtiger, wenn ein französischer Schriftsteller den Feind mit gemeinen Schimpfworten bewirft und das Heer zu tierischer Wut aufzustacheln sucht? ... [73]

Im Westen, September 1914

... Es kommen Tage, wo man den Wert in Geld etwa ausdrücken könnte:

Eine Flasche Champagner	0,05	Mk.
1 Kommißbrot	3,00	,,
Rotwein wird einem über	–	
1 Zigarre	3,00	,,
Trinkwasser, pro Glas	1,00	,,
1 Bett	33,00	,,
1 Waschgelegenheit	10,00	,,
Crême double, das Faß	0,50	,,
Melonen, das Gros	0,20	,,
1 photographischer Apparat, Friedenspreis 40,00 Mk.	300,00	,,
1 Revolver	1 000,00	,,
Pfeifentabak, das Pfund	5,00	,,
Fromage de Brie, 12 Stück	0,10	,,
Butter, das Kilo	0,10	,,
Ein Stündchen bei Muttern	100 000 000,00	,,

[4]

WAS AUCH IN BERLIN BEKANNT WAR

Alfred v. Tirpitz, Staatssekretär des Reichsmarine-Amtes, in einem Privatbrief:

Luxemburg, 21. September 1914

Wie ist dieser Krieg schwer, und vor allem die große, große Gefahr, daß alles Blut umsonst geflossen sein sollte! Die Stellungnahme von Rumänien muß sich jetzt entscheiden; schlägt sie gegen uns aus, so weiß ich kaum, was werden soll. Amerika steht mit seinem Herzen auf Seiten Englands und liefert Patronen und Kriegsmaterial für Frankreich. Gerade in dem Patronenmangel liegt aber für uns eine Gefahr. Die Franzosen werden vorzüglich geführt, während das bei uns leider nicht der Fall gewesen ist. Körperlich ist Moltke zusammengebrochen. Laß keinen Ton darüber verlauten! Aber äußerst gefährlich ist unsere Lage geworden, weil Österreich so völlig versagt hat. Sie sollen noch 500 000 Mann in Galizien haben von 800 000 ausgerückten.

Hier im Westen ist die Lage für uns auch schon sehr schwer geworden. Ich würde darüber selbst Dir nichts schreiben, wenn ich nicht gestern einen Berliner Herrn gesprochen hätte, der alles wußte und mir sagte, alles wäre auch in Berlin bekannt. [11]

SAMMLUNG IN NEW YORK

Herbst 1914

Das Berliner Tageblatt veröffentlicht den Brief eines Deutschen aus Longbranch, N. Y. USA, in welchem es u. a. heißt:

Wir haben eine Sammelstelle in New York eröffnet, und jeder kommt und bringt. Als ich neulich da war und Mutters alte goldene Uhr abgab und Broschen und einen Ring von mir und ich fragte den Herrn, ob viele kämen, da sagte er: »O, so unendlich viele«, und Tränen traten in unserer beider Augen. Ich werde einen eisernen Ring bekommen mit der Inschrift: »Dem alten Vaterland die Treue zu beweisen, gab ich in schwerer Zeit ihm Gold für dieses Eisen.« Es ist so, als ob der Deutsche in der ganzen Welt bis zum letzten sich auf sich selbst besonnen hat. Wie sie hier zuströmen und geben Geld und Gut fürs alte Vaterland, ist einfach unbeschreiblich. [4]

DIE BAUMWOLLENEN SEELEN

Der Publizist Bernhard Guttmann schreibt in sein Kriegstagebuch:

Berlin, 20. September 1914

Vorgestern, als ich fortgehen wollte, rief mich im dunklen Gang eine Uniform an. Es war Fürst Lichnowsky, als Major verkleidet. Er kam in mein Zimmer (im Auswärtigen Amt) und begann sich zu beschweren, ohne Hemmung. »Die ganze Schuld liegt bei den Leuten hier. Der Kaiser ist verrückt.« Ihn, Lichnowsky, wolle man zum Sündenbocke machen, der Kaiser empfange ihn nicht ... In der Tat ist man auf den Fürsten hier sehr böse; es trat sogar einen Augenblick der Gedanke auf, eine disziplinarische Untersuchung gegen ihn zu eröffnen, weil er nicht richtig informiert habe. Ich fragte ihn wiederum, ob er alles getan habe, um in Berlin zu warnen, und er beteuerte das. Man kann auch wirklich immer wieder beobachten, daß gute Ratschläge wenig gegen eingewurzelte Vorstellungen ausrichten. Auch die großen Leute werden das Opfer von übermächtigen Phrasen. Bismarck hat einige Schlagworte hinterlassen, die Unheil anrichteten, so das von der baumwollenen englischen Seele. Man verließ sich darauf, sie würden zuletzt doch nicht fechten. [20]

Zeitungsanzeigen Herbst 1914 in › Die Woche‹ vom 21. November 1914 und 5. Dezember 1914

21. September 1914

Die ›Frankfurter Zeitung‹ veröffentlicht folgenden Brief, den eine deutsche Mutter an eine französische geschrieben hat, deren kriegsgefangener Sohn in Deutschland seiner Verwundung erlegen ist:

Eine Mutter, die wie Sie ihren Sohn zur Verteidigung seines Vaterlandes in den Krieg ziehen sah, eine deutsche Mutter, möchte Ihnen einige Worte schreiben.

Freitag, den 28. August, kam hier ein großer Transport verwundeter Soldaten an, unter denen Ihr Sohn, Herr Lucien Paul, sich befand. Er hatte eine schwere Verletzung am Kopfe. Man trug ihn mit großer Sorgfalt ins Krankenhaus der Schwestern des heiligen Vincent von Paul, wo er mit großer Fürsorge verpflegt wurde.

... Sie können versichert sein, gnädige Frau, daß Ihr lieber Sohn mit der größten Sorgfalt verpflegt worden ist und daß man nichts vernachlässigt hat, um sein junges Leben zu retten. Das wird Sie ein wenig trösten, Sie und Ihren Gatten in Ihrem großen Schmerze.

Seine Bestattung fand am Dienstag, den 1. September statt, beim Geläute der Glocken der Kathedrale. Er erhielt alle militärischen Ehren. Unsere zwei Kriegervereine mit ihren Fahnen, die von schwarzem Flor bedeckt waren, bildeten das Ehrengeleite. Ein blauer Himmel glänzte über dem offenen Grabe, als die drei Ehrensalven abgegeben wurden. Möge er in Frieden ruhen!

Ich erlaube mir, Ihnen einliegend einige Zweige von dem Lorbeerkranz zu schicken, den die Kriegervereine auf dem Grabe niedergelegt haben, sowie einige Ausschnitte aus der hiesigen Zeitung. Sie werden darin sehen, wie sehr man Ihren lieben Sohn geehrt hat, als man ihn in seine letzte Wohnung brachte. Er ruht im neuen Kirchhof unserer Stadt. Sein Grab trägt die Nummer 1.

Auch ich, gnädige Frau, habe einen einzigen Sohn, der voller Enthusiasmus dem Rufe seines Kaisers gefolgt ist, und seit dem 22. August fehlt uns jede Nachricht von ihm. [3]

Berlin, 3. Oktober 1914

Eine große Anzahl hervorragender Vertreter von Kunst und Wissenschaft erläßt folgenden Aufruf:

An die Kulturwelt!

Wir als Vertreter deutscher Wissenschaft und Kunst erheben vor der gesamten Kulturwelt Protest gegen die Lügen und Verleumdungen, mit denen unsere Feinde Deutschlands reine Sache in dem ihm aufgezwungenen schweren Daseinskampf zu beschmutzen trachten. Der eherne Mund der Ereignisse hat die Ausstreuung erdichteter deutscher Niederlagen widerlegt. Um so eifriger arbeitet man jetzt mit Einstellungen und Verdächtigungen. Gegen diese erheben wir laut unsere Stimme. Sie soll die Verkünderin der Wahrheit sein.

Es ist nicht wahr, daß Deutschland diesen Krieg verschuldet hat. Weder das Volk hat ihn gewollt, noch die Regierung, noch der Kaiser. Von deutscher Seite ist das Äußerste geschehen, ihn abzuwenden. Hierfür liegen der Welt die urkundlichen Beweise vor. Oft genug hat Wilhelm II. in den 26 Jahren seiner Regierung sich als Schirmherrn des Weltfriedens erwiesen, oft genug haben selbst unsere Gegner dies anerkannt. Ja, dieser nämliche Kaiser, den sie jetzt einen Attila zu nennen wagen, ist jahrzehntelang wegen seiner unerschütterlichen Friedensliebe von ihnen verspottet worden. Erst als eine schon lange an den Grenzen lauernde Übermacht von drei Seiten über unser Volk herfiel, hat es sich erhoben wie ein Mann.

Es ist nicht wahr, daß wir freventlich die Neutralität Belgiens verletzt haben. Nachweislich waren Frankreich und England zu ihrer Verletzung entschlossen. Nachweislich war Belgien damit einverstanden. Selbstvernichtung wäre es gewesen, ihnen nicht zuvorzukommen.

Es ist nicht wahr, daß eines einzigen belgischen Bürgers Leben und Eigentum von unseren Soldaten angetastet worden ist, ohne daß die bitterste Notwehr es gebot. Denn wieder und immer wieder, allen Mahnungen zum Trotz, hat die Bevölkerung sie aus dem Hinterhalt beschossen, Verwundete verstümmelt, Ärzte bei der Ausübung ihres Samariterwerkes ermordet. Man kann nicht niederträchtiger fälschen, als wenn man die Verbrechen dieser Meuchelmörder verschweigt und die gerechte Strafe, die sie erlitten haben, den Deutschen zum Verbrechen macht.

Es ist nicht wahr, daß unsere Truppen brutal gegen Löwen gewütet haben. An einer rasenden Einwohnerschaft, die sie im Quartier heimtückisch überfiel, haben sie durch Beschießung eines Teiles der Stadt schweren Herzens Vergeltung üben müssen. Der größte Teil von Löwen ist erhalten geblieben. Das berühmte Rathaus ist gänzlich unversehrt. Mit Selbstaufopferung haben unsere Soldaten es vor den Flammen bewahrt. Sollten in diesem furchtbaren Kriege Kunstwerke zerstört worden sein oder noch zerstört werden, so würde jeder Deutsche es beklagen. Aber so wenig wir uns in der Liebe zur Kunst von irgend jemand übertreffen lassen, so entschieden lehnen wir es ab, die Erhaltung eines Kunstwerkes mit einer deutschen Niederlage zu erkaufen.

Es ist nicht wahr, daß unsere Kriegführung die Gesetze des Völkerrechts mißachtet. Sie kennt keine zuchtlose Grausamkeit. Im Osten aber tränkt das Blut von russischen Horden abgeschlachteter Frauen und Kinder die Erde, und im Westen zerreißen Dum-Dum-Geschosse unseren Kriegern die Brust. Sich als Verteidiger europäischer Zivilisation zu gebärden, haben die am wenigsten das Recht, die sich mit Russen und Serben verbünden und der Welt das schmachvolle Schauspiel bieten, Mongolen und Neger auf die weiße Rasse zu hetzen.

Es ist nicht wahr, daß der Kampf gegen unseren sogenannten Militarismus kein Kampf gegen unsere Kultur ist, wie unsere Feinde heuchlerisch vorgeben. Ohne den deutschen Militarismus wäre die deutsche Kultur längst vom Erdboden getilgt. Zu ihrem Schutz ist er aus ihr hervorgegangen in einem Lande, das jahrhundertelang von Raubzügen heimgesucht wurde wie kein zweites. Deutsches Heer und deutsches Volk sind eins. Dieses Bewußtsein verbrüdert heute 70 Millionen Deutsche ohne Unterschied der Bildung, des Standes und der Partei.

Wir können die vergifteten Waffen der Lüge unseren Feinden nicht entwinden. Wir können nur in alle Welt hinausrufen, daß sie falsches Zeugnis ablegen wider uns. Euch, die Ihr uns kennt, die Ihr bisher gemeinsam mit uns den höchsten Besitz der Menschheit gehütet habt, Euch rufen wir zu: Glaubt uns, glaubt, daß wir diesen Kampf zu Ende kämpfen werden als ein Kulturvolk, dem das Vermächtnis eines Goethe, eines Beethoven, eines Kant ebenso heilig ist wie sein Herd und seine Scholle. – Dafür stehen wir Euch ein mit unserem Namen und mit unserer Ehre. [3]

Der Meister – Stefan George – gibt dem Jünger – Friedrich Gundolf – eine Lehre:

Spremberg, 5. Oktober 1914

In der hauptsache mögen wir ja dasselbe meinen: im einzelnen teil ich aber deine polit. auslassungen nicht, eine masslose dummheit der deutschen Staatskunst hat diesen krieg so gefährlich gemacht, und diese dummheit wird im lager wo sie gemacht wurde auch weiter grassieren! wenn hier nicht eingeschritten wird –.

Was Du in deiner franzosen-wut sagst ist auch ganz unpolitisch. An keiner DEUTSCHEN Stelle (nicht einmal bei den eseln) hab ich so etwas wie einen gründlichen Haß gegen die Franzosen gespürt. – Du bist darin einzig. [112]

EINE AUSGESTOSSENE

Oktober 1914

In dem ersten ihrer › Briefe einer Deutschfranzösin‹ nennt die Schriftstellerin Annette Kolb den Krieg »Europas unsterbliche Blamage«. Sie selbst fühlt sich ausgestoßen:

Doch vom Tag an, wo das Sengen und Brennen und Schießen und Erstechen und Niederstoßen und Erwürgen und Bombenwerfen und Minenlegen anging, von dem Tag an, siehst du, bin ich eine Ausgestoßene; von einer solchen Welt bin ich geschieden; wie ein Idiot. [123]

EIN GEBET

4. Oktober 1914

»Zum erstenmal, seit es hinausgezogen ist, hat das Große Hauptquartier Gelegenheit zum deutschen Gottesdienst auf welschem Boden« – schreibt der Kriegsberichterstatter Paul Schweder. Er fand in einer Artillereitschule statt; der Aufsatz des Feldaltars war schwarz, der Tisch weiß und der Unterbau rot ausgelegt. Im Beisein des Kaisers sprach der Geheime Konsistorialrat Hofprediger Goens das Schlußgebet:

O Herr, gehe nicht ins Gericht mit uns, laß uns in Jesu Christo, unserem Mittler und Erlöser, den Trost der Vergebung unserer Sünden und Frieden für unsere Seelen finden. Steuere du selbst, du heiliger, allmächtiger Gott, dem Verderben und allen Ärgernissen in unserer Mitte, daß Gerechtigkeit und Treue unter uns wohne und wir in deiner Furcht dir dienen, auch unter dem Gerät des Krieges. Du bist der König von alters her, der alle Hilfe tut. Darum, wenn schon die Heere sich wider uns legen, fürchtet dennoch unser Herz sich nicht. Deine Rechte behält den Sieg, du Herr der Heerscharen. Deinem allmächtigen Schutz befehlen wir unseren Deutschen Kaiser, der unserem Volke vorangeht, samt seinem Hause. Gib ihm weise Ratgeber und treue Feldherren und ein todesmutiges, pflichtgetreues Heer. Geleite unsere Schiffe und Fahrzeuge und die Fahrzeuge der Luft. Ja, zieh' aus in deiner Kraft mit unseren Truppen. Stärke ihren Arm und ihren Mut zum Siege über die Feinde. Decke mit deinem Schilde ihr Leben und verleihe ihnen um deiner Gnaden willen eine fröhliche Heimkehr. [46]

ZU UNSERER PRESSEPOLITIK

Eberhard v. Bodenhausen, Krupp-Direktor, an Karl Helfferich:

4. Oktober 1914

Ich verfolge in letzter Zeit ziemlich regelmäßig die amtlichen Berichte aus der Auslandspresse und finde dabei, daß insbesondere die Wiedergabe amtlicher französischer Kriegsbulletins bei uns gefälscht wird. Ich könnte dafür zahlreiche Fälle anführen. Die Fälschung bezieht sich stets darauf, daß Berichte und entscheidende Zwischensätze, wie z. B. die: »Die preußische Garde wurde dabei völlig zurückgeschlagen«, einfach fortgelassen werden, so daß die Wiedergabe des amtlichen französischen Berichts ein völlig anderes Bild ergibt als das Original selbst . . .

Hält man uns denn wirklich für so nervenschwach, daß wir nicht auch ungünstige Nachrichten zu ertragen in der Lage sind?

Sollte hier eine amtlich deutsche Zensur am Werke sein, so wäre dieser so schnell als möglich das Handwerk zu legen. Denn nichts kann verhängnisvollere Folgen haben, als ein der Bevölkerung sich bemächtigendes Gefühl, daß wir belogen werden.

In diesem Zusammenhang möchte ich auch meiner Verwunderung und Entrüstung darüber Ausdruck geben, daß uns die Tatsache verschwiegen worden ist, daß vor einiger Zeit eine schlesische Landwehr-Division in Polen so gut wie vernichtet worden ist. Die Folgen einer solchen Verheimlichung haben nicht auf sich warten lassen in der Form wildester Gerüchte über die Vernichtung zweier deutscher Armeekorps in der Nähe von Krakau. Das deutsche Volk muß die Gewißheit haben, daß ihm alle guten und schlechten Nachrichten mitgeteilt werden ...

Je eher wir Deutschland einer Belastungsprobe mit ungünstigen Nachrichten aussetzen, um so eher wird es auch in der Lage sein, ernste Rückschläge, die nach der einfachsten Wahrscheinlichkeitsrechnung in einem solchen Krieg nicht ausbleiben können, mit Ruhe und Standhaftigkeit zu ertragen.

Wer mag verantwortlich sein für derartige Heimlichkeiten und wo ließe sich da der Hebel ansetzen?

Sollte aber, um zum Ausgangspunkt meiner Betrachtungen zurückzukehren, eine derartige Korrektur amtlicher ausländischer Berichte durch eine allzu wohlmeinende deutsche Presse erfolgen, so wäre es meiner Ansicht nach eine dringende Pflicht des Auswärtigen Amtes, die Presse darüber aufzuklären, daß mit derartigen halben Lügen weit mehr geschadet als genutzt wird. [53]

DIE ERSTE KRIEGSANLEIHE

Berlin, 8. Oktober 1914

Das Ergebnis der Zeichnungen auf die Kriegsanleihe läßt sich nunmehr im einzelnen übersehen. Die Gesamtzeichnung von 4 460 701 400 Mark besteht aus 1 177 235 Einzelzeichnungen, und zwar haben gezeichnet:

Beträge von			Zahl der Zeichner:	Summe:	
M	100 bis	200	231 142	M	36 101 400
,,	300 ,,	500	241 804	,,	110 700 700
,,	600 ,,	2 000	453 143	,,	586 946 300
,,	2 100 ,,	5 000	157 591	,,	579 403 600
,,	5 100 ,,	10 000	56 438	,,	450 148 500
,,	10 100 ,,	20 000	19 313	,,	307 186 600
,,	20 100 ,,	50 000	11 554	,,	410 486 000
,,	50 100 ,,	100 000	3 629	,,	315 046 200
,,	100 100 ,,	500 000	2 050	,,	508 548 400
,,	500 000 ,,	1 000 000	361	,,	287 196 700
	über M 1 Million		210	,,	868 937 000
			1 177 235	M	4 460 701 400

Das deutsche Volk wird aus diesen Ziffern mit Freude erkennen, wie die Zeichnungen sich auf alle Schichten der Bevölkerung gleichmäßig verteilen und wie reich und arm, jedes nach seinen Kräften, dazu beigetragen hat, den über alles glänzenden Erfolg der Kriegsanleihe zustande zu bringen. Die baren Einzahlungen auf die Kriegsanleihe haben nach den bis jetzt vorliegenden Nachweisungen den Betrag von 2420 Mill. Mark erreicht, das sind 54,26 Prozent der gezeichneten Summe oder 636 Mill. Mark gleich 14,26 Prozent mehr, als zum 5. Oktober fällig war. Die tatsächlich eingezahlten Beträge sind noch höher, weil von einem Teil der entfernter gelegenen Reichsbankanstalten die Angaben noch nicht in Berlin eingetroffen sind. Es dürfte dies die größte Zahlung sein, die jemals von einem Volk in so kurzer Zeit geleistet worden ist. [3]

MIT GOTT FÜR HÖHERE MIETEN

In Eduard Engels Kriegstagebuch heißt es:

9. Oktober 1914

Die Hausbesitzerin Redepenning in Stettin, die auf dem Oberwieck mehrere Häuser besitzt, schickte an die in ihren Häusern wohnenden Mietsparteien folgenden Brief: »Die gewaltige Wendung, die durch die Gnade des Allmächtigen Gottes unsere durch seine Macht und Kraft bewaffneten Truppen uns errungen haben, lassen uns in eine große gesegnete kommende Zeit blicken. Möchte unser Volk so viel Gnade nie vergessen, nie den alten Gott, der Staat und Volk vor allem Übel bewahrt. Ihre Wohnung kostet vom 1. Oktober ab 30 Mark mehr.« [2]

DER ORGANISATOR DER KRIEGSROHSTOFFE

Walther Rathenau an einen Hauptmann im Felde:

Berlin, 10. Oktober 1914

Ich habe zunächst die Gesamtwirtschaft der Metalle geordnet, dann die der Militärtuchwollen, der Jute, der Chemikalien, und bin jetzt dabei, große Fabriken zur Herstellung von Salpeter bauen zu lassen, an dessen Mangel, wie ich Ihnen vertraulich sagen kann, vermutlich im Frühjahr nächsten Jahres sich ernste

Wirkungen hätten knüpfen können. Jetzt ist alles gesichert. Weiterhin ist zu sorgen für Gummi, Baumwolle, Flachs, Leder und eine große Zahl von Stoffen geringerer Bedeutung. Es wird noch Monate angestrengtester Arbeit bedürfen, um alles ins reine zu bringen, um dann, was ich je eher je lieber wünschte, die Abteilung auf eigene Füße zu stellen, sodaß sie mit Kräften des Kriegsministeriums selbst auf die Dauer weiter funktionieren kann ... [69]

ZUCKMAYERS HELD

11. Oktober 1914

Wilhelm Voigt, der »Hauptmann von Köpenik« schmerzlich-lächerlichen Angedenkens, hat auch mobilgemacht: er hat sich der Militärwerkstätte in Erfurt angeboten; sie hat ihn liebreich aufgenommen, und jetzt arbeitet er als einer der fleißigsten Schuster für unsere Feldgrauen. So macht sich dieser nicht ganz ohne Schuld des Vaterlandes Verirrte auf seine Art wieder ehrlich. [2]

DIE ERSTEN FELDZEITUNGEN

11. Oktober 1914

Am Sonntag, den 11. Oktober erschien auf erobertem französischem Boden, in Vouziers, die Nummer 1 des ›Ersten und letzten Jahrganges‹ einer Feldzeitung, betitelt: ›Der Landsturm. Einziges deutsches Militärwochenblatt auf Frankreichs Flur. Satz und Druck·von der Landsturmfirma Berger, Rauch, Vogt und Ludwig, sämtlich aus Leipzig.‹

Die Erklärung dieser überraschenden Vermehrung des deutschen Blätterwaldes gibt folgende Mitteilung des in Köln und Leipzig bestens bekannten Rechtsanwalts Dr. Schrömbgens: »Die von mir geführte 3. Kompagnie des 1. sächsichen Landsturm-Bataillons Leipzig ist unter die Verleger und Redakteure gegangen. Es wird Sie gewiß interessieren, dieses Zeitungskuriosum zu erhalten.«

Nach späteren Mitteilungen erschienen bis zum 8. November 1914 fünf Nummern des ›Landsturm‹ in Auflagen von 3000 bis 8000 Stück. Der Druck erfolgte in einer verlassenen Zeitungsdruckerei von Vouziers; die Schriftleitung besorgten die Oberleutnants Schrömbgens und Mayer und Leutnant Singer. Der >Landsturm‹ fand auch auf dem östlichen Kriegsschauplatz und im Reiche zahlreiche Leser, sogar in Österreich, der Schweiz, den Niederlanden und Amerika erwarb er sich Freunde.

Am 11. Oktober 1914 erschien auch die erste Nummer einer anderen sauber gesetzten und gut gedruckten Feldzeitung, betitelt: >Der Landsturm-Bote von Briey. Kriegszeitung. Herausgegeben von Hauptmann Rolfs I. Landsturm-Bataillon Metz. Setzer und Drucker: die Landsturmleute Gefreiter Alexander und Musketier Dorvillé. Erscheint ziemlich unregelmäßig und so lange wir hier sind. Preis der Nr. 5 Pfg. (zur Deckung der Papierkosten; Überschüsse sind für milde Zwecke bestimmt).‹ Das Blatt trägt am Kopf die Bemerkung: »Wir würden lieber mit deutschen Buchstaben drucken, aber die Franzosen haben keine und das Bataillon liefert keine.« Der Inhalt der vier Quartseiten bringt amtliche Kriegsberichte und einen die Kriegsbegeisterung der braven Landsturmleute anfeuernden Leitartikel. – Von sonstigen Feldzeitungen sind uns noch bekannt geworden die Liller Kriegszeitung und eine Kriegszeitung für das ***Armeekorps, gedruckt in Menin an der belgisch-französischen Grenze, nördlich von Tourcoing-Roubaix, vier Seiten stark und dreimal wöchentlich erscheinend. Alle diese kleinen Preßerzeugnisse, die den Geist der Kameradschaftlichkeit pflegen und dem ersten Bedürfnis nach neuen Nachrichten bis zur Ankunft der Zeitungen aus der Heimat dienen, sind ein erfreuliches Zeichen für die geistige Regsamkeit unserer Truppen im Felde. [1]

DER MANGEL AN KÖPFEN

E. v. Bodenhausen an Hugo v. Hofmannsthal:

Essen, 13. Oktober 1914

Die sittliche Größe und Kraft unseres Volkes geht über alle Erwartung hinaus. Das Schauspiel ist von unfaßlicher Größe. Wo aber sind die Männer, die diesen Kräften den neuen Weg weisen? Wir alle sind überzeugt, daß die Lage auch nicht sehr viel anders zu gestalten gewesen wäre durch eine umsichtigere, einsichtigere Diplomatie. Daß diese aber in solchem Maße sich hat überraschen lassen und daß die maßgebenden Männer in Berlin, Petersburg, London und Paris persönlich in ihrer Würde und Haltung so stark versagt haben, damit kann man sich nicht abfinden. Man lese das Englische Weißbuch über die Haltung von Bethmann, von Pourtalès, von Lichnowsky. Und nun wir mitten darin sind im Kampfe, da, sollte man meinen, müßten die »Köpfe« sich zeigen. Aber nichts zeigt sich. Führer im Reichstag stehen im Felde als Kolonnen-Führer und verdienen sich das Eiserne Kreuz. Welche Verkennung ihrer Aufgabe! Wenn nun Gott uns den Sieg gibt, an den auch mein Innerstes glaubt, wer zeigt uns dann die neuen Wege?! ... Niemand, aber auch niemand traut Bethmann die Kraft zu, die Probleme zu lösen. [54]

LIED IM VOLKSTON

13. Oktober 1914

Statt des sentimentalen ›Morgenrot, Morgenrot ...‹ singen bayerische Reservisten auf dem Vormarsch:

Mir von der Infant'rie
Kenna da nix:
Madl, geh, spreiz die net,
Her mit der Büchs'!

Mir von der Kavall'rie
Reiten so gern;
Madl, schaug, du derfst jetzt
Mei Reitpferd wer'n!

Mir von der Artell'rie
Ham an Kanon',
Wennst ma die putz'n tuast,
Kriagst d' schon dein Lohn!

Mir von die Luftballon
Steig'n gern in d' Höh',
Madl, geh, laß mi steig'n,
's tuat gar net weh!

Mir von die Pionier
Bauen gern Bruck'n,
Madl, geh, leg di mal
Schnell auf den Ruck'n! [13]

Aus dem Großen Hauptquartier, am 21. Oktober 1914

Über den Einsatz unserer schweren Batterien im Feldzuge, besonders über den volkstümlich »die dicke Berta« genannten 42-cm-Mörser:

In die für uneinnehmbar gehaltenen Lütticher Forts hagelten auf einmal Geschosse hinein, vor denen die stärksten Betonschichten zerbarsten und Panzerkuppeln wie Glas zersprangen. Es waren die Bomben der 42 Zentimeter-Belagerungsmörser. Mit ihrem Auftreten erschien ein Faktor auf dem Kampffelde, mit dem unsere Gegner nicht gerechnet hatten, ja dessen Herstellung sie technisch für nicht möglich erklärt hatten. Damit kam auch der erste große Rechenfehler in ihren Kriegsplan. Denn die Festungen der Maaslinie Lüttich–Namur–Antwerpen verloren damit ganz gewaltig an Wert. Selbst die stärksten Forts wurden unter dem Einschlag dieser Eisenkolosse in kürzester Zeit in Trümmerhaufen verwandelt ... Ich gehe wohl nicht zu weit, wenn ich behaupte, daß selbst das stärkste Fort von Paris innerhalb kurzer Zeit das gleiche Schicksal unter dem Feuer der 42 Zentimeter-Mörser erleidet wie seine Vorgänger, und daß der Fortgürtel von Paris keinen Schutz mehr für die Hauptstadt Frankreichs bietet, sobald wir ihn erst einmal richtig angefaßt haben ... Wie sich daher auch die Kämpfe weiterhin entwickeln mögen, das eine können wir stets festhalten: Wir besitzen in unseren schweren Batterien eine Trumpfkarte, die nicht überstochen werden kann, und einen Vorsprung, der in wenigen Monaten sich von unseren Gegnern auch bei den größten Anstrengungen nicht einholen läßt. [3]

VOM RUHME GANZ ZU SCHWEIGEN

Berlin, 23. Oktober 1914

Ein Privat-Telegramm der › Frankfurter Zeitung‹ meldet:

Die Kriegsbeute von Tannenberg war, wie der ›Berliner Lokalanzeiger‹ in holländischen Blättern findet, so groß, daß die Deutschen 1630 Eisenbahnwagen brauchten, um die Beute fortzuschaffen. [3]

›*Allgemeiner Wegweiser*‹, *3. Februar 1917*

DIE NICHT STERBLICHEN ÜBERRESTE

Berlin, 24. Oktober 1914

Der Kaiser hat angeordnet, daß alle vor dem Feind erworbenen Orden und Ehrenzeichen den Hinterbliebenen als Andenken belassen werden sollen. [2]

DIE ERSTEN WERTVOLLEN VERSE

24. Oktober 1914

Franz Pfemfert veröffentlicht in seiner Wochenschrift ›*Die Aktion*‹ *drei Gedichte von Wilhelm Klemm. Pfemfert schreibt dazu:* »*Diese Gedichte veröffentliche ich mit besonderer Genugtuung: es sind die ersten wertvollen Verse, die der Weltkrieg 1914 hervorgebracht hat, es sind die ersten Kriegsgedichte ... Der Nachdruck, die Aufnahme in sogenannte* ›*lyrische Kriegsflugblätter*‹ *oder ähnliche Kupletsammlungen ist unter allen Umständen verboten!*« *Eins der Gedichte lautet:*

Abend im Feld

Jeden Abend in das nasse Zelt
Kommt ein Offizier und erzählt, wer gefallen ist.
Jeden hungrigen Abend, wenn wir frierend uns langlegen,
Sind Tote unter uns, die morgen sterben.
Dem einen riß es den Kopf herunter,
Dort baumelt eine Hand, hier heult einer ohne Fuß,
Einen Hauptmann schmetterte es gerade in die Brust,

Und der Regen, der Regen rinnt unaufhörlich.
Durch die Nacht hallen noch immer die Kanonen.
Dörfern brennen fern rote Zungen.
O du großer Gott, wie soll das endigen?
O du suchende Kugel, wann kommst du zu mir? [42]

WEG, WEG MIT DIESEM KRIEG!

*Der Student Kurt Peterson (geb. 1894, gefallen am 3. August 1915)
schreibt an seine Eltern:*

27. Oktober 1914

O fürchterliche Minuten! Man fürchtet den Tod und könnte in
solchen Stunden den Tod herbeisehnen aus Entsetzen vor dieser
Art des Todes. – Zwei Sturmangriffe mitgemacht; möchte
keiner mehr folgen! Nichts sehnlicher als dieser Wunsch neben
dem, gesund nach Hause zu kommen. Wohin ist aller Mut geschwunden? Wir haben genug vom Kriegführen. Nicht feige
braucht man zu sein, aber das Menschliche empört sich gegen
diese Unkultur, dieses grauenhafte Schlachten. Weg, weg mit
diesem Krieg! So schnell wie möglich zu Ende! ... Mach' ein
Ende, o Herr, du gütiger Weltenlenker, mit diesen Schrecken.
Gib uns recht, recht bald den Frieden. Gönne uns lieber eine
freudige Rückkehr und Zeit, die entsetzlichen Lehren, die wir
hier empfangen haben, im Leben segensvoll zu betätigen; denn
erzogen sind wir wohl alle. [55]

REITEREI

27. Oktober 1914

*In einem von der ›Frankfurter Zeitung‹ veröffentlichten Bericht ›Un-
sere Kavallerie‹ heißt es:*

Die englische Kavallerie ist tapfer, gut ausgebildet und gut
beritten. Sie ist aber einem nicht gewachsen, und das ist der
Furor teutonicus, der grimme Stoß, den alle Deutschen gegen
diese gewerbsmäßigen Friedensstörer hegen. In der Gegend
von Sedan versuchten sich die beiden englischen, seit Waterloo
berühmten Reiterregimenter Scotch Crey und Irish Royal einem
deutschen Reiterschwall entgegenzustemmen, der über sie

hereinbrach. Aber es bekam ihnen fürchterlich schlecht, und unter ganz gewaltigen Verlusten mußten sie ihr Heil in schleunigster Flucht suchen. Die deutsche Reiterei ist in jenem rücksichtslosen Drange nach vorwärts erzogen, ohne zu fragen, was vor ihr steht, und attackiert, sobald der Befehl erfolgt. Bei Lagarde drangen deutsche Reiter tief genug in den Feind, in unerschütterte Infanterie, gewiß die gefährlichste und verlustreichste Attacke, die es gibt. Was fiel, das fiel, aber der Gefechtswert war erreicht. [3]

FÜR DAS LEGEN DER LUNTE

Sarajewo, 28. Oktober 1914

Am 13. Oktober begann der Prozeß gegen die Mörder des österreichischen Thronfolgerpaares. Die Anklage lautete auf Hochverrat. Heute ist folgendes Urteil gefällt worden:

Die Angeklagten Ilitsch, Veljko Tschubrilowitsch, Nedo Kerowitsch, Jowanowitsch und Milowitsch wurden zum Tode durch den Strang verurteilt. Mitar Kerowitsch wurde zu lebenslänglichem schwerem Kerker, Princip, Tschebrinowitsch und Grabesch zu 20 Jahren, Vaso Tschubrilowitsch zu 16 Jahren, Popowitsch zu 13 Jahren, Kranjewitsch und Gjukitsch zu 10 Jahren, Stjepanowitsch zu 7 Jahren, Zagoratz und Perin zu 3 Jahren schwerem Kerker verurteilt. Die übrigen Angeklagten wurden freigesprochen. [3]

DER BEDARF AN CHEMIKALIEN

Im Westen, Ende Oktober 1914

Aus einem Kriegsbericht:

Wir sahen dann auch die Ausgabestelle des Etappensanitätsdepots, in dem der Inhalt dreier langer Eisenbahnzüge von je 32 Waggons medizinischer Gebrauchsgegenstände, Instrumente und Apparate, Verbandzeug, Desinfektionsstoffe, Betäubungsmittel und auch die Gegenstände für den Bedarf der Armeeveterinäre aufgestapelt ist.

Große Lastkraftwagen führen täglich den einzelnen Armeekorps den nötigen Bedarf zu und wir hörten einige Zahlen nennen, die einen ungefähren Begriff von den Anforderungen geben, die dieser Krieg an unser Militärsanitätswesen stellt. In einem einzigen Monat wurden z. B. allein 50 Kilometer Heftpflaster abgefordert, ferner 50 Kubikmeter Gips für Verbände, 16 Zentner essigsaure Tonerde, 31 Kilogramm Digitalis, 800 Zentner Chlorkalk, 4 Zentner Wasserstoffsuperoxyd, 200000 Gramm Opium, 75 Kilogramm Tannalbin, 25 Zentner Kreosol und 100000 Büchsen Antipyrin. Das Depot ergänzt seinen Bedarf fortgesetzt aus dem Mannheimer Hauptdepot. Daneben wurden gewaltige Mengen Mull- und Gazebinden, Äther, Chloroform, Veronal, Morphium und Watte verlangt und prompt abgeliefert. [46]

BLICK HINTER DIE KULISSEN

Walther Rathenau an Frl. Fanny Künstler:

Berlin, 1. November 1914

... Dies köstliche wahrhafte Volk hat keinen entscheidenden Freiheitssinn. Es liebt die Autorität, es will regiert sein, es gibt sich hin und will gehorchen. Diese halbe Tugend ist aber im Sinne der ewigen Geschichte ein Vergehen. Eine Kaste, tüchtig, selbstbewußt, aber der Initiative unfähig, regiert uns. Das ging, solange sie sich der Rückständigkeit nicht schämte. Nun wollte sie modern sein, zerrüttete das Alte, gewann das Neue nicht, verfeindete uns der Welt, schwächte uns nach außen, und schlug los, in dem Moment, den nicht wir gewählt haben.

Das Volk trägt seine Verantwortlichkeit nicht, und ist doch dazu verpflichtet. Nun muß es die Fehler seiner Herren mit seinem Blute abwaschen, und glaubt treuherzig, das sei von Gott gefügt. Ich weiß, daß dieses Volk von seinem Gotte nicht verlassen wird, auch in seinem Irren; aber mild wird es nicht auf den rechten Weg gewiesen.

Wie anders war der Anspruch auf Einheit, der 1870 bekräftigt wurde! Wie anders war die Forderung der Existenz von 1813!

Ein serbisches Ultimatum und ein Stoß wirrer, haltloser Depeschen! Hätte ich nie hinter die Kulissen dieser Bühne gesehen! Dann könnte ich den Unsinn der Zeitungen ertragen und schlafen. Dennoch müssen wir siegen. Aber es wird hart, so hart, daß die Menschheit erwacht und ihre Nacktheit erkennt. Ich kann nichts tun, als in wütender Arbeit meine Sorgen ersticken. [69]

November 1914

Ein deutscher Kämpfer in Russisch-Polen, der Regierungsbaumeister W. Zimmermann aus Naumburg, hat dieses Lied an seine Freunde gesandt, und die ›Kölnische Volkszeitung‹ veröffentlichte es.

's gibt kein schöner Leben, als in Schützengräben
Vor dem Feind zu liegen Tag und Nacht,
Wenn die Kugeln singen und Granaten springen,
Daß die ganze Gegend ringsum kracht.
Und dann die Schrapnelle, die mit Windesschnelle
Heulend, sausend kommen durch die Luft.
Ist das Dings zersprungen, und der Knall verklungen,
Ist der ganze Schuß doch meist verpufft!

Keine Federbetten, keine Toiletten
Sind des Krieges täglicher Bedarf.
Wer sich will rasieren, braucht nur gehn spazieren,
Den rasiert sogleich der Russe scharf.
Auch das Mittagessen, wird gar oft vergessen,
Ja die Küchen bleiben gar so fern,
Denn die Erbskanonen scheu'n die blauen Bohnen
Und der Koch verwertet sie nicht gern.

Wenn dereinst der Frieden uns wird sein beschieden
Und wir kehr'n ins Vaterland zurück,
Wenn wir dann bei Muttern wieder richtig futtern
In der warmen Stube, welches Glück!
Bei der Gläser Klingen werden wir dann singen,
Was wir alles haben durchgemacht:
's gibt kein schöner Leben, als in Schützengräben
Vor dem Feind zu liegen Tag und Nacht! [1]

OHNE ILLUSION

Stenay (Hauptquartier der V. Armee)
Anfang November 1914

Der deutsche Kronprinz zu Karl v. Wiegand, Vertreter der amerikanischen Hearst-Presse:

Wir haben den Krieg verloren. Lange Zeit wird er noch dauern – aber für uns ist er längst verloren. [64]

René Schickele entwirft in einem Brief an den Verlag Kurt Wolff das Programm der von ihm neu herauszugebenden Zeitschrift ›Die Weißen Blätter‹:

Fürstenberg i. Meckl., 3. November 1914

Die ›Weißen Blätter‹, die im Januar wieder zu erscheinen beginnen, müssen sich an die Spitze der Bewegung setzen, die den Charakter der neuen Zeit bestimmen wird. Kürnberger hat einmal gesagt: »Entweder der Geist erobert, und das Schwert braucht die Eroberung nur zu befestigen, oder was das Schwert erobert hat, muß der Geist befestigen. Eins folgt immer dem andern.« Ich bin für einen deutschen Imperialismus des Geistes. Wie schön, mitten im Krieg schon mit dem Wiederaufbau zu beginnen und zu helfen, den geistigen Sieg vorzubereiten! Das geistige Europa ist heute vollkommen verwüstet: unsere Pflicht ist zu leben, heute schon, wie es nach dem Friedensschluß die Pflicht eines jeden Deutschen sein wird. Es darf und darf nicht alles umsonst gewesen sein, und mir scheint, es wäre fast umsonst gewesen, wenn der ganze Lohn in materiellem Gewinn bestände. [121]

UNSERE FELDKAPELLEN-AUTOS

Köln, 6. November 1914

In der ›Kölnischen Volkszeitung‹ erscheint, einer Anregung von Pater Impekoven S. V. D. (Bruder Gottwills von der Steyler Genossenschaft vom Göttlichen Wort) entsprechend, folgender Aufruf:

Schon längst haben die praktischen amerikanischen Katholiken das Kapellen-Auto in den Dienst der Eucharistie und Seelsorge gestellt. Welcher begüterte Katholik Deutschlands stellt ein solches jetzt in Kriegszeiten dem eucharistischen Herrn der Heerscharen zur Verfügung?

Welche Wohltat für unsere wackeren Glaubensbrüder draußen im Felde wäre ein Kapellen-Auto schon allein als Beichtkapelle, namentlich in den Wintermonaten! Vor allem aber – das wäre Hauptzweck – durch die Ermöglichung der täglichen heiligen Messe und damit gegebener Kommunion für Tausende, die sonst vielleicht vergeblich oder so lange, lange nach ihrem eucharistischen König hungern. (Winterliche Witterung und Bedrohung durch Flieger erschweren den freien Feldgottesdienst sehr.)

Tausende von Autos sind in den Dienst der kranken oder verwundeten Leiber gestellt; könnte nicht auch eins (im schönsten Sinne als Emanuel) den nach Kraft und Freude hungernden Seelen dienen?

Herr Geheimer Kommerzienrat Th. von Guilleaume in Köln hat in hochherziger Weise durch seine Spende von 500000 Mark den Kölner Lazarettzug ins Rollen gebracht; welcher andere kath. Wohltäter stellt die erste Sakramentskapelle auf die Räder? Und wenn die Tausendmarkscheine der Reichen versagten (sie werden's nicht!), brächten selbst die Pfennige der Minderbemittelten die erforderlichen 10000 Mark zusammen, den Emanuel als erstes Kapellen-Auto auf deutschem Boden auszurüsten; einige goldene Ringe als letzte verfügbare Gabe von Armen und 300 M. als Gabe eines Reichen sind bisherige Spende. Wer von den Freunden im Priester-Anbetungsverein, im Priester-Abstinentenbund und Kreuzbündnis, wer von den Hunderttausenden, die jetzt einem Pius X. das Glück der täglichen Kommunion danken, hilft mit, das Werk vollenden? Nach Friedensschluß würde der Emanuel der deutschen Diaspora dienen.

Die Geschäftsstelle der Kölnischen Volkszeitung ist bereit, Gaben für den vorgedachten Zweck in Empfang zu nehmen. [1]

MODELLFALL EINER BESTRAFUNG

8. November 1914

Der deutsche Kommandant von Valenciennes, Major v. Mehring, hat in seinem ganzen Befehlsbezirk folgende Bekanntmachung anschlagen lassen:

Ich bin leider gezwungen, die strengsten Maßnahmen des Kriegsrechts gegen die Stadt Orchies anzuwenden. Dort wurden angegriffen und getötet Ärzte, Sanitätspersonal, und ermordet gegen zwanzig deutsche Soldaten. Die schlimmsten Grausamkeiten wurden auf eine unglaubliche Art begangen (Ohren abgeschnitten, Augen ausgerissen und andere Bestialitäten gleicher Art). Infolgedessen habe ich die Stadt vollkommen zerstören lassen. Orchies, früher eine Stadt von 5 000 Einwohnern, besteht nicht mehr: Häuser, Rathaus, Kirche sind verschwunden, und es gibt keine Einwohner mehr. [2]

DER BERÜHMTESTE HEERESBERICHT

Großes Hauptquartier, 11. November 1918. Vormittags

... Westlich Langemarck brachen junge Regimenter unter dem Gesange ›Deutschland, Deutschland, über alles‹ gegen die erste Linie der feindlichen Stellungen vor und nahmen sie. Etwa 2 000 Mann französischer Linieninfantrie wurden gefangen genommen und sechs Maschinengewehre erbeutet.

Die ›Frankfurter Zeitung‹ kommentiert das Ereignis:

Es klingt altmodisch, furchtbar altmodisch, daß die Deutschen mit Schlachtgesang gegen den Feind losgehen, und es ist wahrscheinlich auch bei einer Taktik, bei der es darauf ankommt, im Schützengraben zu stecken oder auf dem Bauche liegend zu feuern, direkt unpraktisch, mit ›Deutschland, Deutschland über alles‹ loszustürmen. Aber das waren junge Regimenter, das heißt erst nach Ausbruch des Krieges ausgebildete und formierte, die so vorgegangen sind. Das ist ein Dokument des im vierten Monat eines ungewöhnlich harten und blutigen Kampfes herrschenden Geistes, das wir nicht missen möchten ... der Geist ist's, der unbesiegbar macht. [3]

DIE WAHRHEIT – UMGÜRTET MIT DER MACHT

November 1914

Leopold Ziegler, ein Philosoph, gehört zu den Berauschten der ersten Stunde. Seine Kriegsaufsätze veröffentlicht er im Jahre 1915 bei S. Fischer unter dem Titel ›Der deutsche Mensch‹:

Plötzlich fiel eine ungeheure Gegenwart der neuen Gewißheit über uns her, daß wir eine unteilbare Gemeinschaft auf Leben und Tod bildeten. Das Bewußtsein sog sich gleichsam mit einem einzigen Inhalt von grausamer Deutlichkeit voll, für dessen Schwere kein Wort stark und tragfähig genug ist. Wir nahmen eine einzige, durch alle Einzelwesen flutende Erleuchtung wahr, die uns wie die Male der hochheiligen Stigmatisation auf Stirn und Herzen brannte: wir deutscher Mensch sollen ausgetilgt, zerschmettert und ins Nichts gestoßen werden. Wir deutscher Mensch in Staub getreten und im Dampf des eigenen Blutes erstickt ...

Die Härte und Unbegreiflichkeit dieser Tatsache hämmerte uns zum Volk. Sie sprengte die trennenden Wände, in denen sich jeder bislang eingemauert, eingeschmiedet hielt. Wir wurden deutsches Volk, kollektive Bewußtheit und Erlebniseinheit, in welcher der einzelne nur noch insoweit Bestand und Wirklichkeit hat, als er an jener Erleuchtung teil nimmt. Von hier aus fanden wir eine neue Form des Lebens. Wir waren nicht mehr im Raum zusammengepferchte Knechte, zu irgend einem Zwecke von der Allmacht des Goldes unterjochte Hörige, wir waren kein künstlich aus Einzelwesen zusammengeschweißter Zweckverband, sondern nur mehr ein einziger mit millionenfach geteilten Organen wirkender Mensch. Was im platonischen ›Staat‹ ein edles Gleichnis gewesen ist, daß nämlich die vorbildliche politische Gemeinschaft nichts anderes als ein höherer Mensch sei, wird hier zu exakter Wirklichkeit. Unter dem Gesichtswinkel dieses neuen und sozusagen metaphysischen Faktums will es mir vorkommen, daß alle bisherigen Philosopheme, Staats- und Gesellschaftstheorien, Psychologien, Wirtschafts- und Sittenlehren im Irrtum befangen waren, wenn sie das menschliche Bewußtsein als individuelles Ereignis beschrieben, erläutert und gedeutet haben. Es ist gewiß, daß uns dieses Erlebnis nicht nur zu beispielloser Tat, sondern gleichzeitig zu unerhörten, alle Möglichkeiten von Himmel und Erde umspannenden Gedanken ermutigen und befähigen wird. Wie wir in diesem Kampf um unsere deutsche Menschlichkeit Kräfte entfesseln werden, deren wir uns nie vorher bewußt waren und nicht bewußt sein durften – so wird aus den Wolkendünsten fiebernder Schlachten das reine Gestirn eines noch ungedachten Weltgedankens glanzreich emporsteigen. Und wie es auch kommen mag, werden wir nach diesem Kriege anders sein, und mit uns wird die Welt ein neu Gesicht empfangen haben ...

Diese Verschwörung unsrer Feinde wider Wahrheit und Ehrlichkeit, diese Preisgabe von Stolz, Aufrichtigkeit und Wohlanstand, dieser Bankerott aller ritterlichen, aller europäischen Tugenden ist es, was wir nicht zu begreifen vermögen. Wir verstehen es schlechterdings nicht, was es nützen soll, das Grade krumm zu heißen, wir verstehen es nicht, wie man die Lüge zum Weltgesetz, zur unbedingten Weltmacht erheben mag und so das tausendjährig erschütternde Ringen unsrer Art um Wahrheit und Seelenheil zu begrinsen wagen kann. Die Männer vom Schlag der Grey und Iswolsky, Churchill und Sasonow markieren für unser Bewußtsein die untere Schwelle der Menschlichkeit. Die Fähigkeit, ihre seelische Verfassung zu erraten oder sympathetisch in sie einzudringen, mangelt uns in einem für die beobachtende und analytische Seeelenkunde beinah bedauerlichen Grade. Leidenschaftlich fühlen wir nur eins: entweder ist die Welt für einen anthropoiden Typus ihres Schlages zugerichtet – dann haben wir auf diesem mißratenen Planeten nichts mehr zu schaffen, und es ist nicht der Mühe wert, weiter noch davon zu reden. Dann kommt und schlagt uns tot und schreibt auf unser Grab das Wort: Hier sank der deutsche Mensch als Opfer seiner kleinen Vorurteile. Oder aber, die Welt ist doch, wie wir es hoffen, daß sie sei. Dann ist die Zeit erfüllt, und das Reich ist nah herbeigekommen. Dann wird das schlecht verwaltete Gut in reine Hände übergehen müssen, so und so. Dann wird, mit einem Wort, zum erstenmal in der menschlichen Geschichte die Wahrheit mit der Macht umgürtet werden. Ob dieses möglich sei, das ist die bittere Alternative dieses Krieges, um ihretwillen ist er kein politischer Krieg ... So mußte der Haß auch für uns ein unentbehrliches Mittel zum Sieg werden. Es ist einfach Pflicht für uns, zu hassen: aus übervollem Herzen, unzerstückter, ganzer Seele und mit tiefer Innigkeit. Der Haß allein, der glühende und gierige Wunsch, die Person des Feindes auszulöschen, wird uns die Zahl der Widersacher vergessen lassen. Und wir werden auf der zertrümmerten Welt der Vergangenheit zuerst diese neue Flagge hissen müssen. [110]

DAS ENDE DES ALTEN EUROPA

Der Dichter Otto von Taube, Autor des Insel-Verlags, *schreibt an Katharina Kippenberg, seine Verlegerin:*

Bellheim, 15. November 1914

Pessimistisch bin ich des Krieges wegen nicht. Die Fortschritte sind langsame, aber sichere; pessimistisch bin ich nur darüber, was hernach sein wird. Das alte Europa wird nicht mehr sein: »der Europäer« ein Wort sein aus der Vorzeit; ähnlich klingen wie »Ichthyosaurus«. Haß gegen Haß werden es weiter scheiden und teilen ... [92]

21. November 1914

Im ›Kleinen Briefkasten‹ seiner Wochenschrift ›Die Aktion‹ macht Franz Pfemfert auf einen ›Gesang der Flieger‹ aufmerksam, den der Dichter Ludwig Fulda (1868–1939) in Nr. 44 der ›Berliner Illustrierten‹ veröffentlichte. Dort heißt es:

> Solch Tier zeigt allen
> Die scharfen Krallen
> Und ist nicht stubenrein im Flug:
> Es läßt was fallen,
> Das pflegt zu knallen,
> Und wer es auffängt, hat genug.

Pfemfert kommentiert diesen »künstlich erhabensten« Vers des ganzen Gesangs mit den Worten: »Auch der lichtvolle Doppelpunkt hinter ›Flug‹ ist von Ihnen, Herr Fulda. Und nun erlauben Sie mir, daß ich bei meinen Lesern für den Nachdruck des Verses um Entschuldigung bitte!« [42]

KEIN REICHSKRÜPPEL

Der Lyriker Hans Ehrenbaum-Degele, Mitherausgeber der Zeitschrift ›Das neue Pathos‹, schreibt an Anton Kippenberg:

Im Westen, 21. November 1914

Freilich habe ich in mancher Beziehung umlernen müssen, und wenn ich auch immer noch den Krieg an sich als Massenwahnsinn ablehnen möchte, so habe ich doch nichts Größeres, Hinreißenderes erlebt als diesen heiligen Kampf. Stolz bin ich, mittun zu dürfen in vordersten Reihen und nicht etwa in den gespannten und überspannten Städten als Reichskrüppel herumzuhocken...

Der ›Insel‹ wünsche ich alles Gute. Dieses Bollwerk deutscher Kultur darf und wird nicht versinken. Mein bißchen Können werde ich ihr jederzeit zu Aufbau und Ausbau völlig zur Verfügung stellen ... [92]

Ende 1914

Stefan Zweig, vom schnellen Vormarsch der deutschen Truppen im Westen stark beeindruckt, schreibt an seinen Verleger Anton Kippenberg, den Inhaber des Insel-Verlags, jetzt als Oberleutnant Rekrutenausbilder in Halle an der Saale:

Solange man nicht draußen seinen Mann stellt, muß man hier wenigstens dem Gemeinsamen zu wirken und an Leistungskraft fehlt es mir nicht. Mein Neid aber ist bei Ihnen, Officier sein zu dürfen in dieser Armee, in Frankreich zu siegen – gerade in Frankreich, das man züchtigt weil man es liebt. Seltsam, ich hätte gegen niemanden mehr Elan als gegen die, die ich doch am meisten schätze, denn ihr Hochmut war alles Unglücks Anbeginn. Vielleicht werden unsere Regimenter so durcheinandergeschüttelt, daß ein Teil dorthin gelangt – an dem Tage würde ich Tod und Teufel daran setzen hinzukommen. Gegen Rußland habe ich keinen Haß, sie kämpfen wie Deutschland um ein erweitertes Volkstum, Frankreich aber um sein Spiegelbild, seine Eitelkeit und England für seinen Geldsack ... [92]

DER SUMPF IST TRUMPF

November 1914

Kaum war die auf Wunsch Hindenburgs so benannte Schlacht von Tannenberg geschlagen, als auch schon die Legende gesponnen wurde. Danach hätte Hindenburg, nach seiner Pensionierung 1911, seine Sommerferien an den Masurischen Seen verbracht, und hätte er sich in Königsberg eine Kanone ausgeliehen, um diese aus einer Lache in die andere schleppen zu lassen. Und er hätte alles aufgeschrieben, berechnet und gezeichnet. Daran ist kein wahres Wort. Schrittmacher dieser Legende ist der Schriftsteller Franz Karl Ginzkey, der in ›Velhagen und Klasings Monatshefte‹, Novemberheft 1914, diese Ballade veröffentlichte:

Ballade von den Masurischen Seen

Herr von Hindenburg spüret den Ostwind wehn.
Er reitet ums Land der masurischen Seen.
Sein Leben lang streicht er im Schritt und im Trab
Um die Seen und die Sümpfe und – mißt sie ab.

Er kennt im Sumpf jedwedes Rohr,
Und neigt er bodenwärts das Ohr,
So hört er es geistern und gurgeln dumpf:
    Der Sumpf ist Trumpf, der Sumpf ist Trumpf,
    Er schluckt die Russen mit Rumpf und Stumpf.

Es lebt keine Unke, kein Frosch, kein Lurch,
Die er nicht kennte durch und durch.
Er kennt jeden Steg, jeden Busch und Verhack,
Er kennt jede Lack' wie den eigenen Sack,
Wie breit sie nach West, wie tief sie nach Ost,
Er kennt sie, als hätt' er sie selber gekost't.
Und immer hört er das Gurgeln dumpf:
    Der Sumpf ist Trumpf, der Sumpf ist Trumpf,
    Er schluckt die Russen mit Rumpf und Stumpf.

Aus Berlin kommt die Botschaft, er hört's mit Graus,
Der Reichstag beschlösse: Wir pumpen sie aus,
Wir pumpen sie aus, die masurischen Seen,
Wir wollen dort ackern, uns rackern und mähn,
Wir wollen Profit aus dem Boden ziehn!
Von Hindenburg saust nach Berlin.
Ihn mahnt aus dem Sumpfe die Trommel dumpf:
    Der Sumpf ist Trumpf, der Sumpf ist Trumpf,
    Er schluckt die Russen mit Rumpf und Stumpf.

Herr von Hindenburg tritt vor den Kaiser kühn:
Majestät, hier tät ein Malheur uns blühn.
An den Sümpfen zu rühren, das wäre nicht klug.
Felder haben wir wahrlich genug,
Doch Sümpfe wie diese, wo wütend erpicht,
Die Russen zu schlucken, die haben wir nicht.
O retten Sie Majestät, den Sumpf!
    Der Sumpf ist Trumpf, der Sumpf ist Trumpf,
    Er schluckt die Russen mit Rumpf und Stumpf.

Drauf lacht der Kaiser: Nun gut, es sei,
Ich geb Euch die Sümpfe zum Schlucken frei!
Worauf Herr von Hindenburg hochbeglückt
Sich heimwärts gen Masurien drückt.
Er dort in den Sümpfen herumstudiert,
Notiert, krokiert, rekognosziert.
Er reibt sich die Hände: Gerettet mein Sumpf!

Der Sumpf ist Trumpf, der Sumpf ist Trumpf,
Er schluckt die Russen mit Rumpf und Stumpf.

Und siehe, wie herrlich nun hat sich erfüllt,
Was das Geisterwort aus dem Sumpf ihm enthüllt:
Auf des Kaisers Gebot, ein eherner Wall,
Umbraust er die Feinde wie Hannibal,
Beengt, umdrängt, umzwängt sie mit Macht.
Generaloberst von Hindenburg hat das vollbracht.
Hunderttausend verschwanden im Sumpf!
Der Sumpf ist Trumpf, der Sumpf ist Trumpf,
Verschluckt sind die Russen mit Rumpf und Stumpf.

*Legende ist auch jener Hindenburg, der, als er an die Front gerufen,
nachts in Hannover den Sonderzug besteigt und sich sofort mit Ludendorff an die Arbeit macht. Der Dichter Joseph Winckler berauscht sich
an dieser Vorstellung:*

Und rasende Fahrt
Von Hannover gen Osten, und auf allen Stationen
Sausten Depeschen wie Adlerflug:
Befehle, Berichte, Schlachtoperationen.

Gebückt über die Karte mit Zirkel und Buch,
Ruhig in Taktik und Marschbetrachten,
der Feldherr saß im fliegenden Zug,
Kam an, stieg aus – und tausend Schlünde erkrachten.

*In Wirklichkeit hat Hindenburg geschlafen; er teilt es selber mit:
»Unser Gespräch hatte kaum mehr als eine halbe Stunde in Anspruch
genommen. Dann begaben wir uns zur Ruhe. Die dazu verfügbare Zeit
nützte ich gründlich aus.«*
  *Nicht genug damit: Hindenburg mußte der Nation auch als Aus-
erwählter des Herrn vorgestellt werden. Joseph Winckler übernimmt
auch dies. In seinem im Jahre 1915 für den Frauenbund zur Ehrung
rheinländischer Dichter aufgelegten Gedichtbuch ›Mitten im Weltkrieg‹ macht er sich zum Mund der Vorsehung:*

Gott spricht
So wähl ich Fürsten auf den Schlachtenflurn
Zieh ein nach Rußland, zieh ein nach Polen:
Herzog von Tannenberg! Fürst von Masurn!
Eine Krone! Meine Krone! Salbt seine Sohlen!

Ende November 1914

Aus einem deutschen Kriegslazarett in Frankreich berichtet Pater Dr.
Raymund Dreiling O. F. M.

Ein junger schwerverwundeter Offizier sagte mir so innig: »Ich
bin eigentlich zweimal in meinem Leben getauft worden: das
erste Mal als Kind, das zweite Mal auf dem Schlachtfelde. Das
Christentum, das ich als Kind empfangen habe, habe ich leider
verloren. Das Christentum aber, das mir Gott in jener schrecklichen Nacht verliehen hat, wird mir keine Macht mehr ent-
reißen können.« – »An der Kriegsakademie«, sagte mir ein
anderer sterbender Offizier, für den auch das Schlachtfeld sein
Damaskus geworden war, »bin ich ein Heide geworden, jetzt
hat mich der liebe Gott in seine Schule genommen, und ich
glaube und bete wieder. Was meinen Sie zu folgendem Gedanken: ich will meinen Tod Gott aufopfern als Sühne für mein ver-
fehltes Leben und« – da leuchtete es in des Sterbenden Auge –
»für meinen König und mein Vaterland!« Und mit dieser Gesinnung ist der junge Held bei vollem Bewußtsein in die Ewigkeit hinübergegangen. Das war nicht Menschen- und Priester-
werk, das war Gottes Werk.

Ja, der liebe Gott ist durch das deutsche Vaterland gegangen
und hat bei diesen Männern angeklopft und Einlaß begehrt. Da
zerbrachen vor der Hand des Allmächtigen die Fesseln, in denen
moderner Unglaube und modernes Heidentum die Seelen dieser
Tapferen gefangen hielt, und es erstrahlte wieder in alter Pracht
die liebe deutsche Seele, zu deren innerstem Wesen es gehört,
gottesfürchtig und gläubig zu sein. [1]

LEBENDIG ODER TOT

November 1914

Unter der Überschrift ›Neugeburt‹ schreibt Dr. Carl Sonnenschein
einen Aufsatz über den religiösen Geist unserer Krieger:

Der Krieg hat tausend Seelen zur Ergriffenheit des Idealismus
gewandelt, zur Erhabenheit christlicher Tiefe, zur Tapferkeit
vollen Lebens. Sie werfen alles, was sie an das Zeitliche bindet
und im Rausch der Erde hielt, von sich weg. Der Himmel steht

wieder über ihnen offen. Vom blauen Firmament der Mittags-
sonne glänzen die alten Sterne. Es gilt wieder Reinheit. Es gilt
Treue. Es blüht wieder auf goldenen Feldern christliche Zucht.
Es leuchten wieder ihre Panzer von übernatürlicher Pracht der
Tugend und Weihe.

Wie aus neuerstandener Welt, wie aus tausendjährigem Wun-
derschlaf tritt aus der Tiefe der frühen Jugend das Echte und
Große ans Licht. Die Blasiertheit blättert zu Boden. Es gilt das
Alte und Starke. Es gilt Heimat, Gott und Seele ... So gib,
o Gott, unseren Brüdern das Schwert in die feste Hand. Mit
trotziger Faust recken sie es in den klirrenden Krieg. Hülle es,
o Schlachtenlenker, in das Gold deiner Sonne, umwehe es mit
der Fruchtbarkeit deiner Wolken, umspanne es mit deiner Hand.
In deinem Namen laß sie, o Herr, für Deutschland siegen, siegen, siegen!

Lebendig oder tot, ihr seid die Neugeburt unseres Landes! [1]

DIE FOLGERICHTIGKEIT DER BESATZUNG

Der Dichter Rudolf G. Binding:

Paschendaele (Belgien), 27. November 1914

Noch vor vier Wochen war das Land reich zu nennen. Rinder
und Schweine in Menge. Jetzt: leer. Kein Weinkeller in keiner
Stadt der nicht für die Deutschen beschlagnahmt wäre. Keine
Kolonialwaren-, Mehl-, Butter-, Eierhandlung die nicht allein
für die Deutschen liefern müßte. Kein Pferd das nicht genommen, kein Auto, kein Benzin, kein Eisenbahnwagen, kein Haus,
keine Kohle, kein Petroleum, keine Elektrizität, nichts was nicht
für uns arbeitete, für uns nutzbar gemacht wird. Ich kaufe be-
liebige Dinge der Nützlichkeit und Bequemlichkeit für mich
und meine Leute, gebe einen Schein mit meinem Namen und der
Kaufmann verbeugt sich an der Ladentür. Ich nehme aus dem
Keller des Chevalier van der B. fünfzehn Flaschen besten Bordeaux und etliche Flaschen alten Portweins – dieses Land trinkt
nur Wein und Milch und in den Estaminets Genèvre – und be-
danke mich noch nicht einmal beim Kellermeister durch ein
Zweifrankenstück. Ich nehme den Hafer, das Stroh, Schweine,
Ochsen, Hühner, Gemüse, eingemachte Früchte, Kartoffeln,
Äpfel der geflohenen und weggewiesenen Bewohner. Diese
erhalten nicht einmal jenen Schein, der ihnen ein formales Recht
gibt. Wem sollte ich ihn behändigen? [66]

Im Westen, November 1914

Aus einem Kriegsbericht:

Auch einen Renommiersoldaten des Regiments stellte man mir vor. Und zwar in der Gestalt des Grenadiers Karl Schober aus Schallhausen, neben dem noch zehn Brüder im Felde stehen. Davon sind bereits drei gefallen, und zwar ein Leipziger Ulan und zwei Matrosen. Die anderen sind mit Ausnahme eines weiteren Matrosen sämtlich Angehörige sächsischer Regimenter. Der Vater ist Bahnarbeiter in Niederstriegis bei Roßwein in Sachsen. Alle elf Jungen entstammen einer Ehe. Auch diese Tatsache ist den Franzosen drüben durch ein Extrablatt bekannt gegeben worden, und eine nicht mißzuverstehende Aufforderung daran geknüpft worden. [46]

LIEBKNECHTS »NEIN«

Berlin, 2. Dezember 1914

Der Abgeordnete Liebknecht [SPD] hat zur Begründung seiner verneinenden Abstimmung in der Reichstagssitzung vom 2. d. Mts. dem Reichstagspräsidenten zur Aufnahme in den stenographischen Bericht gemäß § 59 der Geschäftsordnung ein Schreiben überreicht. Der Präsident hat die Aufnahme dieser Begründung in den stenographischen Bericht abgelehnt, weil in ihr Äußerungen enthalten seien, »die, wenn sie im Hause gemacht wären, Ordnungsrufe nach sich gezogen haben würden«.

Meine Abstimmung zur heutigen Vorlage begründe ich wie folgt: Dieser Krieg, den keines der beteiligten Völker selbst gewollt hat, ist nicht für die Wohlfahrt des deutschen oder eines anderen Volkes entbrannt. Es handelt sich um einen imperialistischen Krieg, einen Krieg um die kapitalistische Beherrschung des Weltmarkts, um die politische Beherrschung wichtiger Siedelungsgebiete für das Industrie- und Bankkapital. Es handelt sich vom Gesichtspunkt des Wettrüstens um einen von der deutschen und österreichischen Kriegspartei gemeinsam im Dunkel des Halbabsolutismus und der Geheimdiplomatie hervorgerufenen Präventivkrieg. Es handelt sich auch um ein bonapartistisches Unternehmen zur Demoralisation und Zertrümmerung der anschwellenden Arbeiterbewegung. Das haben die

verflossenen Monate trotz einer rücksichtslosen Verwirrungs-
regie mit steigender Deutlichkeit gelehrt.

Die deutsche Parole »Gegen den Zarismus« diente – ähnlich
der jetzigen englischen und französischen Parole »Gegen den
Militarismus« – dem Zweck, die edelsten Instinkte, die revolutionären Überlieferungen und Hoffnungen des Volkes für den
Völkerhaß zu mobilisieren. Deutschland, der Mitschuldige des
Zarismus, das Muster politischer Rückständigkeit bis zum heutigen Tage, hat keinen Beruf zum Völkerbefreier. Die Befreiung
des russischen wie des deutschen Volkes muß deren eigenes
Werk sein.

Der Krieg ist kein deutscher Verteidigungskrieg. Sein geschichtlicher Charakter und bisheriger Verlauf verbieten, einer
kapitalistischen Regierung zu vertrauen, daß der Zweck, für den
sie die Kredite fordert, die Verteidigung des Vaterlandes ist.

Ein schleuniger, für keinen Teil demütigender Friede, ein
Friede ohne Eroberungen, ist zu fordern; alle Bemühungen dafür
sind zu begrüßen. Nur die gleichzeitige dauernde Stärkung der
auf einen solchen Frieden gerichteten Strömungen in allen
kriegführenden Staaten kann dem blutigen Gemetzel vor der
völligen Erschöpfung aller beteiligten Völker Einhalt gebieten.
Nur ein auf dem Boden der internationalen Solidarität der
Arbeiterklasse und der Freiheit aller Völker erwachsener Friede
kann ein gesicherter sein. So gilt es für das Proletariat aller Länder, auch heute im Kriege gemeinsame sozialistische Arbeit für
den Frieden zu leisten.

Die Notstandskredite bewillige ich in der verlangten Höhe, die
mir bei weitem nicht genügt. Nicht minder stimme ich allem zu,
was das harte Los unserer Brüder im Felde, der Verwundeten
und Kranken, denen mein unbegrenztes Mitleid gehört, irgend
lindern kann; auch hier geht mir keine Forderung weit genug.
Unter Protest jedoch gegen den Krieg, seine Verantwortlichen
und Regisseure, gegen die kapitalistische Politik, die ihn herauf-
beschwor, gegen die kapitalistischen Ziele, die er verfolgt, gegen
die Annexionspläne, gegen den Bruch der belgischen und luxem-
burgischen Neutralität, gegen die Militärdiktatur, gegen die
soziale und politische Pflichtvergessenheit, deren sich die Regierung und die herrschenden Klassen auch heute noch schuldig
machen, lehne ich die geforderten Kriegskredite ab. [9]

4. Dezember 1914

*Eine »fast grausige« Mitteilung druckt der ›Hannöversche Anzeiger‹
von einem Landwehrleutnant aus Frankreich:*

»Gott strafe England« – »Er strafe es!« Das ist der neue Gruß
unserer Truppen. Von irgend jemand angeregt, pflanzt er sich
fort. Wer ihn zum erstenmal hört, staunt, begreift, und weiter
macht er die Runde. Überall wo bei uns ein Offizier oder Mann
ein Zimmer betritt, sagt er nicht »Guten Tag«, oder gar beim
Fortgehen »Adieu«, sondern »Gott strafe England« und der
Gegengruß: »Er strafe es!«... Jawohl, das wollen wir, und
darum sind wir Deutsche hinausgezogen, haben unser Heim und
unsere Familie verlassen, um zu strafen alle, die uns den Frieden
raubten...

Herzerquickend ist es, wenn morgens der Kompagnieführer
seine Kompagnie begrüßt. Anstatt einen Guten Morgen zu
wünschen, denn jeder Morgen am Feinde ist uns ein guter
Morgen: das brauchen wir einander nicht zu wünschen – aber
eisern schallt es über den Marktplatz von V... »Stillgestanden!
Gott strafe England!« Und aus 300 Kehlen klingt's uns entgegen: »Er strafe es!« [2]

VERSICHERT ZUM ZWECKE DER KRIEGSTÜCHTIGKEIT

4. Dezember 1914

*Der Präsident des Reichsversicherungsamtes, Dr. Paul Kaufmann,
hält in Berlin einen Vortrag ›Soziale Fürsorge und deutscher Sieges-
wille‹. Anschließend wird ein Merkblatt verteilt, in welchem es – die
Gedankengänge des Vortrages zusammenfassend – heißt:*

Diese gewaltigen Zahlen reden vernehmlich, wie umfassend die
deutsche Arbeiterversicherung zum Segen unseres Volkes gewirkt hat. Man war nicht nur bestrebt, eingetretene Schäden
auszugleichen, sondern hat immer mehr sein Augenmerk darauf
gerichtet, wirtschaftliche Schäden zu verhüten und die breiten
Massen gesund zu erhalten. Dadurch ist die Arbeiterversicherung zu einem Eck- und Grundstein für unsere Wohlfahrtspflege
geworden. Sie hat Deutschlands Volkskraft vermehrt und seine
Kriegstüchtigkeit gesteigert. Mit Zustimmung des Reichsver-

sicherungsamts haben die Versicherungsträger durch Überweisung aller verfügbaren Barmittel an die Reichsbank unsere ausgezeichnete Finanzrüstung gestärkt. Bis zu fünf vom Hundert ihres Vermögens, das sind über 100 Millionen Mark, haben die Versicherungsanstalten für Aufgaben der Kriegswohlfahrtspflege bereitgestellt. Davon haben sie bis jetzt schon über $1\,^1/_2$ Millionen dem Roten Kreuz und rund $1\,^1/_4$ Millionen Mark den Sammelstellen zur Beschaffung warmer Unterkleider für die Truppen überwiesen. Über 2 Millionen Mark sind als besondere Dankes- und Ehrengaben für die Hinterbliebenen der Gefallenen bestimmt worden. Sie sollen über die erste schwere Zeit nach dem Tode des Ernährers hinweghelfen und den Übergang in neue wirtschaftliche Verhältnisse erleichtern. $1\,^1/_2$ Millionen Mark wurden bereitgestellt, um den für die Versicherten im Felde oft verhängnisvollen Verfall ihrer Ansprüche aus Versicherungen nach Möglichkeit zu verhindern. An der Zeichnung der Kriegsanleihe haben sich die Versicherungsanstalten bisher mit über 150 und die Berufsgenossenschaften mit rund 40 Millionen Mark beteiligt. [67]

›Die Woche‹ Nr. 50 vom 12. Dezember 1914

12. Dezember 1914

Die Schriftstellerin Nanny Lambrecht beeilte sich, einen ›Kriegsroman aus der Gegenwart‹ auf den Markt zu bringen. ›Die Woche‹ brachte ihn seit dem 21. November in Fortsetzungen. Sein Titel: ›Die eiserne Freude‹.

Auf schwarzwallenden Tüchern glitt die Nacht herab. Die Straßen vereinsamt. Die Laternen wie fahlblitzende Katafalke.

Drei, Arm in Arm, schweigend durch die Nacht. Willi Merkens zwischen den zwei Freunden. Ein heißes Wallen und Wogen in ihnen. Eine schluchzende Freude. Die Freude am Schwert, am blitzenden Eisen. Die eiserne Freude.

Der Herzschlag im Takt ihrer Schritte. Und leise summend dazu: Das ist, das ist Lützows wilde, verwegene Jagd ... Und über ihnen in den Äonen des Nachthimmels die ewigen Sterne.

Weit aus den vereinsamten Straßen heraus wogte es plötzlich auf, Spätlinge rotteten sich zusammen. Fenster klirrten auf, Stimmen. Pferdegetrappel. Wagenrollen, immer näher, immer lauter; anschwellender Lärm, Kommandoruf. Vier Pferdebespannung. Hurra! Kanonen! Schwer rattert's, Eisen prallt, Funken stäuben aus den Rossehufen. Und immer mehr, immer mehr, eine lange, drohende Reihe, vier Pferde, Kanonen, vier Pferde, Kanonen ... Mannschaft! Trab, Trab ... Munitionskolonne, Proviantwagen, einer hinter dem andern, unübersehbar ... Mannschaften! Marsch! Marsch! Ordonnanzreiter den Zug auf und ab. Infanteriekolonnen, Radfahrer, ein Reitertrupp, stolze Reiter, Lanzenreiter ...

Hurra! In die leere Nacht ... Hurra! Aus allen Straßen, von allen Plätzen ... Hurra! Aus den Fenstern. Weiße Tücher winken in die Nacht. Glück auf, tapfere Krieger! Schützt uns, rächt uns. Schlagt drein! Und sie lächeln, die Krieger, und sie nicken, und sie winken Grüße und Abschied. Wir schützen euch, wir rächen euch. Der Kaiser rief, und wir kommen, wir kommen. Nun gute Nacht! Träumt weiter eure schönen deutschen Träume. Derweil wir ziehen hinein in Feindesland zur Nacht. Marsch! Marsch und Trab, Trab ... Ade! Ade!

Hoch über ihnen schimmern die deutschen Sterne. Die Nacht ist erfüllt von vielen Wundern. O welch eine Nacht! Es lodert und hallt und klingt und singt: die eiserne Freude!

[Aus der dritten Fortsetzung]

15. Dezember 1914

Der Berliner Professor für evangelische Theologie, Dr. Friedrich Delitzsch, hält eine Rede ›Psalmworte für die Gegenwart‹. Er sagt dort u. a.:

Das Wort des Psalmisten: »Muß ich Deine Hasser, o Gott, nicht hassen und vor denen, die wider Dich aufstehen, mich grauen? mit äußerstem Hasse hasse ich sie« – sollte dieses Wort nicht Jesus selbst in diesem Falle zu dem seinen gemacht haben?

Sie kennen gewiß die Heldentaten, die die Makkabäer gegen ihre zahllosen Feinde vollbrachten, also daß der Sänger des 78. Psalms, nachdem er über Gottes langes Schweigen und scheinbare Zulassung der feindlichen Umtriebe gegrübelt, in die Worte ausbricht: »Da erwachte der Allherr aus seinem Schlaf wie ein Held, der übermannt war vom Weine, und schlug seine Feinde auf die Hinterseite, ewige Schmach ihnen bereitend.« Gerechter Gott, tue ein Gleiches unsern Feinden! – so zittert es aus unsern Herzen, aber wir unterdrücken dieses Stoßgebet und folgen den Makkabäern in anderer zweifacher Hinsicht. Der 144. Psalm beginnt: »Gepriesen sei der Herr, mein Fels, der meine Hände geübt hat zum Kampf, meine Finger zum Kriege!«

Ja, Lob und Dank sei dem Herrn, daß auch unser Heer gewappnet ist mit kriegskundigem, starkem Arm und wunderbar bewehrt mit Waffen ohnegleichen! [67]

WER BIETET MEHR?

19. Dezember 1914

Beim preußischen Kriegsministerium sind im November zahlreiche Stiftungen für das Heer eingegangen. Unter Stiftungen für hervorragende Waffentaten werden mitgeteilt:

500,– Mark für den jungen deutschen Krieger, der auf englischem oder schottischem Boden die erste deutsche Fahne aufpflanzt.

500,– Mark für den ersten deutschen Flieger, der eine Bombe auf die Stadt London wirft. [2]

18. Dezember 1914

In München treffen sich – nach Mitteilung der Schriftstellerin Annette Kolb – eine Anzahl von Wiener Professoren mit Münchner Kollegen, Rechtsanwälten und Vertretern der Presse. Die Einladung zu dieser Sitzung besteht in einem Aufruf, der lautet:

Neben dem Weltkriege mit eisernen Waffen wird ein zweiter Feldzug mit vergifteten Waffen geführt, ein Verleumdungsfeldzug, in dem jedem Volke die unglaublichsten Schändlichkeiten, Hinterhältigkeiten und Gemeinheiten vorgeworfen werden, und dieser zweite Feldzug, den giftige Federn vom sichern Schreibtisch aus führen, ist fast noch gefährlicher als der andere. Das Ziel des Krieges ist der Friede – das Ziel dieses zweiten Feldzuges jedoch ist der unauslöschliche Haß, der auch nach formellem Frieden jede Versöhnung ausschließt.

Darf die menschliche Ehre ein Angriffsobjekt im Kriege sein, dürfen Schauermärchen hüben und drüben die Bestie im Menschen erwecken, so daß der Glaube an die Menschheit versinkt? Diese ganze Verleumdungsaktion hat geringen unmittelbaren Einfluß auf Sieg oder Niederlage; auf die eigentlichen Kämpfer wirkt sie nur insofern, als sie zu unnötigen Grausamkeiten den Vorwand der Vergeltung bietet; sie ist auch kaum auf die Kämpfenden, weit mehr auf die Zuschauer berechnet, und Zuschauer ist hier nicht nur die zivilisierte, sondern auch die unzivilisierte Menschheit.

Bisher war der beste Schutzwall der weißen Rasse deren sittliche Überlegenheit; die Verleumdung zerstört diesen Nimbus, und rascher als durch kriegerische Selbstzerfleischung sinkt Europa von seiner Höhe herab, wenn die übrige Welt hört und glaubt, welcher Schandtaten Europäer fähig sind.

Kulturnationen! Es ist eine Pflicht gegen uns selbst, diesem selbstmörderischen Treiben ein Ende zu machen und ehrlich zu prüfen, was Lüge, was Wahrheit ist. Sollten sich unter den neutralen, sowie unter den kämpfenden Völkern nicht genug Männer finden, die so hoch über den Sumpf hinausragen, daß sie den Verleumdern, gleichgültig ob Freund oder Feind, die Wahrheit entgegenzuhalten wagen? Es wäre betrübend, wenn sie nicht vorhanden wären oder sich feige verkröchen. An diese Männer ergeht die Aufforderung, auf streng neutralem Boden sich zu finden und durch ein absolut unabhängiges, objektives Organ den Glauben an die Menschheit wieder aufzurichten.

Indem wir der Wahrheit dienen, wollen wir durch Versöhnlichkeit den Frieden vorbereiten, gleichgültig, wann und unter welchen Voraussetzungen er kommen wird – und wir wollen verhindern, daß überflüssigerweise jene Fäden zerrissen werden, welche die kultivierte Menschheit zusammenhalten.

Also wollen wir helfen, einen Frieden vorzubereiten, der den Haß beseitigt und eine Versöhnung anbahnt, damit das Ziel des großen Krieges der große Friede sei.

Ein literarisches Organ dieser Art darf nur auf neutralem Boden geschaffen und von Personen geleitet werden, deren Neutralität über jeden Zweifel erhaben dasteht. Deshalb soll es in der Schweiz entstehen und einen französischen und einen deutschen Schweizer zu Herausgebern haben. Diese Männer werden die Sicherheit bieten gegen die naheliegende Gefahr, es könnte die Zeitschrift aus ihrem objektiven und versöhnlich gedachten Geleise herausgedrängt und unter dem Vorwand der Neutralität einseitigen Zwecken dienstbar gemacht werden.

In dieser Zeitschrift sollen die uns alle bewegenden Probleme des Weltbrandes in der Weise behandelt werden, daß zu den aufgeworfenen Fragen, neben hervorragenden, objektiv denkenden Neutralen gleichmäßig bedeutende Vertreter der kriegführenden Teile das Wort erhalten, die in knapper Form die Ansicht ihrer Volksgenossen frei von Übertreibung und Gehässigkeit zum Ausdruck bringen.

So hoffen wir in ehrlicher Kulturabsicht und mit allen Kautelen gegen Mißbrauch ein Organ zu schaffen, welches der Wahrheit und der Menschlichkeit dienen und neben den schrecklichen Seiten des Krieges auch eine allen guten und edlen Menschen erfreuliche Frucht zeitigen soll. [123]

»EMANUEL«

Köln, 22. Dezember 1914

Der Aufruf der ›Kölnischen Volkszeitung‹ zu Spenden für ein Feldkapellen-Auto vom 6. November hatte einen »ungeahnt glänzenden Erfolg«. Bereits am 3. Dezember waren statt der erhofften 10 000 Mark nicht weniger als 77 137 Mark eingegangen; am 22. Dezember waren die Spenden auf 113 849,80 Mark gestiegen. Die Zeitung schreibt dazu:

Das erste Auto wurde noch rechtzeitig für den Gebrauch am hochheiligen Weihnachtsfest fertig. Am Nachmittag des 22. Dezember wurde es von Seiner Eminenz dem Herrn Kardinal von Hartmann im Hofe des Erzbischöflichen Hauses in Köln in Augenschein genommen und sowohl die technischen Einrichtungen wie der Altar und die liturgischen Ausstattungsgegenstände genau besichtigt. Dabei sprach sich der Kardinal mit hoher Freude und großer Anerkennung über die in so kurzer Zeit geleistete Arbeit aus.

Über Bauart und innere Einrichtung des ersten Feldkapellen-Autos – nach einem Vorschlag von Bruder Gottwills »Emanuel« genannt, erfahren wir Näheres:

Hinter dem breiten Fahrersitz, auf dem zwei Personen recht bequem Platz finden und der durch Tücher ganz geschlossen, eventuell auch zum Schlafen benutzt werden kann, ist oberhalb des Sitzes noch eine zusammenklappbare Krankentragbahre verstaut, die es ermöglicht, im Wagen selbst in Notfällen noch ein zweites Bett für einen Verwundeten herzurichten. Das Innere des Wagens selbst, das von großen seitlichen und Vorderspiegelscheiben beleuchtet wird, hat 1,25 Meter Breite und 1,80 Meter Länge und ist nur durch eine Tür zugänglich, um an der anderen Seite den Raum besser für die besonderen Zwecke des Autos auszunutzen. An der der Tür gegenüberliegenden Seite befinden sich zwei verschiebbare, mit kräftigem Lederpolster überzogene breite Sitze, die sich zu einem einzigen Ruhelager ausziehen lassen. An der Türwand liegt dann ein eingebauter großer Schrank für die Kleider und langen Meßgewänder des Geistlichen, sowie ein kleiner Schrank für Wäsche und kleinere Gebrauchsgegenstände und Bücher. An der Vorderseite befindet sich ein Klapptisch, der als Schreib- und Waschtisch dienen muß und zu dem noch ein kleiner Klappstuhl gehört. Über dem Hauptsitz hängt ein in Nickelstahlführungen laufendes Gepäcknetz, das heruntergelassen werden kann und auf dem dann eine Krankenbahre in halber Höhe des Wagens, nachdem die Tragstangen zurückgeschoben sind, verstaut werden kann. Auf diese Weise ist es möglich, den Wagen auch für den Transport von zwei Schwerverwundeten zu benutzen, wobei noch immer genügend Raum für einen eventuellen Begleiter bleibt.

Den hinteren Teil des Wagens nimmt der eigentliche Altarraum ein, der 50 Zentimeter Tiefe besitzt; den eigentlichen Altar-

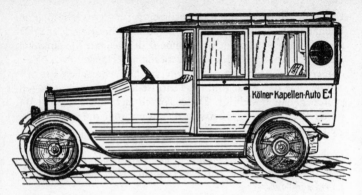

›Kölnische Volkszeitung‹ vom 22. Dezember 1914

tisch bildet eine 55 Zentimeter tiefe, 1,30 Meter breite, auf dem
Boden des Wagens laufende Schublade, auf welcher der eigentliche Altaraufsatz steht. Diese Schublade kann nach Öffnung der
die ganze Hinterseite des Wagens verschließenden Doppeltüren,
herausgezogen werden, so daß ein Altartisch von 45 Zentimeter
Breite vor der über demselben errichteten Leuchterbank entsteht.

Diese Schublade enthält fünf Schiebeladen in Messingrahmen
mit zwischengespannten Leinenböden, auf welchem drei Meßgewänder und ein Velum sowie Rochetten untergebracht werden.
In der mit geschnitzten Emblemen verzierten Leuchterbank ist
dann eine weitere Schublade angebracht, in welcher die Altar-
kerzen verstaut werden. In zwei rechts und links von der Leuchterbank befindlichen Schränkchen, die mit Blumenvasen ver-
ziert sind, werden die eigentlichen Meßgeräte, Kelch und Pollen
untergebracht. Der Expositionsthron, mit Baldachin aus Bronze-
blech abgedeckt, ist links und rechts von zwei hübschen ver-
goldeten Cherubimköpfen flankiert. Auf der Leuchterbank stehen
vier in modern-romanischen Formen ausgeführte Leuchter; das
wuchtige Bronzekruzifix hat einen dem Kölner erzbischöflichen
Museum entlehnten prächtig modellierten Bronzekörper.

Hinter dem Bronzekörper liegt das nur 10 Zentimeter tiefe
Tabernakel, das sowohl von der Altarseite als auch von der
Innenseite zugänglich ist. Unter der Altartischschublade liegt
eine weitere breite Schublade, die das Altarleinen beherbergt,
das in zwei vollständigen Ausstattungen nach kirchlicher Vor-
schrift mitgegeben wird. Bei dieser ganzen Altarausstattung, die

Aus der ›Kölnischen Volkszeitung‹ vom 22. Dezember 1914

von den Benediktinerinnen des allerheiligsten Herzens Jesu zu
Kreitz bei Neuß nach Angabe des Baurats Krings unter mög-
licher Verwendung der von so vielen Seiten gestifteten Spitzen
hergestellt wurde, konnten leider wegen der beschränkten
Größenverhältnisse die zugesandten Paramente nur zum Teil
verwandt werden. Auch waren diese für die Zwecke des rauhen
Krieges zum größten Teil viel zu kostbar. Hoffentlich können
dieselben aber nach Beendigung des Krieges in der Diaspora
Verwendung finden.

Die hinteren Türflügel erscheinen aufgeklappt als Altarflügel
und sind bei dem ersten Auto mit den Bildnissen des hl. Erz-
engels Michael und des hl. Gereon, bei den anderen mit den-
jenigen des hl. Mauritius als den beiden Kölner Kriegerheiligen
und der hl. Barbara als Patronin der Artillerie geschmückt.

Die Rückseite des Wagens wird durch ein großes, seitlich
erweitertes Klappdach geschützt, das aufgestellt dem am Altar
amtierenden Geistlichen völligen Schutz gegen die Unbilden der

Witterung gewährt und auf seiner inneren Seite einen Sternen-
himmel dargestellt, der in der Mitte das eucharistische Wappen,
ein weißes Kreuz auf rotem Grund, umgeben von einer Gloriole,
zeigt. Das Äußere des Wagens ist im hübschen feldgrauen Lack-
anstrich gehalten, der mit violetten Bändern abgesetzt ist. Große
rote Kreuze auf allen Seiten stellen dasselbe unter den Schutz der
Genfer Konvention.

Das erste Kapellenauto ist auch mit elektrischer Beleuchtung
versehen. Sie wird selbsttätig durch eine im Wagen eingebaute
Dynamoanlage nebst Batterie hergestellt. Die Dynamomaschine
wird wiederum durch den Automobilmotor angetrieben. Eine
Zentralheizung, welche durch die Auspuffgase des Motors ge-
speist wird, ist ebenfalls vorhanden. Der Wagen ist also, wie in
einer modernen Fabrik oder Anstalt, unter gleichzeitiger Aus-
nutzung der vorhandenen Betriebsmaschinen, mit elektrischer
Beleuchtungs- und Heizungszentrale versehen. Zu bemerken ist
noch, daß der Altar sich in einigen Minuten bequem zusammen-
stellen bzw. auseinandernehmen läßt. Das Tabernakel ist kugel-
und diebessicher mit Kruppschem 5 Millimeter-Chromnickel-
stahl stark gepanzert.

Hoffen wir, daß das Kapellen-Auto als ein moderner Emanuel
unseren Soldaten an der Front ein Bringer göttlicher Gnaden
und himmlischen Trostes sein wird, und daß die Feldgeistlichen
zum Heile der Krieger einen recht segensreichen Gebrauch von
der neuen Einrichtung machen können.

GOTTES WEIHNACHTSGABE

26. Dezember 1914

›Die Woche‹ (Nr. 52) beginnt ihren Kommentar zu dem vom Großen
Hauptquartier behaupteten »völligen Zusammenbruch« der von den
Russen angekündigten Offensive mit den Worten:

Nun lasset die Glocken von Turm zu Turm
Durchs Land frohlocken im Jubelsturm!
Des Flammenstoßes Geleucht facht an,
Der Herr hat Großes an uns getan!

Als am 17. Dezember in den Nachmittagsstunden die Glocken
des Domes plötzlich ihre tiefen, eindringlichen Stimmen erhoben

und die Fahnen sich, feucht und schwer, im Winterwind bauschten, da mag mancher, der andächtig lauschend stehenblieb und vernahm, wie von fern und nah die kleineren und kleinsten Glocken jubelnd einfielen, der Weise des nordischen Dichters gedacht haben. Großes und Gewaltiges wurde an uns getan, und der deutsche Gott, der immer noch lebt, konnte seinem Volk keine schönere Gabe bescheren als den Sieg über die sämtlichen vereinigten Heere Rußlands. [41]

DAS BÖSE WORT

Freiburg (Breisgau), 27. Dezember 1914

Auf dem Blauen lag Schnee, aber erst von halber Höhe an. Oben genossen wir einen prachtvollen Ausblick ... Mit dem Gruße »Gott strafe England« zogen beim Abstieg junge Leute (Schüler) an uns vorüber. (Für uns) ist ein solch' böses Wort ein ganz unverständlicher Gruß ... [12]

MIT EINER CHRISTROSE

25. Dezember 1914

Im Bereich des 2. Garde-Regiments wächst als »einzige, blühende Pflanze« eine Christrose, von den Grenadieren gehegt und gepflegt. Sie schenken sie ihrem »über alles geliebten Kaiser und Herrn«, mit einem längeren Gedicht des Kriegsfreiwilligen Hartwig, dessen Schluß lautet:

> Dir folgen wir jauchzend – du bist unser Hort,
> Dir gilt unser Pulsschlag und Leben
> Du bist jetzt Vater und Heimatort
> Dir woll'n unsere Rose wir geben,
> Wir Grenadiere!

> Sie blühte im Eis – sie lebte im Tod,
> Sie sei unser Dolmetsch bei dir
> Wenn Weihnacht kündet das Morgenrot,
> Bringt, Kaiser, sie Botschaft von hier
> Von deinen Grenadieren. [74]

Dezember 1914

Noch einmal Leopold Ziegler:

Mit diesem vorzeitigen und unnatürlichen Sterben von Hunderttausenden mußten wir uns abfinden, zugleich mit der Möglichkeit, daß unter diesen Hunderttausenden wir selber uns befänden. Der Tod erschien nicht mehr als das wohltätige Gesetz der Natur, dessen Ursachen vielleicht in der Erstarrung submikroskopischer Plasmaschäume, in der verminderten Oxydation, dem verzögerten Stoffwechsel der Zelle zu suchen sind. Sondern er gehörte plötzlich in den Umkreis unserer Lebensaufgaben. Wir hatten das Sterben wieder zu erlernen wie eine Kunst, oder besser: wie eine Pflicht. Wahrhaftig keine leichte Sache für uns, die wir in dieser Hinsicht bedauerlich verwahrlost und herabgekommen waren. Die vollkommene Sicherheit der bürgerlichen Zustände, ein ununterbrochener Friede, eine boshafte Widerspenstigkeit gegen jede Art von Metaphysik, die nicht unmittelbar dem »Leben« huldigte, die ständig verringerte Gefahr von Seuchen und ansteckenden Krankheiten, steigender Wohlstand überall: diese allgemeine Gefahrlosigkeit des Lebens begründete eine starke Unempfindlichkeit gegen die Tatsache des Sterbens. . . .

Die Todesfurcht ist eben einfach zu überwinden. Da der Tod zur Pflicht ward, fragt niemand nach dem Preis, den ihre Erfüllung kostet. [110]

DIE STRAFE FÜR EIN ATHEISTISCHES FRANKREICH

Im Westen, 28. Dezember 1914

Bruder Gottwills, jetzt Feldgeistlicher bei Emanuel I, wie er sich offiziell nennt, schreibt über seine Friedensfahrten in Feindesland, ausgeführt mit dem ersten Feldkapellen-Auto. In dem Bericht heißt es u. a.:

Mittwoch, den 23. Dezember, verließen wir das heilige Köln. Über Aachen gings nach Westen, fröhlich mit Gott in die dunkle Nacht hinaus.

Ein langerprobter Fahrer, kriegsfreiwilliger Unteroffizier L. Blees, sitzt am Steuer, ihm zur Seite als kundiger Maschinenschlosser und gleichfalls Kriegsfreiwilliger der Missionszögling Griese, als dritter der Bemannung im heimeligen Autostübchen der feldgraue Schreiber.

Schon gegen 2 Uhr morgens leuchteten die Lichter Lüttichs vor uns auf. Vor dem Regierungsgebäude fuhren wir vor, sicherten den Wagen und erhielten von dem freundlichen wacht-habenden Offizier die Margaretenschule als spätes Nachtquartier angewiesen.

Weihnachtsvorabend. Ganz in der Stimmung der großen Er-wartung, die diesem Tage eigen, richteten wir schon um die siebente Stunde alles zur hl. Messe ein. Bereitwilligst war die Erlaubnis gegeben worden, an der Landungsstelle des Wagens dieselbe zu feiern, auf großem freiem Platz angesichts des wuch-tig abschließenden Regierungsgebäudes. Rings im Umkreis wohnten eine Reihe Soldaten dem hl. Opfer bei (für Zivilper-sonen ist der Platz dauernd abgesperrt). Es war Donnerstag, da-her gleich die erste hl. Messe für alle, die mit der Gabe der Hand und des Herzens den ersten Emanuel bauen halfen. Mit dieser hl. Messe nahm auch der eucharistische König dauernden Besitz von seinem Galawagen, der von nun an als neuer Erweis der dürstenden rettenden Heilandsliebe hungernden Seelen künden wird: Siehe, dein König kommt zu dir! Doppelt hat es mich ge-freut, daß gerade hier eine neue Ehrung des eucharistischen Hei-landes begann, von wo aus einst eine hl. Juliana von Lüttich den Welttriumph des Fronleichnamsfestes vorbereitete.

Gegen 10 Uhr sah E I mit Freuden auch den Bruderwagen für eine Weile neben sich; Msgr. Graf Spee, der mit seinem Kapellen-auto auf der Reise nach Brügge, hielt zu kurzem Aufenthalt an.

11 Uhr: Weiter nach Westen: Richtung Namur! Die Strecke Lüttich bis Mons war unsere Tagesleistung am 24. In Namur erquickte uns am Bahnhof das Rote Kreuz, indes E I von einer Menge Schaulustiger besichtigt wurde. Unter anderen äußerte auch ein katholischer General seine hohe Befriedigung über das Zustandekommen des Werkes.

Auf der Kommandantur saßen die Mannschaften beim Weih-nachtsbaum, sangen die alten Weihnachtsweisen. Vom Himmel leuchteten hoch die Sterne, als auch uns am heiligen Abend der Schlummer umfing.

Ein Friedensbild bei der Ausfahrt von Mons sei noch wieder-gegeben: arme Frauen und Kinder umringen deutsche Soldaten, die ihrem stummen Vaterunser Antwort geben: unser tägliches Brot gib uns heute!

St. Stephanstag. Bevor wir nach dem etwa 20 Kilometer ent-fernten Ziel aufbrachen, verlangte die Maschine ihren Proviant. So sahen wir im hellen Morgenlicht die Trümmerhaufen und

Weihnacht im Feld.

Von Joseph v. Lauff.

Trommeln und Schwertgeleitet
Das arme Herz erschrickt...
Es hat sich die weiße Spreite
Mit blutigen Rosen durchflickt.
Statt flammender Opferaltäre
Sind rings die Dörfer umlobt;
Es reitet auf fahler Mähre
Ueber das Schlachtfeld der Tod.

Geschütze in weiter Runde —
Die grimmigen Rufer der Schlacht!
Da naht von den Sternen die Kunde,
Daß heut die geweihte Nacht.
Und über die grausige Stätte,
Durch Wetterweh und Wind,
Durch blitzende Bajonette
Schreitet das himmlische Kind.

Es lächelt wie Blüten im Maien,
Es gleitet wie Frühlingswehn,
Und mitten im Todesreien
Bleibt es verwundert stehn.
Umleuchtet von roten Bränden,
Umgreift es das klopfende Herz
Und hebt mit seligen Händen
Das göttliche himmelwärts.

Und sieh: Eine köstliche Welle
Dem göttlichen Herzen entfließt,
Die ihre befreiende Helle
Ueber das Schlachtfeld gießt,
Die nach des Ewigen Willen
Allen spendet das Licht
Und selbst um das Antlitz der Stillen
Ein Strahlenkränzlein flicht.

Da wandelt die blutige Stätte
Sich zu einem schimmernden Saal;
Das Knattern der Schützenkette,
Es wird zum Weihnachtschoral;
Der Kanonen ehern Frohlocken
Erneut sich mit jubelndem Ton
Und grüßt als Weihnachtsglocken
Die Welt und den Menschensohn.

Auf allen Wegen und Stegen
Kein Auge bleibt tränenleer,
Als käme des Himmels Segen
Ueber das deutsche Heer...
Und als die strahlenden Boten
Den jungen Morgen gebracht,
Lag selbst um die Schläfen der Toten
Ein Glanz noch der heiligen Nacht.

›Die Woche‹ Nr. 52, 1914

ragenden Ruinen früher stolzer Bauten, sahen die Kinder der
Stadt auf verlorene Kohlenstückchen eifrig Jagd machen, sahen
wahre Elendsgestalten den Inhalt der Mülleimer nach etwas
Eßbarem durchstöbern.

Das Bild des verlorenen Sohnes stieg vor meiner Seele auf, das Bild des in der Zwangsschule der Kriegsbuße gedemütigten Frankreich! Einkehr in sich selbst, Abkehr von seinen atheistischen Verführern und Heimkehr zu Gott – das allein kann der ehemals »treuesten Tochter der Kirche« den wahren Frieden bringen.

Während ich so betend und sinnend meinen Gedanken mich überließ, waren die Räder nicht müßig. Emanuel I (E I) fuhr auf die Tenne des zum Quartier gehörigen Gutshofes. Während die Vorbereitungen zur heiligen Messe getroffen wurden, machte die Kunde von der neuesten großen »Liebesgabe« bei den katholischen Mannschaften bald die Runde, und so begann kurz vor 12 Uhr die erste Feldmesse in E I.

... Der bei ihr amtierende französische Geistliche war des Deutschen ziemlich mächtig und äußerte seine unverhohlene Bewunderung über das Benehmen unserer Offiziere und Soldaten. Als er gelegentlich auch E I besichtigen konnte, brach seine priesterliche Freude fast in Flammen aus, die derart sich bekundende religiöse Sorge und Opferwilligkeit der Katholiken Deutschlands überwältigte ihn. »Ja«, sagte er abschließend, »ich hatte mir von Deutschland doch ein ganz anderes Gedenken (er wollte sagen: Bild) gemacht.«

Weil der Abend noch für die Soldaten frei, fand auf ihren Wunsch bei E I auch eine sakramentale Andacht statt. Es war ihre vorausgenommene Silvesterfeier. In unseren hohen Domen mag der Jahresabschluß bei Lichterglanz und Orgelbrausen äußerlich ergreifender sein, innerlich packender nicht als hier, wo bethlehemitische Armut den Gefangenen der Liebe umgab und Männer mit Hirtengesinnung ihm ihre Loblieder sangen, indes vereinzelte Kanonenschüsse als Ehrengruß erdröhnten. [1]

INTERMEZZO

Ende 1914

Der bekannte Vortragskünstler, Professor Marcell Salzer, stellt sein Programm prompt auf »Vaterländische Abende« um; denn »Nicht nur da draußen unsre Söhne | Wir brauchen auch mal solche Töne«. Hier ein Scherzgedicht von Karl Röhrig, wie es der Künstler vorzutragen pflegte:

Ungewichste Stiefel

Warum unsre Truppen, höre ich fragen,
Im Krieg ungewichste Stiefel tragen?

Die Wichse ist für den russischen Zaren,
Drum müssen sie hier ihm Wichse sparen.
Die Wichse ist für die Herren Franzosen
Und soll ihnen schwärzen die roten Hosen.
Die Wichse ist für John Bulls Infamie,
Die beste, die's gibt: Made in Germany.
Die Wichse ist für – – wer kann alle wissen!
Es sind ja zu viel, die gewichst werden müssen.

Geht, Stiefel, denn, tretet Feinde nieder!
Und, wenn sie gewichst sind, kehrt glänzend wieder! [45]

EIN WITZ AUS DEM ›SIMPLICISSIMUS‹

Ende 1914

*Die in den Kriegsjahren erscheinenden Ausgaben des ›Simplicissimus‹
widmeten sich auf ihre Weise dem großen Geschehen:*

Dame zum Leutnant: Wenn Sie also leben bleiben, haben Sie
Ihren Beruf verfehlt. [52]

AN EINEN TOTEN, DER GLÜCKLICH IST

Ende 1914

*Richard Fischers ›Kriegsgedichte 1914‹ werden für zwanzig Pfennig auf
den Markt geworfen. Hier ein Beispiel der Perversion, deren er fähig ist:*

Meinem gefallenen Freund (dem Leutnant Helmuth Kaden)

Du warst im Leben oft so blaß, mein Freund:
Nun aber bist von innerst du gerötet.
Du lebst, du lebst! Denn das, was dich getötet,
Es macht, daß uns enthüllt die Sonne scheint.
Wie dir jetzt hoch das Blut vom Herzen sprang,
So hast du's stets gewollt in deinem Leben:
Für das, was mehr als du, dich hinzugeben.

Nun bist du glücklich, weil es dir gelang! [125]

KURZE VERBRÜDERUNG

Der Student Karl Aldag (geb. 1889, gefallen am 15. Januar 1915)
schreibt nach Hause:

3. Januar 1915

Ganz eigenartig war Silvester hier. Es kam ein englischer Offizier
mit weißer Fahne herüber und bat um Waffenruhe von 11 bis
3 Uhr zur Beerdigung der Toten (kurz vor Weihnachten waren
hier heftige feindliche Angriffe gewesen, wobei die Engländer
viele Tote und Gefangene verloren hatten). Sie wurde gewährt.
Es ist schön, daß man nicht mehr die Leichen vor sich liegen
sieht. Die Waffenruhe aber wurde ausgedehnt. Die Engländer
kamen aus ihrem Graben heraus in die Mitte, tauschten Zigaretten und Fleischkonserven, auch Photographien aus mit den
Unsern, sagten, sie wollten nicht mehr schießen. So herrscht voll-
ständige Ruhe, die einem seltsam vorkommt. Wir und sie gehen
und stehen auf der Deckung, über dem Graben. –
   Es konnte nicht so weiter gehen, und so schickten wir hinüber,
sie möchten in den Graben gehen, wir würden schießen. Da
antwortete der Offizier, es täte ihnen leid, ihre Leute gehorchten
nicht. Sie hatten keine Lust mehr. Die Soldaten sagen, sie könnten nicht mehr im nassen Graben liegen, Frankreich wäre kaputt.
Sie sind auch wirklich viel schmutziger als wir, haben mehr Wasser im Graben als wir und viel Kranke. Es sind ja Söldner, sie
streiken einfach. Wir schossen natürlich nicht, denn auch unser
Laufgraben (der vom Dorf in die Feuerlinie führt) ist stets voll
Wasser, und es ist gut, daß wir über die Deckung gehen konnten
ohne Lebensgefahr. Ob das ganze englische Heer streikt und den
Herren in London einen Strich durch die Rechnung macht?
Unsere Leutnants gingen hinüber und schrieben sich in ein
Album der englischen Offiziere ein. Eines Tages kam ein englischer Offizier und bestellte, ihre Oberleitung hätte die Beschießung unserer Gräben befohlen, wir möchten Deckung
nehmen, und dann schoß die (französische!) Artillerie, allerdings
sehr heftig, aber ohne uns Verluste beizubringen.
   Silvester riefen wir uns die Zeit zu und verabredeten, um
12 Uhr Salven zu schießen. Der Abend war kalt. Wir sangen
Lieder, sie klatschten Beifall (wir liegen 60–70 Meter gegenüber),

wir spielten Mundharmonika, dazu sangen sie, und wir klatschten. Dann fragte ich, ob sie nicht auch Musikinstrumente da hätten, und dann kriegten sie einen Dudelsack vor (es ist die
schottische Garde mit den kurzen Röcken und nackten Beinen),
sie spielten ihre schönen elegischen schottischen Lieder darauf,
sangen auch. Um 12 Uhr dann knatterten Salven von beiden
Seiten in die Luft! Dazu ein paar Schüsse unserer Artillerie, ich
weiß nicht, wohin die schossen, die sonst so gefährlichen Leucht-
kugeln prasselten auf wie ein Feuerwerk, mit Fackeln wurde ge-
schwenkt und Hurra geschrien. Wir hatten uns einen Grog
gebraut und tranken den mit einem Hoch auf Kaiser Wilhelm
und auf das neue Jahr. Es war rechtes Silvester, wie im Frieden. [55]

WARNUNGSTAFEL

Brüssel, 6. Januar 1915

Gesundheitspflege!
Wer von Militärpersonen nach Brüssel kommt, erkundige sich
nach den Gesundheitsgefahren der Großstadt.
  Auf den Bahnhöfen in Brüssel befinden sich Sanitätswachen.
Dort wird in allen gesundheitlichen Fragen gerne Auskunft und
Rat erteilt.
Der Gouvernementsarzt: Pannwitz. [37]

EINE KUR IM SCHÜTZENGRABEN

8. Januar 1915

*Professor Dr. Wilhelm Kahl von der Universität Berlin hält einen Vor-
trag ›Pessimismus und Optimismus im Kriege‹. Dort sagte er u. a.:*

Es ist kein Märchen, daß auch heute wieder unsere Jungen mit
Jauchzen und mit ›Deutschland, Deutschland über alles‹ zum
Sturme schreiten. Der Kampf fürs Vaterland hebt auf eine Höhe
des Glückes, die weit hinausragt über das Maß des Alltäglichen.
Unser kämpfendes und siegendes Heer ist ein fröhliches Heer.

*Dann setzt er sich mit der Stimmung in der Heimat auseinander und
empfiehlt den zu Hause Gebliebenen eine Kur im Schützengraben:*

92

Der Kriegspessimist und -optimist gehören beide zur Kur in den Schützengraben. Der eine, um sich am frohen Mute unsrer Soldaten zu erfrischen und das Lachen nicht zu verlernen, der andre, um Kugeln pfeifen zu hören und etwas Gruseln zu lernen. Der reine Optimist ist eine Gemeingefahr. Er zieht einen Schleier über die rauhe Wirklichkeit der Tatsachen. Er ermangelt der patriotischen Selbstzucht und Einsicht. Gewänne er Einfluß auf die öffentliche Meinung, so könnte er die Maßregeln notwendiger Vorsicht auf militärischem oder wirtschaftlichem Gebiete verhindern oder nachteilig verzögern. Er ist dem Ernst der Zeit nicht gewachsen. Der reine Pessimist schädigt unmittelbar die Volkskraft. Durch sein ängstliches Tuscheln oder nörgelndes Verkleinern gräbt er die Quellen ab, aus denen eben die Stimmungen strömen, die in schwerer Zeit nicht entbehrt werden können: Erhebung und Begeisterung, Blick fürs Ganze und Große, Gegenwartsfreudigkeit und Zukunftshoffnung. Er versündigt sich an der Gerechtigkeit gegen sein eigenes Volk. Er ist der Größe der Zeit nicht gewachsen. [67]

LIEBE STATT HASS

Der Schriftsteller Paul Zech schreibt an den Verleger Eugen Diede-
richs:

Berlin-Wilmersdorf, 8. Januar 1915

Für Ihren Brief sage ich Ihnen schönen Dank. Gegen die Tendenz, die die von Ihnen herausgegebenen Kriegsliedersammlungen tragen, ist natürlich nichts einzuwenden und Sie mögen auch mit der Beurteilung meiner Verse Recht haben. Ich kann aber nicht umhin zu äußern, daß manches was heute sich volkstümlich gebärdet, genau so Geschäft ist, wie etwa die Umtaufung des Café »Queen« in »Vaterland«. Ich denke da an die Verse der Herren Schaukal, Nordhausen, Fulda, Münzer, Rosner und Genossen. Dem plötzlichen Deutschtum dieser Leute stehe ich doch sehr skeptisch gegenüber und ich werde, sobald die Zeit des Burgfriedens vorüber ist, Stellung dazu nehmen. Mich berührt das rein Menschliche des Krieges unendlich tiefer und sollte meine Kraft dazu ausreichen, werde ich von da aus zu wirken versuchen. Die Durchdringung des Kriegserlebnisses mit dem Geist, dem Dichtgeist der Liebe, das ist viel mehr als alle noch so brillant gemachten Haßgesänge. Einstweilen ist dieses ja noch alles Plan. Aber daran zu arbeiten, deucht mich beglückend und befreiend. [91 a]

WAS DIE WELT VON UNS HABEN KÖNNTE

15. Januar 1915

Der Berliner Universitätsprofessor Dr. Reinhold Seeberg in einem Vortrag ›Krieg und Kulturfortschritt‹:

Wenn je aus Blut Lebenssaat hervorgeht, so wird aus dem Blute derer, die jetzt für das Vaterland sterben, Lebenssaat, Kulturleben emporsprießen. Wenn unsere deutsche Kultur sich frei entfalten, wenn sie ihren Ertrag und ihre Anregung über die ganze Welt ergießen kann – was ist das für ein positiver Erfolg! Wie würden dann bei uns die besten Kräfte in Bewegung gesetzt werden und schlummernde Kräfte erweckt werden! Was könnte die Welt davon haben! Weiter: wenn andere Mächte, die am Werke sind und unsere Kulturkraft lähmen und ihre Werke zerstören wollen, um dafür ihre niedrigere Kultur in Kurs zu bringen, gehindert werden an ihrem schädlichen Tun – was ist das für eine segensreiche Tat! Wenn eine Hand imstande wäre, Wolken, die alles in Nacht hüllen wollen, fortzuwischen – wer wollte diese Hand nicht segnen! Und das tut eben die Hand unseres Heeres, wenn es eintritt für das Vaterland, für die Kräfte, die in unserm Vaterlande wirken und vielleicht erst nur schlummern – Deutschland hat noch lange nicht seine gesamte geistige Kraft entfaltet –, für freies geistiges Wesen, für Eigenart und für echte Kultur. [67]

Aus den Aufzeichnungen Arthur Schnitzlers:

Januar 1915

Heroismus als Gelegenheitstugend; derselbe Mensch vielleicht, der bei einem plötzlich ausbrechenden Brand ein Kind zertritt, führt seine Truppe ins feindliche Feuer.

Heroismus als Mittel, sich am Leben zu erhalten.
Freiheit unter Kontrolle.

Die Weltgeschichte ist eine Verschwörung der Diplomaten gegen den gesunden Menschenverstand.

Welches ist denn das Charakteristikum für den Krieg? Der Tod? Jeder erfährt ihn, auch wer nie im Krieg gewesen ist. Heroismus? Dafür gibt es innerhalb der menschlichen Kultur unzählige bessere Gelegenheiten. Leiden? Armut? Brutalität? In allen ihren verschiedenen Formen? Nur quantitativ ist hier das Ergebnis dem der friedlichen Epochen voranzustellen.

Das einzige, was dem Krieg eignet, ist die Wunde, die sinnlose Wunde im Körperlichen, und die Feindseligkeit, die sinnlose Feindseligkeit, d. h. die Feindseligkeit zwischen Menschen, die einander als Individuen ohne Haß, ja vielleicht mit Liebe gegenüberständen. [79]

GESCHENK FÜR KAISERS ALTAR

25. Januar 1915

Der Barmer Paramenten-Verein evangelischer Frauen- und Jungfrauen richtet »an des Kaisers und Königs Majestät, zur Zeit im Felde« die Bitte, eine Feldaltardecke annehmen zu wollen. Das Geschenk wurde angenommen; bei den Stickerinnen lief dieses Schreiben ein:

Auf das an Seine Majestät den Kaiser und König gerichtete Immediatschreiben vom 15. dieses Monats habe ich Ihnen im Allerhöchsten Auftrage ergebenst mitzuteilen, daß Seine Majestät die vom Barmer Paramenten-Verein evangelischer Frauen und Jungfrauen gewidmete Feldaltardecke gern anzunehmen geruht haben. Seine Majestät lassen dem Verein für die mühevolle Arbeit freundlichst danken und haben zu bestimmen geruht, daß die Altardecke zum erstenmal bei dem an Allerhöchst Ihrem Geburtstag im Großen Hauptquartier stattfindenden Gottesdienst Verwendung finden soll.
Freiherr von Reischach.

In der Zeitschrift ›Daheim‹ vom 3. April 1915 wird das vaterländische Kunstwerk beschrieben:

Die köstliche Decke ist, in den Maßen von 140 × 180 cm, aus grauer Seide gefertigt, mit rot-seidenem Band mit Silbertresse – Weinlaub und Ähren – besetzt, vorn abschließend mit echt silbernen Fransen. Ein silberumsticktes Eisernes Kreuz aus schwarzem Sammet, eine silbergestickte Krone, »W«, und »1914«, an den vorderen beiden Ecken handgestickte Silber-Lorbeerzweige und um das Eiserne Kreuz silbergestickt der Spruch: »Vorwärts mit Gott, der mit uns sein wird, wie er mit den Vätern war!« – darin besteht die Ausschmückung der Altardecke. [91]

BESONDERS WERTVOLL

27. Januar 1915

Der Kaiser verleiht an seinem Geburtstag an einige deutsche Dichter, deren Kriegsdichtungen er »besonderen Wert beimißt«, den Roten Adlerorden mit der Königlichen Krone. Die Ausgezeichneten sind:
 Richard Dehmel, Gerhart Hauptmann, Rudolf Presber, Cäsar Flaischlen, Ernst Lissauer, Paul Warncke, Richard Nordhausen, Gustav Falke, Ferdinand Avenarius, Will Vesper, Walter Flex und Rudolf Alexander Schroeder. [74]

[EIN WORT ZUM WEITERGEBEN]

27. Januar 1915

Kaisers erster Geburtstag im Felde; nach der Parade werden die Kriegsberichterstatter vorgestellt. Er begrüßt sie:

»Guten Morgen, meine Herren! Ich mache Ihnen mein Kompliment; ich lese Ihre Artikel sehr gern, Sie schreiben ja famos! Ich danke Ihnen dafür. Sie leisten Vorzügliches, Ihre Artikel haben einen hohen patriotischen Schwung. Das ist auch für unsere Leute im Schützengraben von hohem Werte, wenn wir ihnen solche Sachen schicken können. Und dann noch eins. Meine Herren, merken Sie sich das: mein Grundsatz auch für diesen Krieg ist das Wort des alten John Knox, des Reformators von Schottland: Ein Mann mit Gott ist immer die Majorität. Das können Sie weitergeben!« [74]

2. Februar 1915

Während seines Berliner Aufenthalts machte er wieder seine regelmäßigen Spaziergänge im Tiergarten und wurde dann jedesmal von den Berlinern, die sich freuten, ihn wieder einige Tage in ihrer Mitte zu haben, freudig begrüßt. Den Kaiser in dieser Kriegszeit sehen und grüßen zu dürfen, war doch noch etwas Besonderes. Strahlend erzählte es einer dem anderen, wenn er das Glück gehabt hatte, dem Kaiser zu begegnen. Erschien er uns allen doch als der Atlas, auf dessen Schultern die gewaltige Verantwortung für alles Geschehen da draußen jenseits unserer Grenzen lag, als der Träger der Volkskraft und des Volkswillens, den uns aufgedrungenen schweren Kampf siegreich zu Ende zu führen. [74]

EIN SITTENBILD AUS DEM OSTEN

1915

Neue Station, neuer Aufenthalt! Beim Aussteigen werden wir schier erdrückt von der Masse deutschstammelnder Panjes, die uns allerlei Sachen anhandeln wollen. Das Auftreten dieser Pelzbewohner ist sehr dreist. Wie Sommerfliegen kleben sie an einem, verfolgen einen auf Schritt und Tritt. Noch dreister sind die Preise, die sie für ihre Waren fordern. Brot ist unerschwinglich.

Ich gehe den Zug hinunter und schaue, ob die Plomben an den Wagentüren unversehrt sind. Ein altes Weib, das mit Leberwürsten, Tabak und Zigaretten handelt, schleicht mir wie ein Schatten nach. Ich hätte sie schon längst zu allen zehntausend Teufeln geschickt, wenn nicht ein allerliebstes Mädchen in ihrer Begleitung gewesen wäre. Der zuliebe kaufe ich um teures Geld ein Päckchen »russischen« Tabak, der aber schon an der Art der Verpackung seinen deutschen Ursprung nicht verleugnen kann. Ich mache der Alten ein Kompliment über die Schönheit ihrer Tochter.

Da reißt die verrunzelte Hexe ihre Zahnlücken auseinander und sagt zu meinem maßlosen Erstaunen in wunderlich abgehackten Brocken: »Geben Sie an mich fünf Mark und Sie können sich schlofen dieser Nacht hier bei meine Tochter!«

Das Mädchen steht dabei, hört und versteht diese Worte und

wird nicht einmal rot. Im Gegenteil, sie bleckt ihre niedlichen Zähne und sagt: »Ja, kommen Sie!«

Ich bin wie vor den Kopf geschlagen. Verdutzter, als über eine plötzlich neben mir zerkrachte Handgranate! Glücklicherweise enthebt mich das Signal zum Einsteigen einer Antwort. Während der Zug sich bemüht, ins Rollen zu kommen, fällt mir der gekaufte Tabak ein. Ich habe den Geschmack daran verloren und mag ihn gar nicht rauchen. Er fängt an, in der Hand zu brennen. Ich werfe ihn zum Fenster hinaus.

Das Päckchen fällt auf den Bahnsteig. Zehn Panjes stürzen drüber her und schlagen sich um die paar Züge Rauch den Schädel blutig. [7]

UNSERE REGSAMKEIT, EIER BETREFFEND

1915

Ludwig Ganghofer fiel auf:

Weil frische Eier für Rekonvaleszenten sehr bekömmlich, aber im geflügelverschlingenden Kriege und dazu noch im Winter äußerst selten sind – es wurde einmal für dreißig Eier ein Automobil in Tausch gegeben und für ein halbes Pfund Butter ein ganzes Veloziped – darum haben die deutschen Ärzte in Le Cateau eine geheizte Hühnerzucht installiert.

Ein großer Scheunenraum wurde in ein Warmhaus für tausend Hennen verwandelt, und ein beharrlich glühender, von einem Drahtgitter umzogener Ofen redet dem gackernden Völklein der gefiederten Französinnen mit lieblichen Wärmestrahlen zu, recht viele, viele Eier für unsere genesenden Feldgrauen zu legen. Zwanzig gallische Hähne befördern das nützliche Werk. Überraschenderweise vertragen sie sich sehr gut miteinander; sie haben der Friedensarbeit so viel zu verrichten, daß sie der angeborenen Kriegslust völlig vergessen. [103]

WAS FALLEN MUSS . . .

Februar 1915

In ›Kunst und Künstler‹ schreibt Curt Glaser einen Aufsatz ›Die Zerstörung von Brüssel 1695‹, dessen Nutzanwendung heißt:

Das Beispiel von Brüssel zeigt, daß Völker vergessen können. Es lehrt aber auch, daß das Gedächtnis der Steine länger währt als das der Menschen. Dessen sollten sich alle bewußt sein, die heute keine Schonung für Kunstwerke kennen wollen, wo Menschenleben auf dem Spiele stehen.

Wir dürfen zufrieden sein, daß unsere Heeresleitung sich in ihrer Verantwortung auch gegenüber den Denkmalen der Kultur besser bewußt blieb. Das große Ziel des Krieges ist jetzt einziges Gebot. Was ihm entgegensteht, muß fallen. Die Ruinen, die auf dem Wege bleiben, sollen aber nicht von leichtfertig sinnloser Zerstörung zeugen wie die Trümmerhaufen, die Ludwigs XIV. Heere hinter sich ließen. Wenn die Steine von Löwen reden, so sollen sie von der Missetat der Einwohner erzählen, die aus dem Hinterhalt auf deutsche Soldaten schossen, die verstümmelten Statuen der Reimser Kathedrale von der Schuld der Franzosen, die deutsche Truppen zwangen, mit ihren Granaten diesem edlen Bauwerk schweren Schaden zu tun. [101]

DAS LAZARETT IN DER SOLDATENSPRACHE

1915

Der Chefarzt: Karbolmajor
Die Krankenschwester (jung): Karbolmäuschen
Die Krankenschwester (älter): Karbolwalküre
Der Feldunterarzt: Schnelltöter
Der Feldgeistliche: Sündenabwehrkanone
Arbeitsverwendungsfähig (a. v.): allerbeste Verbindungen
Garnisonverwendungsfähig (g. v.): gute Verbindungen
Kriegsverwendungsfähig (k. v.): keine Verbindungen [5]

VORGÄNGE BEIM EINMARSCH IN BELGIEN

Der General-Gouverneur
in Belgien   Brüssel, den 28. Februar 1915
Sektion IIb Nr. 3841.
Urschriftlich mit Anlagen
dem Generalquartiermeister West
zurückgereicht.
Die für den Bereich des Generalgouvernements abgeschlossenen Ermittlungen haben folgendes ergeben:

A.

1. Im Bistum Namur sind 26 Priester getötet worden, 25 erschossen, 1 gehängt.
2. Im Bistum Lüttich sind 6 Priester erschossen.
3. Im Bistum Mecheln sind 13 Priester erschossen.
4. Im Bistum Tournai sind 2 Priester erschossen.

Die bischöflichen Behörden behaupten, daß alle unschuldig getötet seien. Auskunft über die Gründe der Erschießungen würden nur die beteiligten Truppen geben können, welche indessen bis jetzt nicht ermittelt sind.

Bezüglich des Berichts der Königlich Preußischen Gesandtschaft in Rom ist folgendes festgestellt:

1. Bei der Zerstörung Löwens flüchtete ein großer Teil der Bevölkerung, darunter auch ein Trupp von mindestens 70 Geistlichen, nach Brüssel zu. Bei Tervueren wurden die Geistlichen von deutschen Truppen festgehalten, mußten dann nach Brüssel mitmarschieren und sollten auf dem Weitermarsch der Truppen durch die einzelnen Dörfer als Geiseln dienen. Auf Verwendung des päpstlichen Nuntius beim Gouverneur v. Lüttwitz wurden die Geistlichen jedoch freigelassen. Ob Spanier und Amerikaner darunter waren, ist nicht festgestellt. Nur der Jesuitennovize Dupierreux wurde in der Nähe von Tervueren erschossen, weil er verdächtige Notizen über die Vorgänge in Löwen bei sich trug.

2. Die Pfarrer von Bueken und Gelrode sind erschossen.

3. Der Pfarrer von Schaffen hat am 25. Januar erklärt, er selber habe bisher niemandem von auswärts irgendwelche Mitteilungen über seine persönlichen Erlebnisse im August gemacht.

Zur Sache erzählt der Pfarrer, welcher einen vertrauenswürdigen Eindruck macht: Am 18. August seien die ersten deutschen Truppen eingezogen.

Am selben Morgen sei eine Radfahrerpatrouille der in Diest im Standort liegenden Karabiniers in den Ort gekommen, und diese habe die deutschen Spitzenreiter niedergeschossen. Beim Einrücken deutscher Abteilungen sei die Patrouille schleunigst abgefahren.

Die Deutschen hätten ihre toten Kameraden gefunden, sie seien des Glaubens gewesen, diese seien von der Dorfbevölkerung erschossen worden, und hätten daraufhin, wohl zweifellos insofern in gutem Glauben, an dem Dorf ein Strafgericht vollzogen.

Ihn selbst, den Pfarrer, hätten sie in seinem Garten gefunden und ihm vorgeworfen, es sei vom Kirchturm aus geschossen worden.

Er habe sogleich erklärt, das sei unmöglich, denn die Kirche sei – gegen die sonstige Gewohnheit – von ihm selbst wegen der Unruhe der Zeit abgeschlossen worden; man möge sich davon überzeugen. Trotzdem habe man ihn festgenommen und von morgens neun bis abends sieben Uhr festgehalten. Dabei sei er von den deutschen Soldaten recht erheblich mißhandelt worden. Man habe ihn mit vielen anderen, nachdem das Dorf in Flammen gesetzt worden sei, auf eine benachbarte Höhe geführt und dort gezwungen, das Schauspiel des niederbrennenden Dorfes mit anzusehen.

In dem Dorfe selbst hätten die Soldaten alles in Brand gesteckt und 23 Personen, darunter auch einige Frauen, erschossen.

Abends um 7 Uhr habe dann der Führer der deutschen Truppen – deren Regimentsnummer er nicht kenne – ihn freigelassen mit den Worten: »Sie sind ein braver Mann!«

Er sei dann fortgegangen, und dabei sei er von den deutschen Kanonieren mit ihren Kantschus durchgeprügelt worden.

Als er einige Schritte von den Truppen entfernt gewesen sei, hätten ihm Schüsse um die Ohren gepfiffen; daraufhin sei er ohnmächtig geworden, nicht aber habe er sich selbst zum Schein hingeworfen und könne das auch niemandem erzählt haben.

Er verzeihe aber seinen Peinigern, da er den Eindruck habe, daß sie unter dem Zwang eines verhängnisvollen Irrtums gehandelt hätten.

Der Pfarrer von Spontin ist nach eidlichen belgischen Zeugenaussagen sehr übel behandelt worden. Er wurde aus dem Pfarrhause nach einer Wiese beim Bahnhof weggeführt. Unterwegs erhielt er einen Kolbenstoß unter das Kinn, so daß er aus dem Munde blutete, dann drei Bajonettstiche in den Hals. Dann wurde er an Ort und Stelle an Händen und Füßen gebunden, an den Haaren in die Höhe gehoben und schließlich erschossen.
Der General-Gouverneur:
Freiherr von Bissing. [13]

KOMMANDANTUR-BEFEHL

Czenstochau, den 28. Februar 1915

1. Sämtliche Schüler russischer Gymnasien, welche Uniform, Mützen, Mäntel etc. tragen, haben diese Uniformabzeichen

abzulegen, weil sie sich nicht benehmen können. Das Tragen der Mützen wird überhaupt verboten, von den Mänteln und Röcken sind die Uniformabzeichen zu entfernen. Wer ab 4. März d. J. mit diesen verbotenen Uniformabzeichen getroffen wird, wird mit Geldstrafe bis zu 1000,– Rubel oder mit Gefängnis bis zu 3 Wochen sowie mit Einziehung der Uniformstücke bestraft. Die gleiche Strafe trifft die Eltern der Schüler.

2. Das Tragen von russischen Kokarden, nationalen Abzeichen ist verboten. Zuwiderhandlungen werden mit Gefängnis bis zu 3 Monaten oder Geldstrafe bis zu 1000,– Rubel bestraft. Der Ortskommandant:

Graf von Carmer [37]

HINDENBURG, WIE IHN KEINER KENNT

Eberhard v. Bodenhausen an Hugo v. Hofmannsthal:

2. März 1915

Wir alle hier sind überzeugt, daß, wenn nicht im Laufe der allernächsten Wochen eine bestimmte Zusicherung an Italien gegeben wird, die Italien den Trentino für nach dem Friedensschluß sichert, eine Kriegserklärung von Italien und in Gefolgschaft davon von Rumänien und schließlich auch Bulgarien nicht mehr aufzuhalten sein wird. Und niemand zweifelt daran, daß unsere vereinten Kräfte einem solchen Druck nicht würden widerstehen können, daß eine solche Wendung des Krieges vielmehr unsern beiden Ländern nichts anderes mehr läßt, als einen ehrenvollen Untergang, um damit für alle Zeiten von der Bildfläche der Weltgeschichte zu verschwinden. Ich weiß nicht, ob Du die Ansicht von Hindenburg so genau kennst, wie ich sie kenne; sie lautet dahin, daß die militärische Lage gegen eine solche Koalition, gegen uns gerichtet, nicht mehr zu halten ist. [53]

DIE TECHNISCHE VOLLKOMMENHEIT DER LÜGE

5. März 1915

Der Slawist der Berliner Universität, Professor Alexander Brückner, geißelt die Nachrichtenpolitik – der anderen:

Was auch immer für Beiwörter die spätere Geschichte den Jahren 1914 und 1915 beilegen wird – ein Beiwort gehört ihnen schon heute, daß sie die verlogensten sind, die die Weltgeschichte bisher erlebt hat. Dieses Gelüge in Presse, Versammlungen usw. hat eine technische Vollkommenheit errungen, daß keine andere, geistige wie materielle Waffe an sie heranreicht. Nehmen Sie irgendeine fremde Zeitung in die Hand – die Übereinstimmung zwischen ihren und unseren Berichten hört auf bei den Eigennamen; alles andere geht vollständig auseinander. Die westlichen Völker scheinen überhaupt jedes Wahrheitsgefühl verloren zu haben, sowie es sich um eine Wahrheit handelt, die ihnen unbequem sein könnte. Ihnen etwas ausreden zu wollen, in sie hineinreden, heißt einfach nur, an ihnen vorbeireden. [67]

DAS JUNGE WEIB

März 1915

Die ›Weißen Blätter‹ veröffentlichen ein Gedicht von Anni Faber:

Ich kann nicht denken, ich kann nicht weinen.
Ich kann nicht lachen, ich kann nicht weinen.

Und Tag und Nacht bin ich bei dir.
Und immer liegt der Alp auf mir.

Und unser Kind, wie soll ich's nennen?
Und unser Kind, wird's dich je kennen? [97]

DIE VERHAFTUNG ROSA LUXEMBURGS

9. März 1915

Aus der Rede Karl Liebknechts im Preußischen Abgeordnetenhaus:

Meine Herren, vor wenigen Tagen haben Sie mir in Fortsetzung einer alten Gepflogenheit dieses Hauses, das sich also auch in dieser Beziehung treu geblieben ist, das Wort abgeschnitten; heute werden Sie es sich doch gefallen lassen müssen, daß ich Ihnen dasjenige sage, was ich für angemessen halte.

Mein Parteifreundin Rosa Luxemburg ist, wie Ihnen bekannt, im vorigen Jahre wegen angeblicher an die Soldaten gerichteter Aufforderung zum Ungehorsam zu der ungeheuerlichen Strafe von einem Jahr Gefängnis verurteilt worden [Abgeordneter Ströbel: »Hört! Hört!«]; das Urteil wurde vor einigen Monaten vom Reichsgericht bestätigt. Im Januar dieses Jahres erhielt sie wegen Krankheit einen Strafaufschub bis zum 31. März. Sie hatte mehrere Wochen im Schöneberger Krankenhaus zugebracht und war von dort ungeheilt mit der Aufgabe zur Innehaltung einer bestimmten Kur entlassen worden. Am 18. Februar wurde sie plötzlich in ihrer Südender Wohnung von zwei Berliner Kriminalbeamten festgenommen, im Automobil nach dem Berliner Polizeipräsidium gebracht, und zwar nach Abteilung 7, d. h. der politischen Polizei, nicht der Kriminalpolizei. Von dort wurde sie trotz Intervention ihres Anwalts im Grünen Wagen gemeinsam mit gemeinen Verbrechern nach dem Weibergefängnis in der Barnimstraße transportiert und zwar zur Vollstreckung ihrer einjährigen Gefängnisstrafe... Ich weiß, daß meine Freundin Luxemburg genauso wie ich in dieser Vollstreckung im Gegenteil einen Ehrentitel erblickt, ein Zeugnis dafür, daß sie ihrer Pflicht, im sozialistischen Sinne für das Interesse des Volkes zu arbeiten, auch in dieser Zeit der inneren Wirrnisse gar vieler nach Kräften und wirksam genügt hat. [9]

Man hat sie ohne jede Aufforderung gefaßt und weggeschleppt, ohne ihr die Möglichkeit zu geben, sich freiwillig dem Gefängnisse zu stellen. Die Art der Ausführung ist unter aller Kritik. Dieser Transport mit dem Grünen Wagen und die Einzelheiten, von denen ich vorhin sprach, rechtfertigen die schwersten Vorwürfe gegen diejenigen Beamten, die für dieses Vorgehen verantwortlich sind. [»Sehr wahr!« bei den Sozialdemokraten.] Nun ein Beispiel, wie prompt die Spitzelei funktionierte, die hier im Dienst der Justiz und damit im trauten Verein der Militärdiktatur stand! Am 10. Februar hat Frau Luxemburg in Charlottenburg in einer geschlossenen Mitgliederversammlung gesprochen. Schon am 13. Februar war daraufhin in Frankfurt am Main die Verfügung erlassen, sie nunmehr in Haft zu bringen. Es war also im Verlaufe von drei Tagen oder vielmehr von zwei Tagen – die Versammlung hatte ja erst am Abend des 10. Februar stattgefunden – von dem Spitzel, der in der Versammlung gewesen sein muß, und für den Sie jetzt den Etat bewilligen werden, die Nachricht an das Polizeipräsidium, von diesem an das Oberkommando und vom Oberkommando nach Frankfurt am Main gegeben, und von dort die Verfügung getroffen worden. So prompt funktioniert die Technik des preußischen Staates zur politischen Unterdrückung der Bevölkerung auch heute, zur Zeit des »Burgfriedens«! Hier hat sich der Mechanismus des preußischen Staates fast noch bewundernswerter erprobt als in den Gebieten, von denen hier in den letzten Tagen so viel Rühmens gemacht wurde.

Man soll mir nicht sagen, Frau Dr. Luxemburg sei in Haft genommen worden, weil sie, nachdem sie Versammlungen abgehalten hat, nicht mehr krank gewesen sei. Meine Herren, zunächst weiß ich, daß sie nur unter Aufbietung ihrer letzten Kräfte, obwohl krank, sich bemüht hat, ihre Parteipflicht im Interesse des deutschen Volkes, im Interesse des ganzen internationalen Proletariats zu erfüllen. Aber, meine Herren, wer will uns denn etwa glauben machen, daß diese Maßnahmen unabhängig gewesen seien von dem, was sie gesagt hat? [»Sehr wahr!« bei den Sozialdemokraten.] Der parteipolitische Inhalt dessen, was sie gesagt hat, war bestimmend für die Behörden, die »keine Parteien mehr kennen«. Hätte sie die heute übliche Marktware von sogenanntem Patriotismus verzapft, so wäre ihr nicht nur dieser überraschende Überfall erspart worden, sondern es wäre ihr wahrscheinlich sogar die Amnestie aufgenötigt worden. [»Sehr wahr!« bei den Sozialdemokraten.] Aber, meine Herren, sie hat eben unter Aufbietung ihrer ganzen Kraft sich bemüht, in proletarisch-sozialistischem Sinne gegen den wahnwitzigen Völkermord zu wirken. Das paßt den herrschenden Gewalten nicht, und deshalb wurde zugepackt. [26]

DAS WORT »GEMETZEL« FÄLLT

10. März 1915

Bei der Etatberatung im Reichstag sollte auf Wunsch der Regierung und der bürgerlichen Parteien auf eine Etatrede bei der ersten Lesung überhaupt verzichtet werden. Nach langen Diskussionen wurde beschlossen, dem Abgeordneten Hugo Haase [SPD] das Wort zu erteilen, er sprach über den Frieden.

Meine Herren, in allen Ländern macht sich das Grauen des Krieges immer fühlbarer. Es ist natürlich, daß überall die Sehnsucht durchbricht, dem schrecklichen Gemetzel der Völker ein Ende zu machen. Dies auszusprechen ist kein Zeichen der Schwäche und kann am wenigsten bei uns so gedeutet werden; denn unsere militärischen Erfolge sind unbestreitbar, unser Wirtschaftsleben ist, angeregt durch die Kriegsindustrie, in überraschender Weise belebt, unsere Finanzen haben sich als fest erwiesen. Gerade der Starke darf zuerst die Friedenshand ausstrecken. Meine Partei als Vertreterin des internationalen Sozialismus ist stets die Partei des Friedens gewesen, und sie weiß, daß dies für die Sozialisten der anderen Länder ebenso wie für sie gilt. Unser Wunsch ist ein dauerhafter Friede, ein solcher, der nicht neue Verwicklungen in sich schließt, nicht Keime neuer Zwietracht enthält. Das wird erreicht werden, wenn kein Volk das andere vergewaltigt, wenn die Völker vielmehr ihre Aufgabe in dem friedlichen Austausch der Kulturgüter erblicken. [16]

UNLIEBSAME VORKOMMNISSE

A. O. K. 2

Armee-Hauptquartier, St. Quentin, 12. März 1915

II a Nr. 39 pers.

Das Benehmen einer Anzahl von Offizieren auf den Straßen oder in den Lokalen von St. Quentin hat zu Ausstellungen Veranlassung gegeben ...

So ist es in der letzten Zeit vielfach vorgekommen, daß Offiziere und Beamte von auswärts St. Quentin besuchen, um sich Vergnügungen hinzugeben, die der Würde des Offiziersstandes nicht entsprechen.

Wenn Offiziere in öffentlichen Wein- und Bierlokalen sich betrinken, betrunken sich auf der Straße zeigen und in der Behausung von Dirnen Orgien feiern, so muß die Disziplin darunter leiden und das Ansehen und der gut Ruf des Offiziers wird schwer geschädigt.

Vornehmlich an Sonnabenden und Sonntagen strömen hier eine große Anzahl von Offizieren, besonders solche von Kolonnen und Trains, zusammen, die zu derart unliebsamen Vorkommnissen Veranlassung geben.

Ich bitte die Herren Kommandierenden Generale, mit allen Mitteln dahin zu wirken, daß ein solches unwürdiges Treiben unterbunden wird ...

von Bülow. [13]

Frühjahr 1915

Die ›Liller Kriegszeitung‹ veröffentlicht einen Stoßseufzer aus dem Schützengraben, hervorgerufen durch die Überschwemmung mit Liebesgaben.

Liebeshandschuh trag' ich an den Händen,
Liebesbinden wärmen meine Lenden,
Liebesschals schling nachts ich um den Kragen,
Liebeskognak wärmt den kühlen Magen,
Liebestabak füllt die Liebespfeife,
Liebesschokolade ist erlabend,
Liebeskerzen leuchten mir am Abend,
Schreib ich mit dem Liebesbleistift tiefe
Liebesgabendankesagebriefe.
Wärmt der Liebeskopfschlauch nachts den Schädel,
Seufz' ich: Soviel Liebe – und kein Mädel!
[Ein Mann]

Liebeshandschuh stricken fleiß'ge Hände,
Liebesbinden finden gar kein Ende,
Liebesdauerwürste schicken ohne Zahl
Wir den Braven für ein Schützengrabenmahl,
Liebeszigaretten und -zigarren
Für die Tapfren, die im Felde harren
Tag für Tag auf Liebesfeldpostbriefe,
Und es ist, als ob im Herzen schliefe
Still der Wunsch – er regt sich dann und wann
Seufzend: Soviel Liebe – und kein Mann!
[Ein Mädel] [37]

ANMELDUNG VON FORDERUNGEN

Berlin, 15. März 1915

Aus der Rede des Präsidenten des Preußischen Herrenhauses Grafen von Wedel-Piesdorf:

Wir haben den größten Teil unserer Kolonien verloren. Das ist schmerzlich, aber nicht von entscheidender Bedeutung. Dagegen ist der deutsche Boden mit Ausnahme einiger Dörfer im

Elsaß frei von Feinden, und wir sind in der Lage, Belgien und einen großen Teil von Frankreich und Polen als in unserer Macht befindlich zu betrachten. Man kann aussprechen, daß damit das Vorhaben unserer Feinde, Deutschland zu vernichten, zuschanden geworden ist, daß wir insofern als Sieger dastehen.

Und wenn wir weiter nichts wollten, als diesen Angriff abschlagen, so glaube ich, würde es nicht allzuschwer sein, einen Frieden in kurzer Frist zu erlangen. Damit kann aber Deutschland sich nicht befriedigt erklären. [Lebhaftes: »Bravo!«] Nach den ungeheuren Opfern, die wir gebracht haben, an Menschen sowohl wie an Hab und Gut, müssen wir mehr fordern.

Wir können das Schwert erst wieder in die Scheide stecken, wenn Deutschland eine Sicherung erlangt hat dagegen, daß in ähnlicher Weise wie diesmal die Nachbarn wieder über uns herfallen. Worin diese Sicherung bestehen soll, meine Herren, das vermag ich nicht auszusprechen. Wenn man das aussprechen wollte, müßte man in eine Diskussion der Friedensbedingungen eintreten, und das würde ich im jetzigen Augenblick, wo die Entscheidung noch so ungewiß ist, den deutschen Interessen nicht förderlich halten. [»Sehr richtig!«] Ich bemerke, daß zahlreiche Mitglieder dieses Hauses mich gebeten haben, dies auch in ihrem Namen auszusprechen. [»Bravo!«] [9]

VORBEDINGUNGEN FÜR SEELSORGER

29. März 1915

Das stellvertretende Generalkommando in Kassel teilt aus gegebenem Anlaß mit:

Von einer Fürsorge-Gesellschaft für russische Kriegsgefangenen-Seelsorge in Bern waren 2 bulgarische, in der Schweiz studierende Geistliche für die Osterkommunion in Göttingen angeboten worden. Dieses Angebot ist jedoch abgelehnt worden, weil es unerwünscht scheint, fremden Geistlichen, über die wir keinerlei militärische Gewalt besitzen, die Seelsorge von Kriegsgefangenen anzuvertrauen. Aus ähnlichen Erwägungen kann auch der in Coburg befindliche Hofpriester Ihrer Kaiserlichen Hoheit der Frau Herzogin Witwe Marie zur Kriegsgefangenen-Seelsorge nicht herangezogen werden. [77]

›Die Woche‹, Nr. 50 vom 12. Dezember 1914

›Die Woche‹, Nr. 47 vom 21. November 1914

Frankfurt, 12. April 1915

Besuch des Professors Karl Lamprecht, meines Leipziger Lehrers. Er hat vier Wochen an der Front und in Belgien zugebracht, war auch beim Kaiser, der ihn kennt und gern hat. Der Historiker berichtet, der Kaiser habe auf ihn einen lethargischen Eindruck gemacht, er sitze und verfertige Entwürfe zu Denkmälern für die Gefallenen. Etwas wie ein Programm für die Zukunft gebe es nicht. [20]

NATURGESCHICHTE EINES AUFSTANDES I

Linienschiff »Helgoland«, 13. April 1915

Da die Sonne so schön vom Himmel lachte, legten wir uns ans Oberdeck und machten faule Witze über die Flotte. Schließlich ist's mir jetzt auch egal, ob's zum Treffen kommt oder nicht, das Hauptinteresse konzentriert sich nun wieder auf das Essen, die Zulagen und den Urlaub. Ganz wie früher. Sehr häufig höre ich die Leute sagen, daß es nun hoffentlich nicht mehr zu einer Schlacht kommt. Für wen sollen wir uns totschießen lassen? Für die Geldsäcke? Nach dem Kriege wird's uns genau so gehen, wie vorher, und wir werden der leidende und zahlende Teil doch bleiben. Ich muß dazu bemerken, daß solche Äußerungen lediglich dem Unmut über unsere Untätigkeit entspringen. Wenn's mal doch zum Klappen kommt, sind alle mit Feuer und Flamme dabei.

Auch hier gilt das Sprichwort: Müßiggang ist aller Laster Anfang. Man gewöhnt sich an alles, aber das Warten im Bewußtsein seiner Riesenkraft ist schwer. Eine überreizte, verärgerte Stimmung herrscht überall. Man merkt's an den Kameraden und an den Vorgesetzten. Kein fröhliches Lied erschallt mehr und kein übermütiges Spiel. Einer steht dem anderen fast feindselig gegenüber. Verschwunden ist die frohe Kameradschaft; sie ist einer grantigen, mißmutigen Stimmung gewichen. Kein Wunder, daß sich alles von Bord wegsehnt, wenn mal Freiwillige gesucht werden auf U-Boote oder nach Belgien, ist alles dabei. Einzelne sind auch weggekommen, von den anderen gebührend beneidet. Früher wollte keiner weg, und jeder war ängstlich darauf bedacht, nur nicht abkommandiert zu werden. Und jetzt? [21]

KRIEGS-LIEFERUNGEN

Wer sich an Lieferungen für das Heer und die Marine beteiligen will und zu diesem Zweck Verbindungen in Industrie- und Finanzkreisen sucht, erreicht dies am besten durch ein Inserat im

BERLINER LOKAL-ANZEIGER

in der Rubrik „Kriegs-Lieferungen". Wegen der Bedingungen bitten wir, sich an die Haupt-Expedition bzw. eine der Filial-Expeditionen des Blattes zu wenden, oder Vertreterbesuch zu verlangen.

›Die Woche‹ Nr. 47, 1914

MONARCHISCHE SOLIDARITÄT

Alfred v. Tirpitz, damals Staatssekretär des Reichsmarineamtes, schreibt aus dem kaiserlichen Hauptquartier:

Charleville, 15. April 1915

Der französische Flieger hat richtig fünf Bomben hier geworfen, leider sind nur Deutsche hierbei umgekommen. Jetzt freuen sich die Charleviller über ihren Helden, der uns den Schabernack gespielt hat, und wir sind wirklich gutmütig genug, den Kerls den Schaden auszubessern. Der Kaiser ist wütend; jetzt wird auch der Buckingham-Palast freigegeben. Er glaubte wirklich an eine stillschweigende Einigkeit der Häupter, sich selbst zu schonen, – eine merkwürdige Denkungsweise. [11]

INTERMEZZO

15. April 1915

Die erste Nummer einer Zeitschrift ›Die Internationale‹, herausgegeben von Rosa Luxemburg und Franz Mehring, erscheint in einer Auflage von 9000 Exemplaren. Sie wird sofort nach Erscheinen verboten; die folgenden Nummern sollten durch die

Zensur der Militärbehörden gehen. Aus diesem Grund wird auf die weitere Herausgabe der ›Internationale‹ als legales Organ verzichtet. [9]

ANKÜNDIGUNG DER SCHWARZEN SUPPE

Berlin, 1. Mai 1915

Unter der Überschrift ›Vermeide die Zwischenmahlzeiten‹ gibt Else von Boetticher in der ›Woche‹ gute Ratschläge:

Wer nachmittags einen Blick in die Kaffeehäuser am Kurfürstendamm und Leipziger Platz oder in verschiedene Erfrischungsräume tut, sollte nimmermehr glauben, daß wir uns mitten im Krieg befinden, und daß in unserm hartbedrängten Vaterland Sparsamkeit als notwendigste Forderung des Tages verkündet wird.

Hunderte von Menschen sitzen hier täglich beim Kaffee oder der Eisschokolade beisammen. Manche Hausfrau, die zu Hause jeden Groschen umdreht, verzehrt an einem Nachmittag eine ganze Mark für Kuchen und Schlagsahne. Ständige Besucher der Notstandsküchen legen das, was sie am Mittagessen ersparen, in Torte und Gefrorenem an. Junge Paare geben sich hier Stelldichein. Geschäftsleute durchfliegen eilig die Zeitungen. Im Grunde sind die meisten nicht aus Hunger hergekommen, sondern um ein wenig Zerstreuung zu suchen nach dem Einerlei ihrer Arbeit, um durch den Anblick vieler Menschen für eine kurze Stunde über ihre Sorgen hinwegzukommen oder auszuruhen nach der Hast anstrengender Geschäftsgänge.

Aber sie bezahlen den Aufenthalt im Kaffeehaus mit einer Zwischenmahlzeit. Und wenn sie dann abends heimkehren, sind sie satt, und die einfache Abendkost der Kriegsküche mundet ihnen nicht. Sie lassen die Speisen kaum berührt auf dem Teller stehen. Die Reste werden zum Abfall geworfen und im besten Fall an das liebe Vieh verfüttert. Für dieses sind sie aber teils ungeeignet, teils zu schade, und Nahrungsmittel, die im Staatshaushalt eine wichtige Rolle spielen könnten, werden zwecklos vergeudet.

Auch zum Mittagessen verderben wir uns oft den Appetit dadurch, daß wir kurz vorher Schokolade oder Zuckerwerk genießen. Besonders Kinder und junge Mädchen verstehen nicht mit ihrem Hunger hauszuhalten. Da wird mit jedem Zehner und zu jeder Tageszeit zum Konditor gelaufen ... Verbietet ihnen die Zwischenmahlzeiten! Schenkt ihnen keine Groschen mehr zum Vernaschen! Laßt sie ordentlich hungrig werden, ehe sie zu den Mahlzeiten kommen. Hunger ist ja bekanntlich der beste Koch! ... Vermindert ruhig eure Fleischration um die Hälfte – wir Deutschen essen ja alle zu viel Fleisch und leiden darum so häufig an Stoffwechselkrankheiten. Statt dessen gebt mehr Fruchtspeisen und bietet dem Bedürfnis der Jugend nach zucker-haltigen Stoffen dadurch Genüge. Auch abends reicht statt der Butter Fruchtmus zum Brot! Ihr spart dabei und bereitet gleich-zeitig den Kindern eine Freude.

Eine einfache, regelmäßige Ernährung ist von jeher der Ge-sundheit am förderlichsten gewesen. Das wußten schon die Spartaner, als sie ihren Jünglingen die »schwarze Suppe« vor-setzten. Wir aber vergaßen es in unserer nervösen Unrast, die stets neue Anreize suchte. [41]

TAUBENTOD

Anfang Mai 1915

Bekanntmachung

Nachdem seit längerer Zeit der Verdacht eines regen Brief-taubenverkehrs zwischen Ostende und Nieuwpoort bestanden hatte, ist es am 1. Mai gelungen, eine Brieftaube mit wichtigen Nachrichten über wichtige deutsche Heeresverhältnisse im Fluge von Ostende nach dem Feinde zu bei Middelkerke abzuschießen. Die Meldung stammte aus Ostende.

Bis zum 6. Mai dieses Jahres 8 Uhr abends (deutsche Zeit) sind alle Tauben im ganzen Gebiet der vierten Armee zu töten. Jeder Transport von lebenden Tauben ist verboten.

Die Ortsvorstände sind für strengste Durchführung dieser Maßregel persönlich verantwortlich.

Fortan wird auf das strengste bestraft:

1. Jeder, in dessen Besitz oder auf dessen Grundstück nach oben genanntem Datum noch eine lebende Taube gefunden wird.

2. Wer von dem Vorhandensein lebender Tauben Kenntnis erhält und nicht sofort dem zuständigen Ortsvorstand oder der nächsten deutschen Militärbehörde Meldung erstattet.

3. Jeder Ortsvorstand oder sonst zu Meldungen Verpflichtete,

der nicht die deutsche Militärbehörde von dem Vorhandensein ihm bekanntgewordener lebender Tauben benachrichtigt.

4. Jeder, der eine ihm zugeflogene Taube nicht sofort an die nächste deutsche Militärbehörde abliefert.

Außerdem wird die ganze Gemeinde, in deren Gebiet in Zukunft eine lebende Taube gefunden wird, zur Rechenschaft und zur Bestrafung mit herangezogen werden.

Der Oberbefehlshaber:

Herzog Albrecht von Württemberg. [13]

KAISERLICHE RESIGNATION

23. Mai 1915

Italien erklärt Österreich-Ungarn den Krieg; als Kaiser Franz Joseph davon hört, sagte er bestürzt:

»So werden wir halt jetzt zugrunde gehen.« [11]

DER HAUPTFEIND STEHT IM EIGENEN LAND

Mai 1915

Illegal wird ein von Karl Liebknecht verfaßtes Flugblatt verbreitet, welches die deutschen Arbeiter auffordert, sich nicht durch die nationalistischen Wogen, die anläßlich der Kriegserklärung Italiens entfesselt wurden, beeinflussen zu lassen.

Der Hauptfeind des deutschen Volkes steht in Deutschland: der deutsche Imperialismus, die deutsche Kriegspartei, die deutsche Geheimdiplomatie. Diesen Feind im eigenen Land gilts für das deutsche Volk zu bekämpfen. [9]

URLAUB VOM TODE

Der Student Hans Martens (geb. 1892, gefallen am 14. Juli 1915) schreibt in einem Brief:

Döberitz, 12. Mai 1915

Als ich auszog in den Krieg, da sagte ich so einfach: Ich hab' mit allem abgeschlossen, ich hoffe nicht, daß ich zurückkomme;

mein künftiges Leben betrachte ich als Urlaub vom Tode, und komme ich doch zurück – nun, so will ich ein neues, schöneres Leben beginnen. – Ja, damals dachte ich, entweder bist du in wenigen Wochen nicht mehr oder der Krieg ist vorbei, und nun? Urlaub vom Tode – den kann man nehmen auf Tage, auf Wochen – aber ein ganzes Jahr oder länger? Ein Jahr lang gleichgültig durch die Welt gehen, an keinem Schönen sich freuen, an keinem Schlimmen sich grämen, alle Bande lösen und keine neuen knüpfen und immer nur an das eine denken: Krieg und wieder Krieg! Mein Gott, das kann man ja gar nicht – das hält ja kein Mensch aus – ich hab' doch noch warmes Blut in den Adern und die Sonne scheint doch noch so hell; und ich mache mich auf und wandere in den Frühling hinaus. »Der Mai ist gekommen / die Bäume schlagen aus. / Wer weiß, wo in der Ferne / das Glück mir noch blüht!« Aber von den Bergen kommt uns alsbald das Echo zurück – anders klingen die Töne im Widerhall, aus den dunklen Tannen schallt es hervor: »Gestern noch auf stolzen Rossen ...« Und da gehe ich dann wieder zurück und lese verdrossen im Buch: – ›Exerzierreglement für Maschinengewehr-Kompagnien.‹ [55]

HOHENZOLLERN-TAUFE

Tagebuch der Gräfin Keller:

Neues Palais, 26. Mai 1915

Sonnabend sind wir hierher gefahren zur Zusammenkunft mit Seiner Majestät, haben mit ihm das Pfingstfest hier verlebt und gestern der Taufe der Prinzessin Alexandrine (Tochter des kronprinzlichen Paares) in Berlin beigewohnt ... Der Anblick der Kronprinzessin mit ihren vier Buben war reizend. Der Kaiser stand hinter ihr, die Kaiserin hielt das Kind, bis sie es zur Taufhandlung der Herzogin übergab. Links neben dem Altar standen die Vertreter der 5. Armee, die Pate bei der Prinzessin stand, ein Regimentskommandeur, ein General, mehrere andere Offiziere, Unteroffiziere und Mannschaften, wie auch ein Vertreter S. M. S. »Kronprinz«. [38]

12. Mai 1915

*In Berlin findet der erste »Expressionistenabend« statt; als Ergebnis
schreibt die ›Vossische Zeitung‹:*

»Es war im Grunde ein Protest gegen Deutschland ...« [85]

DER TREUBRUCH ITALIENS

Wien, am 23. Mai 1915

*Eine Sonderausgabe der ›Wiener Zeitung‹ veröffentlicht folgendes aller-
höchste Handschreiben: »Lieber Graf Stürgkh! Ich beauftrage Sie, das
angeschlossene Manifest an meine Völker zur allgemeinen Verlaut-
barung zu bringen. Franz Joseph.«*

An meine Völker!
Der König von Italien hat Mir den Krieg erklärt.

Ein Treubruch, dessengleichen die Geschichte nicht kennt, ist
von dem Königreiche Italien an seinen beiden Verbündeten
begangen worden.

Nach einem Bündnis von mehr als dreißigjähriger Dauer,
währenddessen es seinen Territorialbesitz mehren und sich zu
ungeahnter Blüte entfalten konnte, hat Uns Italien in der Stunde
der Gefahr verlassen und ist mit fliegenden Fahnen in das Lager
Unserer Feinde übergegangen.

Wir haben Italien nicht bedroht, sein Ansehen nicht geschmä-
lert, seine Ehre und seine Interessen nicht angetastet; Wir haben
Unseren Bündnispflichten stets getreu entsprochen und ihm
Unseren Schirm gewährt, als es ins Feld zog.

Wir haben mehr getan: als Italien seine begehrlichen Blicke
über Unsere Grenzen sandte, waren Wir, um das Bündnisver-
hältnis und den Frieden zu erhalten, zu großen und schmerz-
lichen Opfern entschlossen, zu Opfern, die Unserem väterlichen
Herzen besonders naheingingen.

Aber Italiens Begehrlichkeit, das den Moment nützen zu sollen
glaubte, war nicht zu stillen. Und so muß sich das Schicksal vollziehen.

Dem mächtigen Feinde im Norden haben in zehnmonatigem
gigantischen Ringen und in treuester Waffenbrüderschaft mit
den Heeren Meines erlauchten Verbündeten Meine Armeen
siegreich standgehalten.

Der neue heimtückische Feind im Süden ist ihnen kein neuer Gegner.

Die großen Erinnerungen an Novara, Mortara, Custozza und Lissa, die den Stolz Meiner Jugend bilden, und der Geist Radetzkys, Erzherzog Albrechts und Tegetthoffs, der in Meiner Land- und Seemacht fortlebt, bürgen Mir dafür, daß Wir auch gegen Süden hin die Grenze der Monarchie erfolgreich verteidigen werden.

Ich grüße Meine kampfbewährten, siegerprobten Truppen, Ich vertraue auf sie und ihre Führer! Ich vertraue auf Meine Völker, deren beispiellosem Opfermute Mein innigster väterlicher Dank gebührt.

Den Allmächtigen bitte ich, daß er Unsere Fahnen segne und Unsere gerechte Sache in seine gnädige Obhut nehme. [44]

NATURGESCHICHTE EINES AUFSTANDES 2

Linienschiff »Helgoland«, Pfingstmontag 1915

Ich kann sagen, daß während meiner Dienstzeit noch niemals die Kluft zwischen der Messe und der Back, dem Offizier und dem Mann, so klaffend tief gewesen war, wie gerade jetzt während der Kriegszeit. Nicht wenig hat zu diesem unerfreulichen Verhältnis die Tatsache beigetragen, daß sich die Offiziere zu keinerlei Einschränkung bequemen. Währenddem wir uns mit halber Brotration begnügen müssen, finden in der Messe Eß- und Trinkgelage statt, bei welchen sechs bis sieben Gänge aufgetischt werden. Im Frieden sagte man dazu nichts; paßt das aber für die jetzige tiefernste Zeit? Ein weiterer Grund zur Unzufriedenheit ist der Wucher, welcher mit uns in der Kantine getrieben wird. Ein Trinkgeschirr Bier von einem halben Liter Inhalt kostete bisher 20 Pfg., nun kostet es auf einmal 30 Pfg. In der Messe kostet der halbe Liter – 16 Pfg. Ebenso schlimm ist es mit der Wurst. Eine Portion von 100 Gramm, die bisher 25 Pfg. kostete, kostet auf einmal 35 Pfg. Wo kommen die Kantine-Ersparnisse hin? Die Leute sagen, die Offiziere verfressen sie. Ich bin nicht geneigt, letzteres zu glauben, aber wo bleibt das viele Geld? Es berührt mich oft tief schmerzlich, sehen zu müssen, wie sehr das einst so gute Verhältnis zwischen Offizier und Mann gelitten hat. Vielleicht wird es anders, wenn wir erst mal im Gefecht gewesen sind. Ist es nicht ein Skandal, daß jetzt schon fünf unserer Offiziere das Eiserne Kreuz bekommen haben, wo wir noch keinen Schuß abgegeben haben? Ist das nicht eine Schädigung dieser erhabensten Auszeichnung? [21]

INTERMEZZO

Juni 1915

Der Stellungskrieg machte den Unterstand zum eigentlichen Zuhause der Soldaten. Man richtete sich ein und gab dem neuen Heim auch Namen wie:

Luftkurort Lehmhausen. – Tropfsteinhöhle. – Rheumatismushalle. – Eiskeller. – Haus Kratzfried. – Ein Unteroffizier taufte seinen Unterstand »Mephisto«. Vom Kompagnieführer nach dem Grunde gefragt, meldete er, Goethes Faust zitierend: »Der Herr der Ratten und Mäuse, der Fliegen, Frösche, Wanzen, Läuse.« Über einem Unterstand war zu lesen: Wir bauten dich aus Angst und Not vor dem verfluchten Heldentod. – Ein Landwehrmann schrieb nach der italienischen Kriegserklärung auf seinen Unterstand: »Der deutsche Eichknüppel forcht sich nit; den Leiermann verhauen wir auch noch mit.« Über einem Unterstande war eine Marienfigur angebracht; darunter stand: »Maria, in deine schützende Hand befahlen wir diesen Unterstand. Willst auch du uns Lutherischen hilfreich sein. Im Kriege gibts ja keine Partein.« – Auf sehr vielen Unterständen hieß es: »Wir Deutschen fürchten nichts als Gott und unsre eigne Artillerie.« [5]

EXPRESSIONISMUS

Der in die Schweiz emigrierte Schriftsteller Hugo Ball macht dem Verleger der deutschen Expressionisten, Kurt Wolff, ein Verlagsangebot. Es heißt in dem Plan, der nicht zustande gekommen ist:

Zürich, 11. Juni 1915

Ich bin mit der Zusammenstellung einer lyrischen Anthologie beschäftigt, zu der ich die Zusage von Kandinsky, Marinetti, Apollinaire und Rubiner habe. Die Anthologie wird über den Krieg hinweg und ohne im kriegerischen oder politischen Sinne irgendwie aktuell zu sein einen ganz starken Verband der expressionistischen und futuristischen Tendenzen darstellen. Neben den obengenannten werden einige wenige jüngere Deutsche,

Franzosen, Italiener und Russen beteiligt sein. – Sie sind für expressionistische Tendenzen immer eingetreten. Die Anthologie wird rein künstlerisch eine der interessantesten sein, die in den letzten Jahren veranstaltet wurden.

Könnten Sie sich entschließen, das Buch in Ihren Verlag zu nehmen? Gerade jetzt? Sie würden angefeindet werden. Aber man würde diese Sache verteidigen können.

Es wäre unbedingt eine Tat. [121]

GEGEN ANNEXIONEN

19. Juni 1915

Die Eroberungssucht greift um sich; die Sozialdemokratische Partei erläßt einen Aufruf, der sich dagegen wendet. die ›Leipziger Volkszeitung‹, die ihn veröffentlicht, wird auf acht Tage verboten – viele andere Parteizeitungen drucken ihn ab, das Aufsehen, das er erregt, ist groß.

Das Gebot der Stunde
Die Stunde der Entscheidung ist gekommen. Die deutsche Sozialdemokratie ist vor eine Frage gestellt, die für die Geschicke des deutschen Volkes, für die Zukunft der Kulturwelt von der größten Tragweite ist.

Forderungen, für die schon in früheren Monaten eine gewisse Presse sowie Vereinigungen, denen keine größere Bedeutung beigelegt wurde, systematisch Stimmung gemacht hatten, sind in den letzten Wochen von Persönlichkeiten in hervorragender Stellung sowie von einflußreichen Körperschaften in teilweise sogar noch verschärfter Form vertreten worden. Programme werden aufgestellt, die dem gegenwärtigen Kriege den Stempel eines Eroberungskrieges aufdrücken.

Noch ist es in aller Erinnerung, daß der Präsident des Preußischen Herrenhauses, Wedel-Piesdorf, in der Sitzung des Herrenhauses vom 15. März 1915 erklärte, Deutschland stehe jetzt als Sieger da: »Und wenn wir nichts weiter wollten, als den Angriff der Feinde abschlagen, so glaube ich, würde es nicht allzu schwer sein, einen Frieden in kurzer Frist zu erlangen. Damit aber kann sich Deutschland nicht befriedigt erklären. Nach den ungeheuren Opfern, die wir gebracht haben, an Menschen sowohl wie an Hab und Gut, müssen wir mehr fordern, wir können das Schwert erst wieder in die Scheide stecken, wenn Deutschland eine Sicherung erlangt hat dagegen, daß in ähnlicher Weise wie diesmal die Nachbarn über uns herfallen.«

In der Reichstagssitzung vom 29. Mai 1915 haben die Abgeordneten Graf v. Westarp als Vertreter der Konservativen und Schiffer als Vertreter der Nationalliberalen unumwunden sich für Annexionen ausgesprochen; der erstere unter Berufung auf eine Erklärung des deutschen Reichskanzlers vom Tage zuvor, die dahin ging, Deutschland müsse alle nur möglichen »realen Garantien und Sicherheiten« dafür schaffen, daß keiner seiner Feinde, »nicht vereinzelt, nicht vereint«, wieder einen Waffengang wagen werde. Diese Auslegung der Worte des Reichskanzlers hat von der Reichsregierung keine Zurückweisung erfahren.

Es ist fernerhin bekanntgeworden, daß sechs große Wirtschaftsvereinigungen, voran der großkapitalistische Zentralverband deutscher Industrieller, und die Kampforganisation der Agrarier, der Bund der Landwirte, die der Politik des Deutschen Reiches so oft schon die Richtung gewiesen haben, unter dem 20. Mai 1915 eine Eingabe an den Reichskanzler gerichtet haben, worin sie fordern: Gewinnung eines großen Kolonialreiches, ausreichende Kriegsentschädigung und Annexionen in Europa, die allein im Westen über zehn Millionen Menschen – mehr als sieben Millionen Belgier und über drei Millionen Franzosen – zwangsweise unter deutsche Herrschaft stellen würden. Wie diese Zwangsherrschaft gedacht ist, kennzeichnet der Satz der Eingabe, wonach Regierung und Verwaltung in den annektierten Ländern so geführt werden müssen, daß »die Bewohner keinen Einfluß auf die Geschicke des Deutschen Reiches erlangen«. Das heißt mit anderen Worten, diese gewaltsam annektierte Bevölkerung soll politisch rechtlos gemacht und gehalten werden. Und weiter wird gefordert, aller Besitz, der einen starken wirtschaftlichen und sozialen Einfluß gewähre, »müsse in deutsche Hände übergehen«, im Westen besonders der industrielle Besitz aller großen Unternehmungen, im Osten besonders der landwirtschaftliche Groß- und Mittelbesitz.

Mehr noch. In den allerletzten Tagen hat ein deutscher Bundesfürst, der König von Bayern, in einer Ansprache in Fürth Forderungen in bezug auf die Ausdehnung unserer Grenzen im Westen ausgesprochen, durch die wir für Süd- und Westdeutschland günstigere Verbindungen zum Meere bekommen.

Angesichts aller dieser Kundgebungen muß sich die deutsche Sozialdemokratie die Frage vorlegen, ob sie es mit ihren Grundsätzen und mit den Pflichten, die ihr als Hüterin der materiellen und moralischen Interessen der arbeitenden Klassen Deutschlands obliegen, vereinbaren kann, in der Frage der Fortführung des Krieges an der Seite derjenigen zu stehen, deren Absichten in schroffstem Widerspruch sind zu den Sätzen der Erklärung unserer Reichstagsfraktion vom 4. August 1914, in denen diese aussprach, daß sie im Einklang mit der Internationale jeden Eroberungskrieg verurteilt.

Dieser Satz würde zur Lüge gestempelt werden, wenn die deutsche Sozialdemokratie jenen Erklärungen aus den Kreisen der Machthaber gegenüber es bei dem Ausspruche akademischer Friedenswünsche bewenden ließe. Zu deutlich haben wir es erfahren müssen, daß man auf solche Bekundungen auch nicht die geringste Rücksicht nimmt.

Was verschiedene unter uns befürchtet haben, zeichnet sich immer bemerkenswerter ab: Man erlaubt der deutschen Sozialdemokratie, die Kriegsmittel zu bewilligen, man geht aber kühl über sie hinweg bei den für die Zukunft unseres Volkes folgenschwersten Beschlüssen. Dürfen wir dieses Verhältnis fortbestehen lassen, das uns die Möglichkeit raubt, die Kraft der deutschen Arbeiterklasse für eine Politik geltend zu machen, die nach unserer innersten, auf die Erfahrungen der Geschichte gestützten Überzeugung das Interesse des deutschen Volkes und mit diesem das aller beteiligten Völker bietet?

Ungeheuer sind die Opfer, die dieser Krieg den in ihn hineingerissenen Völkern schon verursacht hat und die jeder Tag vermehrt. Die Weltgeschichte kennt keinen zweiten Krieg, der auch nur annähernd gleich mörderisch gewirkt hätte. Es ist die Grausamkeit barbarischer Zeitalter, verbunden mit den raffiniertesten Mitteln der Zivilisation, welche die Blüte der Völker hinrafft. Nicht minder unerhört sind die Opfer an Gütern, die der Krieg den Völkern entreißt. Weite Gebiete werden verwüstet und Summen, die für Kulturzwecke in einem Jahre auszugeben man sich gescheut hat, werden in diesem Krieg in einer Woche für die Tötung von Menschen und die Vernichtung von Grundlagen künftiger Wohlfahrt ausgegeben. Allen beteiligten Nationen starrt bei Verlängerung des Krieges der Bankrott entgegen.

In weiten Kreisen unseres Volkes und derjenigen Völker, mit denen das Deutsche Reich im Kriege liegt, macht sich denn auch immer stärkere Friedenssehnsucht geltend. Während die Herrschenden davor zurückschrecken, diesem Friedensbedürfnis zu entsprechen, blicken Tausende und aber Tausende auf die Sozialdemokratie, die man als die Partei des Friedens zu betrachten gewohnt war, und erwarten von ihr das erlösende Wort und das ihm entsprechende Verhalten.

Nachdem die Eroberungspläne vor aller Welt offenkundig sind, hat die Sozialdemokratie die volle Freiheit, ihren gegensätzlichen Standpunkt in nachdrücklichster Weise geltend zu machen, und die gegebene Situation macht aus der Freiheit eine Pflicht.

Das Proletariat erwartet sicherlich, daß ebenso wie im Jahre 1870 sich bei einer ähnlichen Situation alle Sozialdemokraten trotz ihrer Meinungsverschiedenheiten beim Ausbruch des Krieges zu einem einmütigen Handeln zusammenfanden, die Sozialdemokratie auch jetzt in gleicher Einmütigkeit zusammenstehen wird.

Wir wissen, daß Friedensbedingungen, die von einer Seite der Kriegführenden der anderen aufgezwungen werden, keinen wirklichen Frieden bringen, sondern nur neue Rüstungen mit dem Ausblick auf neuen Krieg bedeuten. Ein wirklicher und dauernder Friede ist nur möglich auf der Grundlage freier Vereinbarung.

Diese Grundlage zu schaffen, ist nicht der Sozialdemokratie eines einzelnen Landes gegeben. Aber jede einzelne Partei kann nach Maßgabe ihrer Stellung und ihrer Kräfte dazu beitragen, daß diese Grundlage hergestellt wird.

Die gegenwärtige Gestaltung der Dinge ruft die deutsche Sozialdemokratie auf, einen entscheidenden Schritt zu diesem Ziele zu tun. Sie ist heute vor die Wahl gestellt, diesem Gebote Folge zu leisten oder dem Vertrauen einen tödlichen Stoß zu versetzen, das sie bisher im deutschen Volk und in der gesamten Welt als Verfechterin des Völkerfriedens genoß.

Wir zweifeln nicht, daß unsere Partei diejenigen Folgerungen ziehen wird, die sich für unsere parlamentarische und außerparlamentarische Haltung hieraus ergeben. Mit den schönsten Überlieferungen der Sozialdemokratie steht die Zukunft unseres Volkes auf dem Spiel, seine Wohlfahrt und seine Freiheit. Hat unsere Partei nicht die Macht, die Entscheidungen zu treffen, so fällt doch uns die Aufgabe zu, als treibende Kraft die Politik in der Richtung vorwärts zu drängen, die wir als richtige erkannt haben.

Eduard Bernstein   Hugo Haase   Karl Kautsky [16]

DIE LEIDEN OSTPREUSSENS

Königsberg i. Pr., 13. Juni 1915

Bei dem gestrigen Empfang der ausländischen Presseleute gab der Oberpräsident eine Übersicht über die Kriegsschäden Ostpreußens. Danach verließen die Provinz gegen 400 000 Personen, wovon der allergrößte Teil bereits wieder zurückgekehrt ist, namentlich auf dem Lande. Von den Russen getötet wurden, soweit festgestellt wurde, 1620 Zivilpersonen, verwundet 433, nach Rußland verschleppt 5419 Männer, 2587 Frauen und 2719 Kinder. Ein großer Teil der Männer sind hilflose Greise. Es ist leider anzunehmen, daß sich unter den Verschleppten eine weitere erhebliche Anzahl Getöteter befindet. Die Zahl der Vergewaltigungen und Schädigungen ist nicht festzustellen, weil sich viele scheuen, Angaben zu machen. Betroffene sind alle Lebensalter, vom Kinde bis zur Greisin. Durch die feindliche Brandlegung wurden 24 Städte, 572 Dörfer und 236 Güter zerstört. [3]

DIE PROFESSOREN-EINGABE

Berlin, 20. Juni 1915

Von einer Versammlung von Professoren, Beamten und Wirtschaftsführern wird eine Eingabe an die Reichsregierung, die deutschen Kriegsziele betreffend, beschlossen. Als Handschrift – streng vertraulich – wird sie gedruckt und am 8. Juli dem Kanzler übermittelt. Dieser lehnt eine Stellungnahme ab, da er eine ins einzelne gehende Erörterung der Kriegsziele für verfrüht und schädlich hält. (Die Erörterung der Kriegsziele wird – durch Erlaß – erst am 15. November 1916 freigegeben).

Diese sogenannte »Professoren-Eingabe« ist maßlos in ihren Forderungen. Es heißt dort: »Ganz gewiß nicht Weltherrschaft, aber volle, der Größe unserer kulturellen, wirtschaftlichen und kriegerischen Kraft entsprechende Weltgeltung wollen wir.«

Von Frankreich wird u. a. die Kanalküste und »schonungslos eine hohe Kriegsentschädigung« gefordert.

Von Belgien: Dieses Land »müssen wir politisch, militärisch und wirtschaftlich fest in der Hand behalten. In keinem Punkte ist die Volksmeinung einiger; ihr ist das Festhalten Belgiens die allerzweifelloseste Ehrensache«.

Von Rußland: Die baltischen Provinzen und soviel Siedlungsland, wie wir »zur Wahrung unseres Volkswachstums« benötigen.

Von England: Durchsetzung der deutschen See- und Übersee-Geltung. Freiheit der Meere. Befreiung der Völker vom englischen Weltjoche. Außerdem eine finanzielle Entschädigung: »Kein Geldbetrag könnte zu hoch sein.«

Die Eingabe – in Versailles wird man sich ihrer genau erinnern – ist von insgesamt 1347 Persönlichkeiten unterschrieben. Darunter: 352 Hochschullehrer, 148 Richter und Rechtsanwälte, 158 Geistliche,

145 höhere Verwaltungsbeamte, Bürgermeister und Stadtverordnete, 40 Parlamentarier, 182 Industrielle und Finanzleute, 18 aktive Generale und Admirale, 52 Landwirte, 252 Künstler, Schriftsteller, Verleger. Die Historiker Hintze, Oncken und Meinecke zogen ihre Unterschrift zurück. Das letzte Kapitel der Eingabe ist überschrieben mit ›Keine Kulturpolitik ohne Machtpolitik‹. [nach 89]

EIN DEUTSCHER IM EXIL SCHREIBT

Zürich, 26. Juni 1915

Der Krieg beruht auf einem krassen Irrtum. Man hat die Menschen mit den Maschinen verwechselt. Man sollte die Maschinen dezimieren, statt die Menschen. Wenn später einmal die Maschinen selbst und allein marschieren, wird das mehr in der Ordnung sein. Mit Recht wird dann alle Welt jubeln, wenn sie einander zertrümmern. [85]

DIE ABARTEN DES FRIEDENS

26. Juni 1915

Die Zeitschrift ›Daheim‹ bittet den österreichischen Schriftsteller Peter Rosegger ihr seine Gedanken über den Krieg mitzuteilen. In seiner Nr. 39 veröffentlicht ›Daheim‹ den Aufsatz unter dem Titel: ›Des Sieges sicher‹. Es ist einer der zahllosen Durchhalte-Artikel, mit welchen sich »unsere Dichter« in den Dienst der Kriegspropaganda stellen. Der Schluß lautet:

Wir können nicht sagen, wie dieses Schlachten enden wird. Mir ist auch nicht behaglich, wenn Einzelsiege allzu übermütig ausgeschrien werden. Das Schicksal hat's nicht gern, wenn man ihm den Jubel vorweg nimmt. In der Seele fühle ich die Gewißheit, daß wir bestehen. Was dieser Krieg an äußeren Werten vernichtet, das wird er an unserem inneren Werte vermehren.

Vor Jahresfrist noch, als man die Leute so dahinrasen sah nach Gewinn und Genuß und wie sie in verhängnisvollen Abarten der Kultur versanken, damals hatte ich größere Sorge um das Deutsche Volk, als heute, da es im heiligen Feuer der Not steht, in der Hand das Schwert, im Auge das Licht des Gottvertrauens.

Wie anders, mein Volk, wie groß bist Du geworden! Die Feinde, erfüllt von grimmigem Haß, sie sind gezwungen Dich zu achten, Dich – das sie zertreten wollten – zu bewundern!

Geläutert wie edles Metall gehst Du hervor aus dem Feuer, bestimmt für eine andere größere Aufgabe, als Deine heutigen Gegner ahnen können.

So, meine Freunde, lege ich mir dieses ungeheuere Erlebnis zurecht, so ertrage ich es – und so bin ich des Sieges sicher. [91]

VERFALL

Wilhelm Solf an Paul Wolff Metternich:

Berlin, 15. Juli 1915

Ich habe Ihnen, sehr verehrter Herr Graf, noch gar nicht genügend gedankt für den ausführlichen Brief, den Sie mir von Gracht aus im vorigen Monat geschrieben haben. Sie haben mir damit eine sehr große Freude bereitet. Sein Inhalt hat nicht nur meine politischen Kenntnisse erweitert, seine Form war mir ein ästhetischer Genuß. Ich wünschte, es gäbe in der heutigen Zeit mehr Menschen, denen bei der Besichtigung eines 42er Mörsers solche Gedanken und Erinnerungen aufsteigen, wie Euere Exzellenz sie in Ihrem Brief geschildert haben. Je länger der Krieg dauert, umsomehr, fürchte ich, werden unsere ethischen Begriffe, unsere künstlerischen Anschauungen und wissenschaftlichen Überzeugungen, Treue und Glauben, alle die vielen tausend Imponderabilien, die den Verkehr der Menschen unter einander und ihre Beziehungen zum Objekt auf ein höheres Niveau heben, geradezu mit Keulenschlägen zertrümmert. Ich danke Ihnen herzlichst für den Genuß und die Bereicherung, die mir Ihr Brief und die vielen Unterhaltungen mit Ihnen in Berlin und auf unseren Reisen gewährt haben. Hoffentlich war es nicht der letzte Ausflug. [22]

DIE KRIEGSFORDERUNGEN KRUPPS

Gustav Krupp v. Bohlen und Halbach an den Chef des Zivilkabinetts des Kaisers:

[Essen] Hügel, 31. Juli 1915

Vertraulich.

Da es nicht ausgeschlossen erscheint, daß im Gefolge etwaiger entscheidender Erfolge zu Lande oder zu Wasser oder auch infolge besonderer politischer Konstellationen die Möglichkeit oder

Notwendigkeit von Friedensverhandlungen mit der einen oder anderen mit uns Krieg führenden Macht sozusagen über Nacht sich ergeben könnte, erscheint es – selbst bei der heute noch nach mehr als nach einer Richtung hin ungeklärten Gesamtlage – nicht verfrüht, einige Punkte festzulegen, auf die es bei dem Aufbau der Grundlagen für die künftige Entwicklung Deutschlands in erster Reihe ankommt. Dabei darf in Übereinstimmung mit der Auffassung der weitesten Kreise des deutschen Volkes wohl vorausgesetzt werden, daß die Möglichkeiten eines – von amerikanischer und anderer Seite erstrebten – »Friedenskongresses« ausgeschlossen bleibt, daß vielmehr nach den Worten S. M. des K. und K. den Feinden der Frieden diktiert werden kann und muß.

Wenn aber Friede geschlossen wird, so dürfen wir schon nach unseren heutigen Erfolgen auf den Schlachtfeldern hoffen, daß für Deutschland ein Preis erzielt werde, der das Blut unserer Söhne und Brüder lohnt. Dementsprechend muß für Deutschland – oder besser gesagt für das deutsche Volk im weitesten Umfange – eine Grundlage zur Betätigung gewonnen werden, die ihm auf Jahrzehnte hinaus friedliche Arbeit sichert. Die Deutschen dürfen kein Volk der Rentner werden, müssen vielmehr nach wie vor ein arbeitsames Volk bleiben; auf deutscher Arbeit, auf deutschem Pflichtgefühl und Pflichteifer beruhen doch im Grunde genommen zu einem großen Teil die großartigen Leistungen der jetzigen Erhebung und Kraftentfaltung. Diesen Teil deutschen Wesens gilt es unter allen Umständen zu erhalten und zu stärken; deshalb gilt es auch dem deutschen Arbeits- und Tätigkeitsdrang ein weites, ein möglichst unerschöpfliches Gebiet zu eröffnen.

Hieraus ergeben sich drei große Ziele, die zunächst ins Auge zu fassen sind:

1. Das gesamte Deutschtum muß als Kern von Europa betrachtet und möglichst zusammengefaßt werden. Hierunter ist nicht etwa zu verstehen, daß alle Deutschen in das Deutsche Reich mit eingeschlossen werden müssen, in erster Linie kommt es vielmehr darauf an, daß die deutsche Kultur – im weitesten Sinne des Wortes – in Europa die herrschende wird und demgemäß nach allen Seiten hin eine Anziehungs- und Ausdehnungskraft sich sichert. Die deutsche Kultur hat ein Anrecht darauf, denn sie ist nicht ein äußerer Firnis oder Lack, sondern sie ist ein Bestandteil des deutschen Gemütes, des deutschen Herzens, sie hat ihre

tiefste Grundlage in der deutschen Weltanschauung und Gottesfurcht.

2. Es muß politisch, auf militärischem und auf dem Gebiete der Marine dafür Sorge getragen werden, daß in absehbarer Zeit gegen das deutsche Reich eine Einkreisungs- und Erdrosselungspolitik nicht wieder betrieben werden kann.

3. Gleichwie in Europa muß auch auf überseeischen Gebieten eine erhebliche Erweiterung der deutschen wirtschaftlichen Betätigung ermöglicht werden.

Nur wenn große neue Aufgaben für alle Schichten des deutschen Volkes nach dem Kriege über das Elend kleiner Tagesfragen hinweghelfen, von Tagesfragen, die bis zum Kriegsausbruch Deutschland so unrühmlich beschäftigt und mit ihrer unentwirrbaren Verknotung allen großen politischen Entschlüssen fast unüberwindliche Schwierigkeiten bereitet haben; nur wenn dem deutschen gesunden Betätigungsdrange, der durch den Krieg neu erwacht ist, nur wenn deutscher Unternehmungslust weite Aussichten erschlossen werden, nur dann wird aus dem Kriege ein starker, Erfolge verheißender Wiederaufbau unseres politischen und wirtschaftlichen Lebens möglich sein. [62]

INTERMEZZO

5. August 1915

Die amerikanische Publikation ›The Archives of Reason‹ gibt ihren Landsleuten, die zum Kriege hetzen, folgende Anweisung:

Mache einen schulterhohen Graben in deinem Garten, lasse ihn halb voll Wasser laufen und krieche hinein. Alsdann verharre darin zwei bis drei Tage ohne Nahrung. Dazu bestelle dir einen Geisteskranken, der aus geeigneter Entfernung mit Revolvern und Maschinengewehren auf dich schießt. So hast du eine Veranstaltung, die dem Kriege völlig gleichkommt und deinem Lande sehr viel weniger Geld kostet als die Wirklichkeit. [66]

Aus den Aufzeichnungen Rudolf G. Bindings:

Gent, im Lazarett, August 1915

Gegen diese fleißige Sphäre des Rekrutendepots sticht die Etappe sehr erheblich ab. Der Feldsoldat hat einen nicht sehr feinen Ausdruck für sie erfunden. Man kann ihn nicht ungerecht nennen. Warum diese Dickwänste, diese Doppelhälse, diese Wabbelbacken, diese Wackelhinterteile und Watschelfüße auch noch in deutscher Offiziersuniform herumstolzieren müssen, warum sie Säbel tragen die sie nie führen, warum Leute Sporen tragen die das Pferd nächst der Laus als das unangenehmste Tier der Schöpfung ansehen, kann man schwer begreifen. Wenn man diese Menschen schon braucht durfte man sie nicht mit einer Autorität (nämlich der des Offiziers) ausrüsten die sie – mit Ausnahmen – geradezu selbstverständlich mißbrauchen. Damit wird dem Stand geschadet, was sich irgendwo rächen muß. [66]

ÜBERBRINGUNG EINER TODESNACHRICHT

Walter Flex teilt den Eltern seines Freundes Ernst Wurche die näheren Umstände von dessen Tod mit. Ein Brief, wie er in hunderttausend Fällen geschrieben wurde, und doch ein besonderer. Ein Jahr später wird Walter Flex dem Gefallenen ein literarisches Denkmal setzen: ›Der Wanderer zwischen beiden Welten‹. Dieses ›Kriegserlebnis‹ erreichte noch während des Krieges eine Auflage von 125000 Exemplaren und prägte das Bild des Frontsoldaten, der die deutsche Zukunft »rein und hell« verkörpert. »Ein schlanker, schöner Mensch, im abgetragenen, grauen Rock ... die lichten grauen Augen ganz voll Glanz und zielsicherer Sehnsucht.« Sein Grundsatz : »Leutnantsdienst tun, heißt seinen Leuten vorsterben.« Auch der Schreiber des Briefes ist gefallen – am 15. Oktober 1917.

Ostfront, 24. August 1915

Sehr verehrter Herr Wurche! Sehr verehrte Frau Wurche! Nie ist mir ein Brief so schwer geworden wie dieser, und doch habe ich den Kompanieführer Ihres lieben Sohnes gebeten, mich zuerst Ihnen schreiben zu lassen, was Gott über Ihr Haus verhängt hat. Denn ich wollte, daß die Kunde vom Heldentode dieses prächtigen, guten Sohnes Ihnen nur von einem käme, der ihn lieb hatte.

Seit dem Tode meines eigenen, jüngsten Bruders vor nun bald einem Jahre hat mich nichts wieder so jäh betroffen wie das Ende Ihres Sohnes, meines guten Freundes, dieses treuen aufrechten, warmherzigen und für alles Schöne und Tiefe stark empfindenden Menschen. Aber lassen Sie sich auch das sagen, daß, als ich nachher vor dem Toten kniete und ihm lange, in stummem, einsamem Abschied in das reine, stolze Gesicht schaute, ich nur den einen Wunsch für seine Eltern hatte, sie möchten ihn so wie ich liegen sehen, sie würden dann ruhiger an ihrem Schmerze tragen. An Ihrem Ernst hat mich immer – neben so vielem Andern an seinem reichen, lieben Herzen! – die helle Klarheit seines Empfindens und die von aller Menschenfurcht ferne Bereitschaft seiner Seele zu jedem Opfer, das Gott und sein Vaterland von ihm fordern könnten, innig und freudig bewegt. Nun lag er vor mir, hatte das größte und letzte Opfer gebracht und auf seinen jungen Zügen lag der feiertäglich große Ausdruck eben dieser geläuterten Seelenbereitschaft und Ergebenheit in Gottes Willen. Wir, Ihr lieber Sohn und ich, lagen gestern Nacht jeder mit seiner Feldwache – voneinander durch etwa drei Kilometer getrennt – auf den Seehöhen vor Simno, westlich von Olita. Plötzlich erhalte ich durch das Feldtelephon von der zehnten Kompanie, zu der er erst kürzlich abkommandiert war, Nachricht, Leutnant Wurche sei eben auf Patrouille vor dem Feinde gefallen. Ich wartete in fast völliger Zerrissenheit die lange Nacht hindurch, während deren ich meinen Posten nicht verlassen durfte, und jagte endlich mit einem russischen Fuhrwerk kurz nach vier Uhr morgens nach Posiminicze hinüber, wo er als Feldwachhabender gelegen und wohin man seinen Leichnam geborgen hatte. Er sollte durch eine Hand zur Ruhe gebettet werden, die ihn, ohne daß er's vielleicht so völlig wußte, brüderlich liebte. Und dann stand ich vor ihm, sah den sonntäglich stillen Stolz und Frieden seines reinen Gesichtes und schämte mich meiner Zerrissenheit.

Ernst war nachts auf Patrouille gegangen, um festzustellen, wie weit sich die vor uns aus ihren Stellungen weichenden Russen zurückgezogen hätten. Schließlich kroch er, gewohnt, immer zuerst sich als Führer einzusetzen, allein noch etwa 150 Meter weiter als seine Leute gegen eine russische Stellung vor, von der nicht bekannt war, ob sie besetzt sei. Dabei wurde er von einem feindlichen Posten bemerkt, der alsbald auf ihn feuerte. Eine Kugel drang ihm in den Leib, die großen Blutgefäße zerreißend und seinen Tod in kurzer Zeit herbeiführend. Seine Leute bargen ihn noch aus dem Feuer. Einer fragte, wie sie ihn trugen. »Geht es so, Herr Leutnant?« Er antwortete noch, ruhig wie immer, »gut, ganz gut«. Dann verließen ihn die Sinne, und er starb, ohne zu leiden.

Am heutigen Morgen nach Posiminicze geeilt, ließ ich sein Heldengrab unter zwei schönen Linden vor einem lettischen Gehöft ausheben, das in einem Wäldchen westlich des Simno-Sees liegt. In das grün ausgekleidete Grab ließ ich ihn in seiner vollen Offiziersausrüstung senken mit Helm und Seitengewehr, und in die Hand gab ich ihm eine schöne große Sonnenblume mit drei großen goldenen Blüten. Auf dem rasenverkleideten Hügel steht eine Sonnenblume und ein Kreuz. Darauf steht »Leutnant Wurche JR. 138 gefallen für das Vaterland 23. 8. 1915«. Zuletzt hing ich über das Kreuz einen aus hundert flammenden, farbigen Blumen gewundenen Kranz, für den seine Leute alle Blumenbeete der lettischen Bauern geplündert hatten. Ihr Ernst liegt in dem schönsten Soldatengrabe, das ich kenne. Ich sprach über dem offenen Grabe ein Vaterunser, zu dem mir nun doch freilich wieder die Worte in Tränen versagten, und warf die ersten drei Hände Erde auf ihn, danach sein treuer Bursche, dann die andern. Dann ließ ich das Grab so schließen und schmücken, wie ich's beschrieben. Durch einen Zeichner, den ich aus meiner Kompanie mit herüber gebracht hatte, ließ ich währenddessen ein kleines Bild des Heldenhügels machen, und dies soll Ihnen, sobald sich Gelegenheit zu solcher Sendung bietet, nebst einer Kartenskizze des Ortes und seinen Wertsachen zugehen. Sein Gepäck lasse ich durch unsere Kompanie an Ihre Adresse besorgen. Aber freilich, solche Sendungen aus dem Felde brauchen meist lange Zeit. Aber das Bild seines Grabes sollen Sie bald haben, wenn Gott mir das Leben läßt. Ich mußte, da durchs Feldtelephon inzwischen der Marschbefehl kam, im Galopp zu meiner Feldwache zurück und mit der Kompanie zur weiteren Verfolgung aufbrechen. Wir marschierten den Weg, den er so treu mit seiner Patrouille unter Hingabe seines Lebens aufgeklärt hatte. Nun liegen wir in einem Gehöft, das der Russe mit Schrapnells beschießt, und warten auf die Befehle der Division. Die kurze Pause, die mir bleibt, benutze ich, Ihnen auf diesen Meldekarten – dem einzigen Papier, das ich bei mir habe – die Trauerbotschaft zu schreiben. Gott gebe Ihren elterlichen Herzen einen Teil der Kraft und des Stolzes seiner Heldenseele! Glauben Sie mir, Sie tun ihm die letzte Liebe, wenn Sie seinen Tod so tragen, wie es seiner würdig ist und wie er es wünschen würde! Gott lasse seine Geschwister, an denen er so brüderlich hing, aufwachsen ihm gleich an Treue, Tapferkeit und Weite und Tiefe der Seele!

In aufrichtiger Verehrung Ihr Dr. Walter Flex, Leutnant d. R. [27]

Linienschiff »Helgoland«, 23. August 1915

Einige niedliche Befehle muß ich noch aufschreiben, die für den Geist unseres Offizierskorps bezeichnend sind.

1. Es ist streng – bei Arreststrafe – verboten, bei Tag oder Nacht anderes als weißes Arbeitszeug zu tragen, (NB. Der Kommandant bestraft jeden, der sich dagegen vergeht, mit fünf Tagen Mittelarrest.)

2. die Überzieher, Zeitungen und Bücher mit in den Turm zu bringen. (Zum besseren Verständnis dieser verrückten Maßregel sei bemerkt, daß der Überzieher auch nirgends anderswohin gelegt werden darf.)

3. Der Kommandant bestrafte zwei Mann mit sieben Tagen Mittelarrest, weil sie ihre Schwimmwesten nicht bei sich trugen. (Der Erste Offizier bestrafte sechs Mann mit je sechs Stunden Strafexerzieren, weil die Westen durch das viele Tragen undicht wurden.)

4. Das Aufhängen der Hängematten ist auch da verboten, wo keine Geschütze stehen. (Weshalb, ist mir dunkel, nur erklärte Bosheit kann derartiges ersinnen.)

Solche kleinlichen Nadelstiche gegen die Besatzung gibt es eine ganze Menge. Sie verekeln die Lust und Liebe am Dienst, ja sie reizen direkt zur Sabotage an. Hier und dort verschwindet etwas, oder es ist ruiniert. Unser aller Wunsch ist es, die »Helgoland« möchte auf eine Mine laufen und das ganze Offiziers-Wohndeck in Fetzen reißen.

Es ist erstaunlich, wie sich alle Mann jetzt um die Politik kümmern. Alles ist sich darüber einig, daß nach dem Kriege die Bevorzugung der Offizierskaste aufhören muß. Es ist auch wahr, diese haben viel zuviel Recht. Da verfügt jeder über Leben und Freiheit des Untergebenen. Unter den Leuten gibt es einzelne, die ungescheut und ungestört darüber sprechen, wie es gemacht werden muß. Ihr schlagendes Argument ist folgendes: Was wollen »sie« denn machen, wenn wir nicht mehr wollen? Alle können sie uns nicht einsperren. Zu leidenschaftlichen Auseinandersetzungen kommt es oft um die Frage, ob Deutschland von den bisher besetzten Ländern etwas behalten darf. Sollte man so etwas für möglich halten? Die tollsten sozialistischen Ansichten treten hier zutage. Niemand fragt danach, ob bei solchem Streit ein Offizier in der Nähe ist. [21]

DER BLEIBENDE GEWINN

1. September 1915

Prof. S. Rudolf Eucken, Jena, ein Philosoph damals hochberühmten Namens, schreibt in ›Velhagen und Klasings Monatsheften‹ einen Aufsatz ›Die Quellen unserer Moral und der gegenwärtige Krieg‹. Der Schluß verspricht nicht wenig:

So versetzt die Treue gegen seine Aufgaben den Krieger in eine unsichtbare Welt, aber was er dadurch am Inneren gewinnt, das wirkt unablässig und kraftvoll in die sichtbare Welt hinein. Die Sozialethik kann keine würdigere Verkörperung finden als den Zusammenhang eines Heeres, wo das Geschick des einen unmittelbar mit dem der anderen verknüpft ist, wo alles Heil des einzelnen am Fortgang des Ganzen hängt, und wo der einzelne jeden Augenblick sich dem Ganzen zu opfern bereit ist. Über das Heer hinaus wirkt aber solche Gesinnung in das ganze Volk hinein zur Befreiung von kleinlicher Selbstsucht und zu williger Hingebung an das Ganze. Dabei bildet solche Hebung der Persönlichkeit keinen Gegensatz zur Sache und ihrer Notwendigkeit, es sind gerade ihre Forderungen, die die Menschen zusammenbringen und zu schwersten Leistungen treiben. Aber die Sache ist hier nicht eine kalte und fremde Größe, sondern die eigenste Angelegenheit jedes einzelnen; so ist die Unterordnung unter ihr Gebot zugleich eine freie Tat, eine Aufbietung und Einsetzung der ganzen Seele.

Demnach verbinden sich hier die verschiedenen Quellen und Antriebe der Moral zu einem gemeinsamen Wirken; was im gewöhnlichen Leben und auf der Oberfläche der Kultur einander leicht durchkreuzt und hemmt, das mag hier sich gegenseitig verstärken und in ein Werk des ganzen Menschen zusammenfassen. Daß aber alles Große über sich selbst hinaus ins Unendliche wirkt, das wird sich auch an dieser Stelle erweisen. Jenes Verhalten bekundet uns sowohl eine innere Einheit der Moral als ihre Macht im menschlichen Kreise, es offenbart eine Tiefe unseres Wesens und stärkt bei aller Schwere der Erlebnisse den Glauben an unsichtbare Zusammenhänge, sowie an einen Sinn und Wert des menschlichen Daseins. So kämpfen unsere Helden nicht bloß für einen äußeren Erfolg, sondern auch für einen inneren Gehalt des Lebens. Uns anderen aber fällt die Aufgabe zu, das von ihnen Errungene festzuhalten und in einen bleibenden Gewinn für das deutsche Volk, ja für die Menschheit zu verwandeln. [19]

BEKANNTMACHUNG

Warschau, den 4. September 1915

Mit dem heutigen Tage habe ich mit Zustimmung Sr. Exzellenz des Herrn Gouverneurs die Errichtung einer Sitten-Miliz angeordnet.

Sämtliche Frauenspersonen, die der gewerbsmäßigen Unzucht nachgehen, werden hiermit aufgefordert, sich zwecks Empfangnahme eines Ausweises im Büro der Sitten-Miliz Danilowiczowska Nr. 5 erste Etage, vom 8. Sept. 1915 ab in der Zeit von $9^{1}/_{2}$–12 Uhr vormittag und von $3^{1}/_{2}$ bis 5 Uhr nachmittag zu melden und zwar:

a) soweit sie bereits unter Sittenkontrolle gestanden sind, bis zum 10. Sept. 1915

b) soweit sie einer Kontrolle noch nicht unterstellt gewesen sind, bis zum 13. Sept. 1915

Zuwiderhandlungen werden mit Geldstrafe bis zu 600,– Mark oder mit Gefängnis bis zu 6 Monaten geahndet. Außerdem kann jeder Ungehorsam die zwangsweise Entfernung aus dem Stadtgebiet nach sich ziehen.
Der Kaiserlich-Deutsche Polizei-Präsident:
Graf Lerchenfeld. [37]

VERSE VOM SCHLACHTFELD

1915

Denk an seine Bleisoldaten
Mußt nun weinen, Mutter, weine –
War dein Knab als er noch kleine
Spielte mit den Bleisoldaten,
Hatten alle scharf geladen,
Starben alle: plumps und stumm.

Ist der Knab dann groß geworden,
Ist dann selbst Soldat geworden,
Stand dann draußen in dem Feld.

Mußt nun weinen, Mutter, weine –
Wenn du's liest: »Starb als Held«
Denk an seine Bleisoldaten …
Hatten alle scharf geladen …
Starben alle: plumps und stumm …

Erwin Piscator [57]

KAISERLICHES FALLOBST

20. September 1915

In Homburg oder Wilhelmshöhe unterwarf sich die Kaiserin
in den dortigen großen Obstgärten selbst der Mühe, das Fallobst
mit aufzusammeln, selbst die winzigkleinen Paradiesäpfel. Das
ständige Bücken, das für das kranke Herz der hohen Frau sehr
schädlich war, machte uns immer sehr besorgt, aber all' unser
Bitten, sich schonen zu wollen und das Aufsammeln uns allein
zu überlassen, war umsonst. Als wir uns einmal, ehe die Kaiserin
zum Sammeln hinunterging, daran gemacht hatten, die Paradies-
äpfelchen schnell alle aufzusammeln, wurde sie sehr ärgerlich
und verbat sich diesen Eingriff in ihr Amt im Homburger Schloß-
garten auf das energischste! [38]

DER KRIEG: DAS HEILIGSTE AUF ERDEN

1915

Der Nationalökonom Professor Werner Sombart veröffentlicht ein
Buch ›Händler und Helden‹, in welchem er den Unterschied im National-
charakter der Engländer (den Händlern) und der Deutschen (den
Helden) bloßstellt.

Militarismus ist der zum kriegerischen Geiste hinaufgesteigerte
heldische Geist. Er ist Potsdam und Weimar in höchster Ver-
einigung. Er ist ›Faust‹ und ›Zarathustra‹ und Beethoven-Parti-
tur in den Schützengräben. Denn auch die Erioca und die
Egmont-Ouvertüre sind doch wohl echtester Militarismus.
    Fragen wir aber im einzelnen, was er ist, um uns seine Eigenart
auch durch begriffliche Erfassung zu voller Einsicht zu bringen,

so wird man, denke ich, folgende Bestandteile in dem militaristischen Geiste nachweisen können.

Vor allem wird man unter Militarismus verstehen müssen, das, was man den Primat der militärischen Interessen im Lande nennen kann. Alles, was sich auf militärische Dinge bezieht, hat bei uns den Vorrang. Wir sind ein Volk von Kriegern. Den Kriegern gebühren die höchsten Ehren im Staate. Was äußerlich in so vielen Dingen, die dem Fremden auffallen, in die Erscheinung tritt: unser Kaiser erscheint selbstverständlich offiziell immer in Uniform, bei feierlichen Gelegenheiten tun desgleichen auch unsere höchsten Beamten und unsere Abgeordneten, wenn sie in einem Militärverhältnis stehen; die Prinzen kommen sozusagen als Soldaten auf die Welt und gehören von Jugend auf der Armee. Alle anderen Zweige des Volkslebens dienen dem Militärinteresse. Insbesondere auch ist das Wirtschaftsleben ihm untergeordnet usw.

Das zweite Merkmal des Militarismus ist die Hochhaltung und Pflege aller kriegerischen Tugenden; vor allem der beiden Grundtugenden des Kriegers: der Tapferkeit und des Gehorsams: der wahren Tugenden des freien Mannes ...

Aber es hieße den deutschen Militarismus nur unvollkommen charakterisieren, wollte man in ihm nicht noch eines anderen Zuges gedenken, der ebenfalls jetzt wieder besonders deutlich hervorgetreten ist: ich meine den lebendigen Drang der Hingabe an das Ganze, die jeden Deutschen beseelt, wenn das Vaterland in Gefahr ist. Was in aller wahrhaft heldischen Weltanschauung, wie wir sahen, eingeschlossen ist, das löst der Militarismus gleichsam aus: er weckt das heldische Empfinden in der Brust des letzten Tagelöhners im Dorfe, er popularisiert die Gedanken, die in den Köpfen unserer Größten zuerst aufgesprungen sind. Die Idee des Vaterlandes wird erst zu einer Leben weckenden Kraft durch die Mittlerrolle des Militarismus. Was Heldentum im tiefsten Sinne bedeutet, wird dem Ärmsten im Geiste lebendig vor die Augen gestellt, wenn er in Reih und Glied mit seinen Kameraden in den Kampf zieht, um das Vaterland zu verteidigen.

Der Geist des Militarismus wandelt sich hier in den Geist des Krieges. Erst im Kriege entfaltet sich das Wesen des Militarismus, der ja ein kriegerisches Heldentum ist, ganz. Und erst im Kriege erscheint seine echte Größe.

»Sobald der Staat ruft: Jetzt gilt es mir und meinem Dasein! – da erwacht in einem freien Volke die höchste aller Tugenden, die so groß und schrankenlos im Frieden niemals walten kann:

der Opfermut. Die Millionen finden sich zusammen in dem einen Gedanken des Vaterlandes, in jenem gemeinsamen Gefühle der Liebe bis zum Tode, das, einmal genossen, nicht wieder vergessen wird und das Leben eines ganzen Menschenalters adelt und weiht. Der Streit der Parteien und der Stände weicht einem heiligen Schweigen; auch der Denker und der Künstler empfindet, daß sein ideales Schaffen, wenn der Staat versinkt, doch nur ein Baum sei ohne Wurzeln. Unter den Tausenden, die zum Schlachtfelde ziehen und willenlos dem Willen des Ganzen gehorchen, weiß ein jeder, wie bettelhaft wenig sein Leben gilt neben dem Ruhme des Staates.«

Inserat in ›Die Woche‹, 1915

Weil aber im Kriege erst alle Tugenden, die der Militarismus hoch bewertet, zur vollen Entfaltung kommen, weil erst im Kriege sich wahres Heldentum betätigt, für dessen Verwirklichung auf Erden der Militarismus Sorge trägt: darum erscheint uns, die wir vom Militarismus erfüllt sind, der Krieg selbst als ein Heiliges, als das Heiligste auf Erden. Und diese Hochbewertung des Krieges selber macht dann wiederum einen wesentlichen Bestandteil des militärischen Geistes aus. Nichts wird uns so sehr von allen Händlern verdacht, als daß wir den Krieg für heilig halten.

Sie sagen: der Krieg sei unmenschlich, er sei sinnlos. Das Hinschlachten der Besten eines Volkes sei viehisch. So muß es dem Händler erscheinen, der nichts Höheres auf Erden kennt als das einzelne, natürliche Menschenleben. Wir aber wissen, daß es ein höheres Leben gibt: das Leben des Volkes, das Leben des Staates. Und wir wissen darum mit tiefstem Weh im Herzen, daß das Einzelleben bestimmt ist, sich für das höhere Leben zu opfern, wenn dieses bedroht ist. Mit diesem Glauben, freilich nur mit ihm, gewinnt das schmerzvolle Sterben der Tausende Sinn und Bedeutung. Im Heldentod findet die heldische Lebensauffassung ihre höchste Weihe. [60]

DER REICHSTAGSABGEORDNETE ALS ARMIERUNGSSOLDAT

Karl Liebknecht an seine Frau:

[Im Osten] 20. September 1915

... Die Art, wie man uns verwendet, ist leichtfertig und verbrecherisch. Ich bitte Dich, erforderlichenfalls Haase davon Mitteilung zu machen. Dabei hat das ganze Bataillon von 2500 Mann nur einen Arzt und was für einen; für 2500 Mann, die auf einem Gebiet von 2–300 Quadratkilometern und mehr in kleinen und kleinsten Abteilungen zerstreut liegen. Dazu kommen für unsere Kompagnie mit 500 Mann noch zwei Sanitätsunteroffiziere – und was für welche! Auf 500 Mann, die auf einem Gebiet von vielleicht 100 Quadratkilometern zerstreut sind! Und von diesen Sanitätsunteroffizieren ist jetzt, wo die Gefahr von Verwundungen recht ernst ist, der eine zum Fouragetransport kommandiert und damit dem Sanitätsdienst einfach entzogen! Und das an der Front – es ist ein Skandal. Die Verpflegung läßt hier höchlichst zu wünschen übrig, nur Kartoffeln, und zwar sehr gute, gibts auf den Feldern im Überfluß. Tabak ist nicht zu erlangen – das ist besonders empfindlich, weil Tabak das einzige Stimulans bildet. Weiter hinten in der Etappe gibts alles Mögliche. Z. B. auch täglich 2 Zigarren und 2 Zigaretten. Hier alle Jubeljahre eine Zigarre, man zahlt oft 20 Pfg. für eine miserable Zigarette! Daneben ist der größte Notstand der völlige Mangel an Beleuchtung! Von $6^{1}/_{2}$ an dunkel. Keine Kerze und nichts wird geliefert. Man drückt sich herum, kann weder lesen noch schreiben, verkriecht sich in »sein Bett«, d. h. auf sein Stroh und wickelt sich vor der ekligen Kälte natürlich im ungeheizten Stall oder Scheune oft hundenaß in den Kleidern in seinen Mantel und eine dünne Decke und friert die ganze Nacht wie ein Schneider. Man braucht hier schon die Wintersachen, die ich im Juni bei meiner Abreise zu Haus ließ. Ich bitte Dich, schick die Wintersachen, jede Woche regelmäßig fünf Päckchen billigsten Tabak und 20 Zigarren (zu 6 Pfg., groß schwer) und jede Woche fünf Kerzen, nicht zu große. Außerdem erbitte ich das Tageblatt, es scheint eingestellt zu sein, der Vorwärts kam einmal. [56]

DER KAISER ZUM BOTSCHAFTER AMERIKAS

Oktober 1915

Der amerikanische Botschafter zu Berlin, Gerard, hat eine Audienz beim Kaiser. Dabei wiederholt dieser mehrmals:

Amerika würde besser tun, sich nach diesem Kriege vorzusehen!, und: »Ich werde nach dem Kriege von Amerika keinen Unsinn mehr ertragen.« [5]

NATURGESCHICHTE EINES AUFSTANDES 4

Linienschiff »Helgoland«, 19. Oktober 1915

Heute wurde das Unglaubliche Ereignis! Es sprach sich schon lange herum, daß an die Besatzung eine größere Anzahl Eiserne Kreuze verteilt werden würde. Ich glaubte die Sache nicht recht; denn wer hat bei uns schon diese Auszeichnung verdient? Heute morgen bei der Musterung ließ der Kommandant alle Mann auf der Schanze antreten und hielt folgende Ansprache: »S. M. der Kaiser haben geruht, uns à conto unserer Unternehmungen im

Rigaischen Meerbusen eine größere Anzahl Eiserne Kreuze zu verteilen. Diejenigen, welche jetzt aufgerufen werden, kommen nach vorne und nehmen sie in Empfang.« Es folgten die Namen sämtlicher Offiziere, mit Ausnahme von ein paar Leutnants, die meisten Deckoffiziere, die ältesten Geschützführer, einige Unteroffiziere, Obermatrosen und Heizer. Im ganzen 65 Stück. Bei jedem Namen gab es ein unterdrücktes Gelächter. Es ist auch lächerlich und der Auszeichnung wenig würdig, wenn man diesen Orden wie ein Vereinsabzeichen austeilt. Wir hoffen, daß nun doch auch bald die Zeit kommt, wo sich der eine und andere wirklich sagen kann : »Ich habe das Eiserne Kreuz in der Schlacht verdient und nicht für ruhiges Verhalten an Bord.« Und es liegt ein gutes Stück Philosophie in dem Ausspruch, daß ein gesundes Kreuz besser sei wie ein eisernes. [21]

UNIFORM VERPFLICHTET

Brüssel, 29. Oktober 1915

Gouvernement Brüssel
Deutsche Offiziere haben durch ungezügeltes Treiben und durch unwürdiges Benehmen mit Frauenzimmern in öffentlichen Lokalen und auf den Straßen von Brüssel in letzter Zeit mehrfach Ärgernis erregt.

Es ist verständlich, wenn die aus schweren Kämpfen an der Front und aus kleinen Unterkunftsorten hier einkehrenden Offiziere die Darbietungen der Großstadt genießen wollen. Der Genuß darf aber nicht ausarten.

Ein deutscher Offizier darf in keinem Augenblick vergessen, was er seiner Ehre und seinem deutschen Namen schuldig ist. Er darf sich nicht der Mißachtung der feindlichen Bevölkerung aussetzen. Diese ernste Mahnung möge jeder beim Betreten von Brüssel berücksichtigen. Sie gilt auch allen Persönlichkeiten des Heeresgefolges, die ähnlich wie die Offiziere bekleidet sind. Die Uniform verpflichtet.

von Sauberzweig, Generalmajor. [13]

Herbst 1915

Die ›Deutsche Tageszeitung‹ kündigt das Erscheinen eines Gedicht-
bandes ›Vom Kriege zum Frieden‹ des Schriftstellers Hans von Wol-
zogen an: »aus seinen Worten selbst fühlt man, was deutsche Seele
und wahrhaftige Deutschheit ist ... Er kennt alle Nöte des Vater-
landes, und man merkt, wie er unablässig damit beschäftigt ist, ihnen
eine Deutung zu geben.«

Ihr tut uns gar viel Ehre an,
Ihr wunderlichen Feinde!
Mit dem, was Deutschland sang und sann,
Fühlt ihr euch Weltgemeinde.
Und wären wir nur wiederum
Das stille Volk des Goethe,
Ihr schösset nimmer mit Dum-Dum,
und blies't die Friedensflöte!

Wenn ihr uns nur in Ruhe ließ't
Das edle Gut zu pflegen!
Wir gönnten's euch, daß ihr genießt
Den deutschen Völkersegen.
Doch stört ihr uns des Friedens Ruh'
Mit eures Neides Wüten:
Nehmt euch in acht! wir schlagen zu,
Das edle Gut zu hüten! [124]

HEDWIG UND GÜNTHER

Der Schriftsteller Aurel von Jüchen bringt unter dem Titel ›Frauen-
leben im Weltkriege‹ einen Band von Erzählungen heraus. Das Buch
bietet – laut Verlagsprospekt – »ein lebenswahres Gesamtbild der
bedeutsamen Entfaltung, die der Krieg im Fühlen und Denken der
deutschen Frauen bewirkte; es bietet ein Dokument der weiblichen
Seele und zugleich ein Zeit- und Kulturdokument von bleibendem Wert«.
Davon eine Probe:

Die Abendglocken begannen zu läuten. Er zog sie wieder auf
den Stuhl an seiner Seite. Sie lehnte wieder den Kopf an seine
Schulter, ihre beiden Herzen jauchzten still vor Glück, und die

Heroen schaffender Geisteskraft, die weißen Büsten von Schiller und Goethe, strahlten allein durch das Dunkel, als ob sie sich freuten über dieses im Herzen und Geist verbundene Ehepaar.

So einträchtig waren wir nie, dachte sie, wie heute in der Pause zwischen den Schlachten. Dann nahm sie sich vor, alles zu tun, um reines Licht in sein vom schwelenden Rauch der Kriegsfackel umdüstertes Gemüt zu bringen und ihn dauernd an sich zu fesseln.

Er aber dachte: Hätte doch jeder deutsche Soldat daheim ein Weib, das ihn mit sanfter Hand aus der Barbarei des Krieges wieder emporführt. Herrgott, ich danke dir, du schenkst mir alles, ich werde die treue Kameradschaft wie im Feld und zugleich die Kultur des Friedens genießen! Mit einer solchen Frau sollte ich nicht den Mut haben, alle Pflichten des Tages zu fressen, jeden Kampf aufzunehmen? Oh, wenn er wieder an der Front wäre, er wollte den Russen zeigen, was ihm seine Frau wert war.

Er begann zu träumen. Er war wieder im russischen Walde: Die Kugeln klatschten und pfiffen, die dürren Äste regneten nieder, überall raste Gewehrfeuer, ohrenzerschmetternd. Er hörte sich selbst kommandieren: »Fällt das Bajonett!« Ein Trommler gab mit rasselndem Wirbel sein Kommando weiter. Er selbst raste seiner Truppe voran in den Feind mit brüllendem Hurra! – Jäh erwachte er aus seinem Traum, weil seine Frau bei dem lauten Kriegsruf von seinen Lippen erschreckt aufgesprungen war. »Komm zurück, Günther!« sagte sie mild, indem sie ihm das Haupt streichelte. Er aber lachte jauchzend, wie ein lustiger Knabe: »Verzeih«, sagte er, »wenn ich dich erschreckt habe, aber wer solchen Kameraden hat, wie du bist, wie möchte der nicht sofort tapfer ins Feuer gehen?« Dann zündete sie den Kronleuchter an. Das Abendessen wurde aufgetragen, und er erzählte in fröhlicher Laune von den landschaftlichen Schönheiten, die er im fernen, fremden Rußland geschaut, von dem Elend des Krieges und endlich von seinen eigenen Kriegserlebnissen. Es war das erstemal, daß seine Zunge sich löste, aber Hedwig sah, wie wohl es ihm tat, ihr die ungeheuren Eindrücke mitzuteilen. Sie erlebte im Geist alles mit, und wenn dabei ihr Herz zuweilen sich zuckend zusammenkrampfte, mahnte sie selbst sich: »Tapfer! Ich bin doch sein Kamerad.« [124]

Herbst 1915

Auf dem Buchmarkt erscheint:

›Deutsche Prinzen, die für Deutschland starben.‹ Unter Mitwir-
kung der Hofmarschallämter herausgegeben zum Gedächtnis.
Bearbeitet von Paul Burg. Mit den Bildern der gefallenen Prin-
zen. Preis der einfachen Ausgabe M. 2,–, der auf holländisch
Bütten in Ganzpergament gebundenen Fürstenausgabe M. 10,–.
Die Verlagsankündigung dazu lautet:

Das wohlfeile und echt volkstümliche Werk, veröffentlicht
zum ersten Male authentische Nachrichten über den Heldentod
der bis jetzt im Weltkrieg 1914 gefallenen deutschen Prinzen.
Es bietet neben eingehenden und auf direkten Informationen
beruhenden Lebensbildern der tapferen Prinzen, die für Deutschlands Fortbestehen und Ehre in dem großen Völkerringen fielen,
eine auf zahlreichen, als einwandfrei erkannten Berichten von
Augenzeugen fußende Schilderung ihres heldenhaften Solda-
tentodes. Jeder Darstellung ist die Photographie des gefallenen
Prinzen in mustergültiger Wiedergabe beigefügt. Die Schilde-
rungen in diesem echt patriotischen Buche zeigen mit einer
überwältigenden Echtheit und Natürlichkeit des Empfindens
und Erlebens, wie deutsche Prinzen Schulter an Schulter mit
ihren tapferen Volksgenossen kämpfen und sterben, [124]

AN EUROPA

6. November 1915

*Der Lyriker Johannes R. Becher erläutert in der ›Aktion‹ sein neues
Versbuch – trotz aller expressionistischen Einkleidung ein politisches
Dokument:*

Oh –: unser neues Buch, ›An Europa‹ betitelt, begnügt sich nicht
mehr damit, was wir mit ›Verfall und Triumph‹ schon erreicht
zu haben wähnen, nur weniger Eingeweihter sturmfester, immer
sprungbereiter Kamerad zu sein; vor einem Parkett exzentrisch
Erlesenster auf kleiner Bühne gedreht, mit dünnem Beifall zufrieden, Intime-, Schauer- und Revolteszenen weiter zu produ-
zieren, erster literarischer Einordnung gemäß; bestenfalls einen
oder anderen im Tran der Müdigkeit gefaßt in den Schwall tu-

multuösen Feuerwerks entreißend, aus dessen Blend-Schein der Illusionierte bald zurückgekehrt, er baudelaire-trüb wieder ölige Finsternis zerstampft. Ja –: unser neues Buch, ›An Europa‹ betitelt, stellt sich nicht geringer die Aufgabe (... zäher fanatischer Wille zur Politik, gespitzteste Technik, höllisches und himmlisches Erlebnis, so urteilt doch selbst!, berechtigen es allen voraus dazu ...), heilige, schwerste, ruhmreichste Aufgabe, als Jüngster repräsentative Kraft aus dem gleichsam zu eiterigen Porphyr geronnenen knirschendem! Blut-Chaos endloser wirr über-, in- und durcheinander geschobener Schlacht-Flächen aufgebrochener Azure umwalltes Menschheits-Monument vereinter europäischer Völker mitzuerrichten. Und so werden auch diese Gedichte keine andere Kritik je über sich anerkennen, als die nach der Weite tatsächlicher Wirkung ... Ein schlecht gemachtes Propaganda-Stück des Vereins zur Bekämpfung der Geschlechtskrankheiten zum Beispiel erscheint uns heute immerhin (... schroff ...) bei weitem gewichtiger als das ziselierteste gleitendste Rilke-Gebild. Gewisse Liebesdichter vollends – nicht der flammendste Zug zwanzigsten Jahrhunderts entrüttelte sie – treiben für uns dumm Süßliches flötend auf schwanke Sofa-Barke gelötet im Abgrund. Gläubige –: unser neues Buch ›An Europa‹ betitelt, solcher Mission, laßt uns hier Herolde phantastisch geschmückt vorausreitend pathetischen Fanfaren-Ruf durchstoßen! Aber mehr als die blühendste, geteilteste, bohrendste Fanfare es kann, wird unser neues Buch schmetternd, bah: dröhnend! hinauswirken! Völker! Freunde! Ihr Angehörigen aller, aller Staaten! Provinzen des Geistes stellt euch! Erwidert! Erwidert! Haltet Versammlungen ab! Diskutiert! Von neuer Marseillaise elektrisch bengalisch flankiert –: entsteigst du neues Buch ›An Europa‹ betitelt, dem Tagesgestirn kunstvoll nachgebildet, aufgeprägt eueren Stirnen, auf die Brust als Amulett tätowiert: die internationale Kokarde! Genauestes Visier euch! Strahlender Panzer. Deutlichste brausende Parole. (Aus vor zwei Jahren Geschriebenem.) Es kann heutzutage nur mehr eine Art geben zu schreiben: Politik. Die besten Geister befeuern ... [119]

Herbst 1915

Der Schriftsteller Heinrich Oellers, Verfasser von ›Die eiserne Wehr‹ (»ein guter deutscher Zorn ballt seine Hände in diesen Versen«), stellt eine Anthologie des Titels ›Wehe Dir, England‹ zusammen. Dort steht ein Gedicht von Fritz von Ostini:

43 gegen 5
(Zur Vernichtung der deutschen Kreuzer bei den Falkland-inseln.)

Nach einer Hetzjagd, einer langen,
haben sie unser Geschwader gefangen
und schossen vier Schiffe in den Grund –
vielleicht sind es fünfe schon zur Stund?!
Echt britisch war die ruhmvolle Schlacht,
wie dieser ganze Krieg erdacht:
Auf unser einen mehr als acht!
So haben sie unsere Kreuzer bezwungen
und unsere herrlichen blauen Jungen
zusammengeknallt in letzter Not –
Viele Hunde sind eben des Hasen Tod!
    Halt ein!
Hunde? Jawohl! Aber Hasen? Nein!
Die Unsern waren von solchem Schlag,
daß Übermacht erst sie erwürgen mag,
daß aber nur heller im ewigen Glanz
des Ruhmes erstrahlt ihr Lorbeerkranz,
und daß die Beute des Sieges hernach
viel mehr nicht bedeutet als Scham und Schmach,
trotz ihrem achtfachen Aufgebot –
Viele Hunde wurden der Helden Tod! [124]

GESCHENKE DER NIEDERLAGE

November 1915

In der Monatsschrift ›Die Weißen Blätter‹ (gegründet 1913 in Leipzig) veröffentlicht Heinrich Mann einen Essay über den französischen Schriftsteller Emile Zola. Offiziell spricht Heinrich Mann von französischen Zuständen unter Napoleon III.; was er aber wirklich meinte, liegt klar zutage:

... Demokratie aber ist hier ein Geschenk der Niederlage. Das Mehr an allgemeinem Glück, die Zunahme der menschlichen Würde, Ernst und Kraft, die wiederkehren, und eine Geistigkeit, bereit zur Tat: Geschenke der Niederlage ...

... Die Wahrheit ist da, wir tragen ihren Keim in uns, wir entwickeln ihn durch Arbeit. Wer die Wahrheit hat, erwirbt den Sieg. Niederlage ist eine Bestätigung, daß ihr in Lüge lebtet. Was entscheidet in ›La Débâcle‹? Daß dem Heer der Glaube fehlt. Niemand im Grunde glaubt an das Kaiserreich, für das man doch siegen soll. Man glaubt zuerst noch an seine Macht, man hält es für fast unüberwindlich. Aber was ist Macht, wenn sie nicht Recht ist, das tiefste Recht, wurzelnd in dem Bewußtsein erfüllter Pflicht, erkämpfter Ideale, erhöhten Menschentums. Ein Reich, das einzig auf Gewalt bestanden hat und nicht auf Freiheit, Gerechtigkeit und Wahrheit, ein Reich in dem nur befohlen und gehorcht, verdient und ausgebeutet, des Menschen aber nie geachtet wird, kann nicht siegen, und zöge es aus mit übermenschlicher Macht. Nicht so verteilt die Geschichte ihre Preise. Die Macht ist unnütz und hinfällig, wenn nur für sie gelebt worden ist und nicht für den Geist, der über ihr ist. Wo nur noch an die Macht geglaubt wird, eben dort hat sie aufgehört, zu sein ... Und seht, wohin sie euch bringt! Viele hatten ihr im Frieden widerstanden, hatten gehöhnt, gehaßt und sich zurückgezogen; die Herren des Reiches waren weithin verachtet. Jetzt, da die Feinde dastehen, die eure Herren euch gemacht haben, müssen noch die Letzten sich unterwerfen. Denn jetzt sind die Unterdrücker wirklich, was zu sein, sie so lange frech behaupteten: das Vaterland!

Nicht nur mit kämpfen müßt ihr für sie, die das Vaterland sind, ihr müßt mit fälschen, mit Unrecht tun, müßt euch mit beschmutzen. Ihr werdet verächtlich wie sie. Was unterscheidet euch noch von ihnen? Ihr seid besiegt noch vor der Niederlage. [60]

DIE HEILIGE SACHE

1915

Ich half, ihn zu überzeugen, daß auch das Totschießen unter Umständen nicht, wie er meinte, ein gottloses Morden, sondern ein gottgefälliges Tun, ein heiliger Dienst sein könne ... War

der Krieg ein Gottesdienst und eine heilige Sache, so ziemt es
sich auch, ihn zu führen, wie man eine heilige Sache treibt.

Prof. D. Kittel [29]

Linienschiff »Helgoland«, 2. Dezember 1915

Das Kupfer ist im Deutschen Reich knapp, deshalb sammelt
man überall das überflüssige Altmetall. Auch bei uns. Der Kommandant ging mit gutem Beispiel voran, ließ in seiner Kajüte
alles unnötige Zeug, wie Türschildchen, Gardinenstangen,
Stützen und dergleichen entfernen und auf der Werft abgeben.
Schön so! Auf unseren Utensilienkästen befindet sich vorne
ein starkes Messingloch mit dem Namen des Besitzers. Auch
diese wurden abgenommen und korporalschaftsweise einge-
sammelt. Hätte man uns unter Begründung der Metallnot
anheimgestellt, diese Dinger freiwillig abzuliefern, weiß Gott,
wir alle hätten es gern getan. Der Zwang aber erzeugt leicht
Gegendruck, und deshalb weigerten sich einige, ihre Namens-
schilder abzugeben. Sie taten dies mit der einleuchtenden Begründung, daß sie die Schilder laut Ausweis ihres Kleiderkon-
tobuches bezahlt hätten, sie folglich ihr Eigentum seien. Einer
derselben, Matrose Fischer, kam deshalb zum Rapport und
erhielt acht Stunden Strafexerzieren. Wie zum Hohn stellte ihm
der Erste Offizier anheim, sich darüber zu beschweren... Sich
zu beschweren ... Überhaupt dieser Erste Offizier! Wir
wünschten ihn schon längst dahin, wo der Pfeffer wächst. Sein
erstes war, eine Exerzierabteilung einzuführen, und jedem
Offizier war das Recht gegeben, einen dahin zu bringen. Man
kann sich denken, wie dies ausgenützt wird. Jeder zweite Satz
lautet: Sie wollen wohl in die Exerzierabteilung? [21]

Hamburg, 15. Dezember 1915

... In meinem Hause hielt am 12. ds. Mts. auf einem Herren-
abend der Leiter des Deutsch-Türkischen Wirtschaftlichen Ver-
bandes, Herr Dr. Jäckh, einen Vortrag über seinen kürzlich
beendeten Besuch in Konstantinopel. Es ist wunderbar, wie
heute in den Köpfen hochintelligenter deutscher Männer sich

die Zukunft malt; sie sehen das Heil Deutschlands in der noch engeren politischen und wirtschaftlichen Verbrüderung mit Österreich-Ungarn, in dem möglichst weitgehenden Engagement Deutschlands auf dem Balkan und in der Allianz mit der Türkei. Man fängt an, dieses Ziel heute als das Kriegsziel zu betrachten. Es ist doch zu lächerlich, etwas als Erfolg sich auszumalen, was man in friedlichen Zeiten schon immer und unter tausendfach besseren Bedingungen hätte haben können. Was bedeutet denn für uns das berühmte Schlagwort Berlin-Bagdad? Doch weiter nichts als daß wir ein erhebliches Stück des ohnehin schon durch den Krieg so sehr verkleinerten deutschen Nationalvermögens nach Österreich-Ungarn, nach der Türkei und nach dem Balkan tragen sollen.

Die Bankiers, welche vor dem Kriege diesen Ländern unser gutes Geld anvertrauen sollten, wichen scheu zurück und ließen sich nur durch weitgehende Sicherheiten dazu bewegen, diesen faulen Schuldnern entgegenzukommen. In Zukunft glaubt man, daß das deutsche Volk selig sein wird, seine Ersparnisse in der Türkei, auf dem Balkan und in Österreich-Ungarn anzulegen. Mit anderen Worten: die Gedankenkreise der meisten – selbst der besten – Politiker sind sehr eng geworden. Sie verzichten auf die Beziehungen zu unseren gegenwärtigen Gegnern, mißtrauen den Neutralen, als ob diese nicht auch nach Zwangsgesetzen handeln müßten und suchen ihr Heil in dem Zusammenschluß mit Völkern, die wir vor $1^1/_2$ Jahren noch das »Hospital Europas« genannt haben. Statt seine Blicke auf See und Übersee zu werfen, halten wir das Heil Deutschlands in dem völkerlosen Kleinasien, und statt mit aller Macht die freie See zu erobern, gehen wir mit offenen Augen auf diese wenig kreditwürdigen Bundesbrüder los.

Die Situation ist augenblicklich eine besonders unbehagliche, weil man nicht weiß, wie die Sache nun weitergehen soll. Zweifellos bleibt der erfolgreiche Durchbruch im Westen das sicherste Mittel zur Herbeiführung eines guten Friedens. Darüber aber, ob man diesen Durchbruch mit Erfolg vollziehen kann, sind sich die Gelehrten ganz uneinig. Falkenhayn hüllt sich, wie man mir sagt, in Schweigen, Ludendorff ist mehr für eine Ausdehnung unserer Operationen nach Kiew, während Herr von Seeckt glaubt, daß man mit 10 vollen Armeekorps den Durchstoß wagen kann. [61]

1915

In einer Flugschrift ›Wucher und Kriegsgewinn‹ von H. Potthoff heißt es:

Der Wucher ist Verkehrssitte in Deutschland geworden! Das klingt hart, ist aber erweislich wahr. Die Behörden erkennen das im Grunde an und bekämpfen nur »Auswüchse« der allgemeinen Preistreiberei. Wenn Hunderttausende unsrer Brüder bluten, andre Hunderttausende Beruf und Erwerb verlieren, um die Grenzen zu schützen, dann darf es nicht geduldet werden, daß Daheimgebliebene aus ihren Gräbern und Nöten sich Reichtümer zusammenscharren. Und wenn alle Mittel aufgewandt werden, um ein Durchhalten des Reiches und des Volkes zu ermöglichen, dann dürfen nicht kluge Produzenten oder Spekulanten die Vorräte einschließen, die Preise treiben, dadurch Tausenden von Familien das Durchhalten erschweren und dem Reiche die Kriegskosten um Hunderte von Millionen unnötig steigern. Es darf an diesem Kriege niemand zum reichen Manne werden. – Die steuerlichen Maßnahmen selbst sind nicht schwer, wenn nur der Wille vorhanden ist, an der rechten Stelle richtig und derb anzufassen. [5]

DIE NOT AN FETTEN

Albert Ballin an General von Stolzmann (Generalstabschef der Armeegruppe von Linsingen):

Hamburg, 15. Dezember 1915

... In der ärmeren Bevölkerung der deutschen Großstädte ist die Stimmung eine verdrießliche geworden, besonders hervorgerufen durch die Lebensmittelfrage. Die deutsche Arbeiterbevölkerung und besonders die Frauen wollen von einer Einschränkung nichts wissen, und die Not an Fetten, welche gegenwärtig noch recht groß ist, erzeugt bei ihnen eine sehr kritische Stimmung. Die Tage, an welchen das deutsche Volk zufrieden war, ihre Kartoffel mit Salz zu essen, sind vorbei; man verlangt Butter, Margarine oder wenigstens Schmalz ... [61]

Linienschiff »Helgoland«, 24. Dezember 1915

Am Heiligen Abend mittags war natürlich erst mal Musterung. Dabei ist die Hauptsache, daß die Leute alle reines weißes Zeug anhaben. Der »Erste« hielt eine Ansprache, ermahnte die Leute, sich nicht etwa an dem von zu Hause geschickten Schnaps zu besaufen. Um 3 Uhr war wieder Musterung, darauf folgend gemeinsamer Gottesdienst. Mit vieler Mühe konnte uns der Divisionsfeldwebel dazu bewegen, das Bäumchen zu schmücken. Endlich erbarmten sich doch ein paar Mann darüber. Ein besonderes Kapitel gebührt hier den sogenannten Transparenten. Sie bieten sozusagen die einzige Gelegenheit im Jahre, die kleinen und großen Fehler der Vorgesetzten ungestraft zu verhöhnen. Es sind dies große Plakate aus Pappe, auf welchen die betreffende Szene entweder aufgemalt oder, um sie wirkungsvoller zu machen, ausgeschnitten, mit Fließpapier hinterklebt und hinter ein Licht gestellt wird. Wollen nun die Leute ihren Divisionsoffizier ärgern, ohne aber viel Geist dabei zu verschwenden, so schneiden sie in das Plakat folgendes Sprüchlein: »Wir wünschen uns nicht Wein und Bier, / aber einen andern Divisionsoffizier.«

Ein Plakat befaßte sich gar mit dem unbedachten Ausspruch des Ersten Offiziers, daß den Matrosen täglich 25 auf den A... gehören. [21]

DIE STRATEGIE DES VERBLUTENS

Weihnachten 1915

In einem Vortrag vor dem Kaiser gibt der Chef des Generalstabes des Feldheeres, von Falkenhayn, einen Überblick über die Lage an den Fronten. Für Frankreich schlägt er die Strategie des Verblutens vor, die zu den Opfern von Verdun führen sollte.

Es wurde bereits betont, daß Frankreich in seinen Leistungen bis nahe an die Grenze des noch Erträglichen gelangt ist – übrigens in bewundernswerter Aufopferung. Gelingt es, seinem Volke klar vor Augen zu führen, daß es militärisch nichts mehr zu erhoffen hat, dann wird die Grenze überschritten, England sein bestes Schwert aus der Hand geschlagen werden. Das zweifelhafte und über unsere Kraft gehende Mittel des Massendurchbruchs ist dazu nicht nötig. Auch mit beschränkten Kräften kann dem Zweck voraussichtlich Genüge getan werden. Hinter dem französischen Abschnitt der Westfront gibt es in Reichweite Ziele, für deren Behauptung die französische Regierung gezwungen ist, den letzten Mann einzusetzen. Tut sie es, so werden Frankreichs Kräfte verbluten, da es ein Ausweichen nicht mehr gibt, gleichgültig ob wir das Ziel selbst erreichen oder nicht. Tut sie es nicht, und fällt das Ziel in unsere Hände, dann wird die moralische Wirkung in Frankreich ungeheuer sein ... Die Ziele, von denen hier die Rede ist, sind Belfort und Verdun. [81]

DIE AUFLAGEN DES KRIEGSREDNERS

Dezember 1915

Johannes Müller, Herausgeber der ›Grünen Blätter‹, Lebensphilosoph und Gesundheitsapostel, macht in Lebenshilfe. Er sammelt seine Anhänger zuerst auf Schloß Mainberg, später auf Schloß Elmau in Oberbayern. Dort kann man sich gegen gutes Geld sammeln. Vor allem innerlich, evangelisch (aber nicht kirchlich) und patriotisch. Bei Kriegsausbruch beantwortet er die Frage »Wie soll sich der Christ zum Kriege stellen?« mit »Wir haben nicht zu fragen, sondern zu marschieren, zu folgen, zu gehorchen!« Sofort macht er sich als Wanderprediger auf, um in diesem Sinne zu wirken. Er spricht über ›Krieg als Weltgericht‹, ›Krieg als Lehrmeister des Lebens‹, über ›Heroische Weltanschauung‹, über ›Ein freies Volk auf freiem Grund und Boden‹ und ähnliches. Seine Kriegsreden des Jahres 1915 läßt er drucken; sie werden wie folgt verkauft:

›Der Krieg als Schicksal und Erlebnis‹	42 900 Exemplare
›Der Krieg als Not und Aufschwung‹	32 852 Exemplare
›Der Krieg als Gericht und Aufgabe‹	31 765 Exemplare
›Der Tod fürs Vaterland und die Hinterbliebenen‹	33 800 Exemplare
›Der Krieg als religiöses Erlebnis‹	10 900 Exemplare

[104]

24. Dezember 1915

Die ›Frankfurter Zeitung‹ veröffentlicht ganz sachliche Betrachtungen über Politik und Strategie und druckt dabei aus dem Clausewitzschen Werke ›Vom Kriege‹ gegen den häufig mißverstandenen Satz von der Fortsetzung der Politik mit anderen Mitteln folgende Stelle ab: »Der politische Zweck ist das Motiv des Krieges, ihm bleibt dann auch die erste und höchste Rücksicht, ohne dabei ein despotischer Herrscher zu sein . . . Die Politik wird also den ganzen kriegerischen Akt durchziehen und einen fortwährenden Einfluß auf ihn ausüben, soweit es die Natur der in ihm explodierenden Kräfte zuläßt . . . Der militärische Gesichtspunkt hat sich dem politischen unterzuordnen. Das Unterordnen des politischen Gesichtspunktes wäre widersinnig, die Politik hat den Krieg erzeugt.«

Der Kaiser war über den ihm vorgelegten Artikel im höchsten Grade empört. Unter Milderung der in der ersten Aufwallung angewandten Kraftausdrücke lauteten seine Vermerke (Randbemerkungen) so:

»Verschleierter Angriff auf mich und F. (v. Falkenhayn). Halbwahre Angaben sind unzutreffende Zitate. Basis für Aufbau unwahrer verwirrender Schlüsse. Machwerk ist sofort von der Wilhelmstraße coram publico zu vernichten. Gelingt der Wilhelmstraße nicht, die Giftpflanze auszurotten, so wird sie von ihrem Gifte mitgetroffen werden. Politik hält im Kriege den Mund, bis Strategie ihr das Reden wieder gestattet.« [34]

NUR GEISTIGE WAFFEN ENTSCHEIDEN

Helmuth von Moltke d. J., Generaloberst, nach dem Rückzug an der
Marne im September 1914 aus Gesundheitsgründen verabschiedet, geht
in einem Brief an den Verleger Eugen Diederichs auf dessen Plan der
Gründung einer »deutschen Gesellschaft« näher ein:

Berlin, 1. Januar 1916

Geehrter Herr.

Mit großer Aufmerksamkeit habe ich Ihren Aufsatz über die
Gründung der deutschen Gesellschaft gelesen. Ich habe auch
die anderen Artikel der Nummer der ›Tat‹ gelesen, die Sie mir
freundlichst übersandt haben, und ich will Ihnen erklären, daß
der Geist und die Gesinnung, die in ihnen walten, in mir freudige Zustimmung gefunden haben. Das Programm Ihrer Zeitschrift: Alles umfassend, was ernsthaft der Erneuerung des
Lebens zustrebt, die Erneuerung Deutschlands aus den irratio-
nalistischen Anlagen seines Volkstums heraus – umfaßt die
Gedanken, die auch mich bewogen haben mich an der Gründung
der deutschen Gesellschaft zu beteiligen. Daß uns eine Erneuerung des geistigen Lebens bitter not tut, war mir Gewißheit
schon lange bevor dieser Krieg unser Volk auf die Goldwaage
der Weltentwicklung legte und mit ganzer Seele habe ich gehofft,
daß es sich wert erweisen möge der hohen Aufgabe, die ihm die
Weltlenkung gestellt hat. Hier handelt es sich um geistige Waffen,
nur mit ihnen kann die Zukunft bezwungen werden. Es liegt so
unendlich viel Ideales, nach oben Strebendes in der Seele unseres
Volkes. Lange war es unterdrückt durch die dicke Schicht
materiellen Lebens, es durchbrach sie, als der Krieg die Äußer-
lichkeiten des Daseins verschwinden ließ vor dem idealen Sturm
der Vaterlandsliebe der alle Herzen durchbrauste. Wenn Gott
unser Volk lieb hat, wird er diese geistige Erhebung ihm bewahren. Aber Jeder muß dazu mitarbeiten. Das wollen Sie mit
ihrer Zeitschrift und das wollte ich mit dem Inslebenrufen einer
Gesellschaft die nicht wie Sie sagen ein »politischer Club« sein
soll, sondern ein Versammlungsort aller Geister, die die Kraft
haben, Einzelwünsche und Bestrebungen im Dienste des deutschen Einheitsgedankens zurück zu stellen. In Klassen geschieden, in Parteien getrennt, haben wir uns vor dem Kriege kaum

erkannt. Die Schranken die der Egoismus der Einzelexistenz zwischen uns aufgerichtet hatte, wollten wir niederlegen und Mensch dem Menschen nahe bringen. Gewiß, Sie haben Recht, es wird darauf ankommen dem Seelenadel zum Sieg über den Geschäftsgeist zu verhelfen. Die Pflänzlein zu pflegen die schon seit Jahren in vielen Menschen wuchsen und von deren stiller Entfaltung sich Jeder überzeugen konnte, der mit offenen Augen in unser Volksleben hineinsah. Sie stellen der Gesellschaft kein günstiges Prognostikon. Vielleicht haben Sie recht. Über die Schwierigkeiten, die uns seit Jahrzehnten anerzogene mechanische Lebensauffassung zu überwinden, sind wir alle uns von Anfang an klar gewesen. Aber man darf vor den Schwierigkeiten nicht zurück scheuen wo es sich um Großes handelt. Immerhin wird ein idealer Gedanke einmal in die Realität hinein geboren gewesen sein. Es ist bekannt, daß wenn man einen Wald auf einem Boden aufforsten will, der vorher kein Waldboden war, die erste Anpflanzung oft nach einer Reihe von Jahren zu Grunde geht, aber die zweite gedeiht dann. Man muß nur nicht verzagen. Gelingt der Wurf diesmal nicht, so wird eine spätere Generation den einmal geborenen Gedanken wieder aufnehmen. Wir müssen für die Zukunft arbeiten. Wir gehen bald dahin, aber unser Volk soll in die kommenden Jahrhunderte hinein leben, es soll nach oben leben und jedes Samenkorn, das jetzt gelegt wird, wird einmal aufgehen. Das ist meine Hoffnung und Zuversicht und mein Glaube an die Weltmission unseres Volkes.

Aufrichtig der Ihrige
Moltke, Generaloberst [91a]

VATER UND SOHN

Januar 1916

Die ›Süddeutschen Monatshefte‹ in dem Artikel ›Zwiesprache‹:

Vater Dürfen wir uns also dieses Krieges freuen?

Sohn Ja. Weil er eine gewaltige Probe unseres Wesens und Wachsens ist, die wir bestehen wollen.

Vater Aber wie dürfen wir uns seiner freuen?

Sohn Wie einer, der die Tränen der Mütter und Frauen gesehen hat, den Schmerz der Verstümmelten und die lebenslange Sehnsucht der Witwen und Waisen.

Vater Welcher Trost aber hebt uns über all dies Elend wie mit Adlersflügeln empor? Sag es mit einem Wort.

Sohn Deutschland.

Vater Und wenn ich selber –

Sohn Vater!

Vater Jeder muß jetzt dem Letzten ruhig ins Auge blicken. Wenn ich selber nicht zu euch zurückkehre, mein Kind, mit welchem Gedanken weißt du, faß' ich all mein Glauben, Lieben und Hoffen im Tode zusammen? Sag es mit einem Wort.

Sohn Mein Vater, Deutschland.

Vater Und ihr Überlebenden alle, welches unendliche Werk bleibt euch, welcher ewige Garten, in den ihr alles Unsagbare dieser Zeiten einpflanzt, Liebe und Leid, Grimm und Qual, Hoffnung und Hingebung, Stolz und Demut, wie unsere Toten alles in ihn eingepflanzt haben – sag es, mein Sohn, mit einem Wort.

Sohn Deutschland. [59]

KINDES STIMME

1916

Die Zeitungen veröffentlichen ein Gedicht von Charlotte Schallert, 13 Jahre alt, Schülerin einer Berliner Gemeindeschule:

So manche Mutter muß schon sagen
und zu ihren Kindern klagen:
»Unser Vater lebt vielleicht nicht mehr.«
Und wenn sie abends schlafen gehn,
bleibt Mutter vor der Haustür stehn. –
»Liebe Mutter, auf wen wartest du?«
»Ach liebes Kind,
ich weiß nicht, ob uns Vater wiederfind'.« [97]

VOLK DER TÄNZER UND DER GEIGER

Januar 1916

Der Österreichische Almanach auf das Jahr 1916 wird eröffnet mit einem längeren Gedicht von Anton Wildgans: ›Das große Händefalten, ein Gebet für Österreichs Volk und Kämpfer‹. Dort heißt es u. a.:

Und deines Friedens schwergekränkter Engel
Geht weinend durchs verlaßne Heiligtum.

Wir hätten seine Tränen gern vermieden,
Wir lechzen nicht nach Menschenpein und Streit,
Denn was wir sind, sind doppelt wir im Frieden,
Und was wir können, blüht aus Heiterkeit.

Wir sind umwirkt vom holdesten Betören,
Die Landschaft sänftigt jeden Sorgenblick
Und ladet ein zu süßem Ihrgehören,
Zu Wein und Liebe, Rührung und Musik.

Musik ist unsrer jungen Menschen Schreiten,
Musik, von allen Hängen jubelt sie,
Und selbst der großen Städte Nüchternheiten
Berückt die allgemeine Melodie.

Das macht das Leben wert, die Herzen weicher,
Die Sinne fein, das Urteil menschlich-mild,
Das macht den Künstler, macht den Österreicher
Und schafft aus Träumern Helden, wenn es gilt.

Denn immer noch, wenn des Geschickes Zeiger
Die große Stunde der Geschichte wies,
Stand dieses Volk der Tänzer und der Geiger
Wie Gottes Engel vor dem Paradies.

Und hat mit rotem Blut und blanken Waffen,
Zum Trotze aller Frevelgier und List,
Sich immer wieder dieses Land erschaffen,
Das ihm der Inbegriff der Erde ist.

Erwäge dies in deinem dunklen Walten,
Unendlicher, der Schmach und Sieg verleiht!
Denn unser großes stummes Händefalten
Ist nur gerichtet auf Gerechtigkeit. [44]

Weihnachten im Felde!

Asbach „Uralt"

alter deutscher Cognac

Weitere beliebte Marken: Asbach „Echt" und Asbach „Alt".

Die Cognacbrennerei Asbach & Co. zu Rüdesheim a. Rh. erhielt von vor dem Feind kämpfenden deutschen Offizieren das nachstehende reizende Gedicht über ihre

Feldpostbriefe mit Asbach=Cognac:

Beim Heulen der Granaten,
Im Hagel der Schrapnell,
Labt uns zu frischen Taten
Ein wunderbarer Quell.

Er ist so sanft, so milde,
Beseitigt jede Pein,
Führt Arges nicht im Schilde,
Nur Labsal will er sein.

Im Sonnenbrande feuchtend
Den ausgedörrten Schlund,
In Kälte wärmend, leuchtend
Bis in der Seele Grund.

Stets ist er uns willkommen,
Der liebe Trautgesell,
Gern wird er eingenommen,
Der Asbach „Uralt"=Quell.

Drum Deutsche, bei dem Fechten
Stärk' Euch der Geist aus Wein;
Doch nehmt nur von dem echten,
Dem „Uralt"=Quell am Rhein!

G.... Major.   J.... Leutnant u. Adjutant.

12. Januar 1916

Durch die Presse geht eine Notiz (deren Kenntnis wir Frau Thea Sternheim verdanken):

Das Deutsche Theater [Berlin] hatte der hiesigen Zensur acht Stücke der fragwürdigen Kunst Carl Sternheims eingereicht. Von diesen sind, wie die ›Vossische Zeitung‹ meldet, nicht weniger als sieben verboten worden. Das Deutsche Theater hat im vorigen Kriegswinter mit Rücksicht auf den herrschenden Geist nationaler Besonnenheit und auf den Ernst der Zeit davon abgesehen, ein Werk Sternheims aufzuführen, dessen Dichtungen sonst zu dem ständigen Stoff dieses Theaters gehören. Was nicht der Größe und Würde jener ersten Kriegsmonate entsprach, ist natürlich auch im zweiten Kriegswinter nicht geeignet als Kunst dem deutschen Volke vorgesetzt zu werden und was jener auf das Würdige und Nationale gerichteten Gesinnung nicht stand-zuhalten vermochte, sollte überhaupt nicht mehr ans Tageslicht gezogen werden. Wozu machten wir denn mit allem Nichtigen und Undeutschem damals Kehraus? Halten wir uns doch auch die Zukunft frei von ihm. So wird das Verbot der sieben Sternheims auch überall zustimmendes Verständnis finden. [118]

BRIEF AN DEN KAISER

Berlin, 26. Januar 1916

Allerdurchlauchtigster, großmächtiger Kaiser und König, Aller-gnädigster Kaiser, König und Herr!

Euer Majestät bitten die untertänigst Unterzeichneten in aller Ehrfurcht vortragen zu dürfen: Während unsere herrlichen Truppen von Sieg zu Sieg schreiten oder in bewundernswerter Ausdauer den Stellungskrieg in den Schützengräben durch-halten, sind die in der Heimat gebliebenen Teile unseres Volkes, insbesondere soweit sie den ausgesprochen monarchisch gesinn-ten Schichten angehören, in ihrer Mehrzahl von banger Sorge um die Zukunft des Vaterlandes erfüllt. Nicht etwa, weil sie von dem Siege unserer Waffen nicht überzeugt wären, sondern weil sie zu den verfassungsmäßig verantwortlichen Stellen nicht das Vertrauen haben, daß das politische Ergebnis dieses Krieges von ihnen so gestaltet wird, wie es den gewaltigen Opfern an Gut und Blut entspricht. Die untertänigst Unterzeichneten gehören den verschiedensten Teilen unseres Vaterlandes an, wie den verschiedensten Ständen und Kreisen. Ew. Majestät finden darunter Männer der Wissenschaft, der freien und praktischen Berufe, alte Angehörige des Heeres und der Flotte. Sie führt, wenn sie jetzt in absichtlich eng begrenzter Zahl vor Ew. Majestät treten, die Sorge um das Vaterland und der Wunsch zusammen, drohende Gefahren von ihm abzuwenden ... Ebenso würde es die Monarchie schädigen, wenn der Frieden, die militärische Möglichkeit vorausgesetzt, unserem Volke nicht einen Siegespreis brächte, der die furchtbaren Blutopfer nicht als vergebens gebracht erscheinen ließe. Ein Kampf ist unserem guten Volke aufgezwungen worden, der nach den Absichten unserer Feinde unsere Vernichtung bringen sollte ... Wir haben allzuviel Grund zu der Befürchtung, daß die verantwortlichen Stellen zu diesen weiteren Schritten nicht bereit sind und dadurch unserem Volke eine in ihren Folgen für das politische Leben unübersehbare Enttäuschung bereiten würden. Aus den ärgsten Sorgen um die Zukunft heraus für das kraftvolle Weiterbestehen des deutschen Kaisertums richten wir an Ew. Majestät die alleruntertänigste Bitte, die Maßnahmen gnädigst anordnen zu wollen, die geeignet sind, die drohende Gefahr abzuwenden. Mit tiefstem Dank würde es die ehrerbietigst Unterzeichneten erfüllen, wenn Ew. Majestät die Gnade haben wollten, einen oder mehrere aus unserem Kreise zum Vortrag zu befehlen, und damit Gelegenheit geben würde, unsere Sorgen und Wünsche des näheren zu begründen. In tiefster Ehrfurcht verharren Ew. Majestät untertänigste und allergetreueste

Otto Fürst zu Salms-Horstmar; Dr. Freiherr von Zetto-Reichertshausen; von Knorr, Admiral; Freiherr von Gebsattel; General der Kavallerie, Bamberg; Dr. Hellmut Hopfen-Starnberg; Alexis Fürst zu Bentheim und Steinfurt; Graf von Roon; Karl Freiherr von Thüngen; Ritter von Michel; Karl Freiherr von Stengel; Max von Guilleaume, Köln; etc. [36]

KAISERS GEBURTSTAG

Aus den Kriegstagebüchern des Admirals Georg Alexander von Müller:

Pless, 27. Januar 1916

Gottesdienst. Abends wieder eine Art Festtafel mit unendlich langem Herumstehen und Bewundern des von Prof. Adam gemalten Reiterbildnisses des Kaisers. Der Kaiser findet sich selbst sehr schön. Der Prinz Heinrich [Bruder des Kaisers] macht dem alten Superintendenten Nowack klar, daß man den Kaiser »anbeten« müsse. Im übrigen macht er in alldeutschen Eroberungsplänen. [48]

DIE FLINTEN UMDREHEN?

Der Student Johannes Haas schreibt aus dem Schützengraben:

29. Januar 1916

An Reinhold von meiner Gruppe schreibt seine Frau, daß bis auf die notwendigen Betten alle Möbel im Pfandhaus seien. Natürlich die Leutnants wundern sich, daß die Leute nicht mehr wollen. Die »Sekt- und Weinkäuze« feiern; wir kommen im Dreck um und erhalten $1^1/_2$ Löffel Abfallmarmelade und 14 Stück Zucker zu Weihnachten. Der Mann, dem der gemeine Soldat einzig noch Sympathie und Vertrauen entgegenbringt, ist der Schreihals Liebknecht. »Scheidemann und Legien sollen zu den Agrariern gehen; als Sozialdemokraten sehen sie den Reichstag nicht wieder.« Das ist die Stimmung der Feldgrauen, nicht das Gefasel der Berichterstatter. Trotzdem glaube ich nicht an das geflügelte Wort: »Frieden gibt's erst, wenn wir die Flinten umdrehen.« Aber furchtbar wird es einst tagen. Wohl dem, der im Glauben an sein Vaterland dann der Ewigkeit entgegenschlummert; denn das wird schlimmer als der Krieg. [55]

DIESE ESEL

Über die Folgen des verschärften U-Boot-Krieges – der sechs Tage später erklärt wurde – schreibt Max Weber:

Berlin, 23. Februar 1916

Wenn nur die verrückten Alldeutschen und Reichs-Marine-Leute uns nichts einbrocken! Die Folge ist erstens, daß unsere halbe Handelsflotte – ein Viertel in amerikanischen, ein Viertel in italienischen Häfen! – konfisziert und gegen uns verwendet wird, so daß also zunächst eine Vermehrung der englischen Schiffszahl eintritt – was diese Esel nicht berechnen – zweitens daß wir 500000 amerikanische Sportsmen als Freiwillige, glänzend gerüstet, gegen unsere müden Truppen bekommen – was diese Esel nicht glauben – drittens 40 Millionen Mark bares Geld für die Gegner – viertens noch drei Jahre Krieg, also sicherer Ruin – fünftens Rumänien, Griechenland etc. gegen uns, und alles: damit Herr Tirpitz »zeigen kann, was er kann«. Etwas Blöderes ist nie erdacht worden. [23]

FALSCHE ERWARTUNGEN

28. Februar 1916

Der Richter Rudolf Borchardt, jetzt als Unteroffizier im Felde, hält auf Veranlassung der »Deutschen Gesellschaft 1914« in Berlin einen Vortrag ›Der Krieg und die deutsche Verantwortung‹.

Ich höre zwar ein unsinniges Fordern und Rechnen hier im Lande herumgehen und traue meinen Ohren nicht, wenn ich darauf horche. Ich höre von Annexionen reden, als ob sie mit dem Abmarken einer neuen Grenze auf dem Kartenpapiere zu beschließen und zu verwirklichen seien, von Summen der Entschädigung, als deren Maßstab unsere Verluste an Leib, Gut und Ehre zu gelten hätten, und die ins Weitere in dem Maße wachsen sollen, in dem unsere Verluste an Leib, Gut und Ehre täglich zunehmen. Ich begegne Vorstellungen wie des Ungeheuerlichen, daß man uns bezahlen könne, was fast unsere Herzen gebrochen hat, und bezahlen müsse, was unsere Häuser und unsere Herzen verwaist. Man rechnet mir vor, in wieviele Quadratkilometer Landes meine unglücklichen Kameraden, die seit Monaten als Mumien im französischen Drahtverhau trocknen, umzusetzen seien, und in wieviel Tausende von Rubeln die ertrunkenen und gesprengten Kompanien der glorreichen und schauerlichen russischen Offensive. Ich soll zugeben, daß, bis man diese Entgelte nicht erzwingt, der Krieg fortgehen müsse mit neuen Sturmkolonnen, die schief ins Maschinengewehr kommen und stürzen, und denen, die auf Tretminen stoßen und in die Luft zersprengt werden, und die ekelhafte und schändliche Rechnung verlängern. Nun, meine Herren, niemand von den Kameraden, die ich vor wenigen Tagen draußen verlassen habe, findet es denkbar, an der Waffe zu erlahmen, ehe das Vaterland ruhig sein kann. Aber keiner von ihnen, das versichere ich Sie, könnte solche Reden mit anderem als Zornrot und Schamrot erwidern. Wir alle haben gelernt, was hier in der Heimat, wie es scheint, noch gelehrt werden kann – das Verzeihen. Wir glauben nicht, daß uns

Lebenden und Toten gelohnt werden kann, was wir dahingeben und dahinzugeben bereit sind. Wir sind weder Rächer im Räubersinne, noch Tauschobjekte des Volkes, sondern seine Söhne und Schützer. [63]

VERBOTENER LUXUS

29. Februar 1916

Die Reichsregierung hat ein Verbot der Einfuhr entbehrlicher Gegenstände erlassen. Die Liste trifft zunächst eine Reihe von Leckereien, die nicht als Vermehrung unseres Nahrungsmittelvorrats angesehen werden können: Mandarinen, Traubenrosinen, Ananas, Ingwer, Vanille, Kaviar, Langusten, Likör, Schaumwein, Zuckerwerk verschiedenster Art. Dann kommen überflüssige Gegenstände der Luxuskleidung, vor allem der weiblichen: Schmuckfedern, Vogelbälge; verschiedene Waren, Kleider und Putzwaren aus Seide, Spitzen oder Stickereien; ferner Baumwolltüll, künstliche Blumen, Schuhe aus Gespinstwaren, Fächer, Hüte, Mützen, Hutstumpen aus Filz, Lederhandschuhe, Pelzwaren. Künstliche Riechstoffe, Riech- und Schönheitsmittel fügen sich hier an, desgleichen ausländische Blumen und lebende Pflanzen einer Reihe von Tarifnummern. Dann Kunstgegenstände, auf deren Bezug vom Auslande wir jetzt verzichten müssen (denken wir dafür um so mehr an unsere heimischen Künstler und Kunstgewerbler!): Gemälde, Edelsteine, Bildwerke und Luxusgegenstände aus Stein, Gold- und Silberwaren, feine Eisenwaren, Kunstschmiedearbeiten, Waren aus unechtem Gold und Silber usw. Und dann – man lese aufmerksam die Liste – noch eine ganze Anzahl verschiedenartiger Waren: Alabaster und Marmor und Waren daraus, ausgestopfte Tiere, Menschenhaare, Waren aus tierischen Schnitzstoffen und Zellhorn, ausländische Briefmarken und Wohlfahrtsmarken (eine Mahnung für allzu eifrige Sammler!), Webstühle, Stahlschreibfedern, Tonwerkzeuge, Kinderspielzeug und eine ganze Reihe von Maschinen und Werkzeugen, wie Phonographen, Rechen- und Schreibmaschinen, Nähmaschinen u. a. m. [3]

Berlin, 9. März 1916

Den Unterzeichnern der Eingabe an den Kaiser (vom 26. Januar 1916)
wurde von seiten des Geheimen Zivilkabinetts mitgeteilt, daß dieser
davon »mit Befremden« Kenntnis genommen habe, und daß er es ablehne,
jeden der Unterzeichner zu empfangen. Fürst zu Salms antwortete auf
diese Abfuhr:

Ew. Exzellenz beehre ich mich, den Empfang des gefl. Schreibens
vom 1. März d. J. zu bestätigen. Aus dem Inhalt desselben glaube
ich folgern zu dürfen, daß S. M. der Kaiser und König die von
mir eingereichte Immediateingabe Allerhöchstselbst nicht gelesen und von den Namen der Unterzeichner und ihrer Lebens-
stellung keine Kenntnis genommen haben. Ich behalte mir daher
vor, einerseits von der Immediateingabe den mir geeignet erscheinenden Gebrauch zu machen, andererseits von dem Inhalt
des Schreibens Ew. Exzellenz Allerhöchsten Orts bei passender
Gelegenheit Meldung zu machen.
Otto Fürst zu Salms. [37]

SEINE ERSTEN ZWEIFEL

Großes Hauptquartier, 10. März 1916

Die Nerven des Kaisers sind bis zum äußersten angespannt. Er
zeigte heute zum erstenmal während des Krieges eine ausge-
sprochene Resignation. Er sagte: »Man darf es ja eigentlich nicht
aussprechen ... aber dieser Krieg endet nicht mit einem großen
Siege. Es wird zu einem Vergleich der kämpfenden Völker
kommen müssen.« [48].

GESPRÄCH MIT ZEPPELIN

25. März 1916, nachts 10 Uhr 30

Der Reichstagsabgeordnete Conrad Haußmann, Führer der württem-
bergischen Demokraten, trifft im D-Zug den Grafen Zeppelin, Erfinder
des lenkbaren Luftschiffes, dessen militärischen Wert man überschätzt
hatte. Haußmann hält das folgende Zwiegespräch sofort in seinem Tage-
buch fest. Er sagte zu dem Grafen:

»Im übrigen komme ich sorgenvoller aus Berlin, als ich vor drei Tagen hingereist bin. Italien und Rumänien wollen den Krieg noch weiter gegen uns ausbreiten.«

»Und bei uns ist kein Mut und keine Kraft, nicht bei der Regierung noch bei dem Kaiser. Ich bin kein blinder Anhänger von Tirpitz und kenne seine Schwächen, aber er hatte doch Kraft und Willen. Bei unserem letzten Zusammensein sagte er zu mir: ›Wir zwei machen's.‹ Und jetzt? Oh, es ist ein Jammer, Herr Haußmann, es ist ein Jammer; wir raffen uns nicht auf, England ins Herz zu treffen. Wir werden geschlagen.«

»Der Luftbombenterror«, sage ich, »vernichtet wenige und empört die Nichtgetroffenen. Die Unterseeboote schrecken, wenn es nur wenige sind, nur eine bestimmte kurze Zeit; ihre Zahl ist ungenügend, England zu blockieren und auszuhungern, ganz abgesehen davon, daß es sich eingedeckt hat. Bis wann wäre der kombinierte Luft- und Wasserangriff genügend vorbereitet?«

»Bis zum Sommer; es hätte bis zum Frühsommer sein können, aber man hat es nicht energisch genug gewollt.« [11]

UNSINN – GEGEN DEN UNSINN DES KRIEGES

Zürich, Frühjahr 1916

Richard Huelsenbeck, ein deutscher Schriftsteller, hebt im Cabaret Voltaire von Zürich die Dada-Bewegung aus der Taufe.

Edle und respektierte Bürger Zürichs, Studenten, Handwerker, Arbeiter, Vagabunden, Ziellose aller Länder, vereinigt euch. Im Namen des Cabaret Voltaire und meines Freundes Hugo Ball, dem Gründer und Leiter dieses hochgelehrten Institutes habe ich heute abend eine Erklärung abzugeben, die Sie erschüttern wird. Ich hoffe, daß Ihnen kein körperliches Unheil widerfahren wird, aber was wir Ihnen jetzt zu sagen haben, wird Sie wie eine Kugel treffen. Wir haben beschlossen, unsere mannigfaltigen Aktivitäten unter dem Namen Dada zusammenzufassen. Wir fanden Dada, wir sind Dada, und wir haben Dada. Dada wurde in einem Lexikon gefunden, es bedeutet nichts. Dies ist das bedeutende Nichts, an dem nichts etwas bedeutet. Wir wollen die Welt mit Nichts ändern, wir wollen die Dichtung und die Malerei mit Nichts ändern und wir wollen den Krieg mit Nichts zu Ende bringen. Wir stehen hier ohne Absicht, wir haben nicht mal die

Absicht, Sie zu unterhalten oder zu amüsieren. Obwohl dies alles so ist, wie es ist, indem es nämlich nichts ist, brauchen wir dennoch nicht als Feinde zu enden. Im Augenblick, wo Sie unter Überwindung Ihrer bürgerlichen Widerstände mit uns Dada auf Ihre Fahne schreiben, sind wir wieder einig und die besten Freunde. Nehmen Sie bitte Dada von uns als Geschenk an, denn wer es nicht annimmt, ist verloren. Dada ist die beste Medizin und verhilft zu einer glücklichen Ehe. Ihre Kindeskinder werden es Ihnen danken. Ich verabschiede mich nun mit einem Dadagruß und einer Dadaverbeugung. Es lebe Dada. Dada, Dada, Dada. [95]

»SO STERBEN WIR«

Zürich, Frühjahr 1916

Hugo Ball, ein deutscher Schriftsteller, jetzt als Emigrant in der Schweiz lebend, hat für das Cabaret Voltaire einen › Totentanz ‹ gedichtet, der dort von Richard Huelsenbeck gesungen wird:

So sterben wir, so sterben wir.
Wir sterben alle Tage,
Weil es so gemütlich sich sterben läßt.
Morgens noch in Schlaf und Traum
Mittags schon dahin.
Abends schon zuunterst im Grabe drin.

Die Schlacht ist unser Freudenhaus.
Von Blut ist unsere Sonne.
Tod ist unser Zeichen und Losungswort.
Weib und Kind verlassen wir –
Was gehen sie uns an?
Wenn man sich auf uns nur
Verlassen kann.

So morden wir, so morden wir.
Wir morden alle Tage
Unsre Kameraden im Totentanz.
Bruder, reck dich auf vor mir,
Bruder, deine Brust,
Bruder, der du fallen und sterben mußt.

Wir murren nicht, wir knurren nicht,
Wir schweigen alle Tage,
Bis sich vom Gelenke das Hüftbein dreht.
Hart ist unsere Lagerstatt
Trocken unser Brot.
Blutig und besudelt der liebe Gott.

Wir danken dir, wir danken dir,
Herr Kaiser, für die Gnade,
Daß du uns zum Sterben erkoren hast.
Schlafe nur, schlaf sanft und still,
Bis dich auferweckt,
Unser armer Leib, den der Rasen deckt. [95]

Berliner Tageszeitungen, Januar 1917

EINE REICHSBEKLEIDUNGSSTELLE

Berlin, 20. März 1916

Um für die minderbemittelte Bevölkerung bei längerer Kriegsdauer die notwendige Bekleidung, in erster Linie das erforder-
liche Unterzeug, zu angemessenen Preisen zur Verfügung zu
haben, wurde eine Reichsstelle für bürgerliche Kleidung (Reichs-

bekleidungsstelle) eingerichtet. Zum Vorsitzenden wurde der sächsische Geheimrat Oberbürgermeister Beutler bestellt. Der Reichsbekleidungsstelle obliegt die Vorbereitung der zu treffenden Maßnahmen, die Bewirtschaftung der Vorräte und ihre Verteilung, sowie die Sorge für Ersatzstoffe. Die Stelle wird zunächst im Einvernehmen mit der Heeresverwaltung festzustellen haben, was von den beschlagnahmten Textilwaren für die bürgerliche Bevölkerung freigegeben und der Reichsbekleidungsstelle überlassen werden kann. Hiernach wird zu prüfen und zu bestimmen sein, was weiter an Rohstoffen, Halb- und Fertigwaren im Reich zu greifen ist, und welche Ersatzstoffe zu beschaffen sein werden. [3]

EINE REICHSZUCKERSTELLE

Berlin, 11. April 1916

Durch eine gestern beschlossene Verordnung des Bundesrats wird zur Regelung des Verkehrs mit Verbrauchszucker eine Reichszuckerstelle errichtet, die für die Verteilung der Zuckervorräte an die Kommunalverbände, gewerbliche und sonstige Betriebe, sowie an die Heeresverwaltungen und die Marineverwaltung zu sorgen hat. Der Reichskanzler bestimmt die Grundsätze für die Bemessung des Zuckerverbrauchs der Zivilbevölkerung. Dabei ist der Bedarf für die Obstverwertung im Haushalt zu berücksichtigen. Er bestimmt ferner, nach welchen Grundsätzen in den einzelnen Kommunalverbänden die vorhandenen Vorräte anzurechnen sind. Die Kommunalverbände haben den Verbrauch von Zucker in ihrem Bezirke zu regeln. Sie können insbesondere vorschreiben, daß Zucker an die Verbraucher nur gegen Zuckerkarten abgegeben werden darf. Die Kommunalverbände haben die Höchstpreise für den Verkauf an die Verbraucher festzusetzen. Die Kommunalverbände können die käufliche Überlassung des in ihren Bezirken vorhandenen Zukkers an sich oder an die von ihnen benannten Stellen oder Personen verlangen. Der Reichskanzler bestimmt, in welchem Umfang und unter welchen Bedingungen Zucker in gewerblichen und sonstigen näher zu bezeichnenden Betrieben bezogen und verwendet werden darf. Die Hersteller von Zucker haben den Weisungen der Reichszuckerstelle zu entsprechen. [3]

24. März 1916

Im Reichstag steht der Notetat zur Debatte; die Sozialdemokraten haben beschlossen, für ihn zu stimmen, sie wollen aber nicht den Vertreter ihres linken Flügels, Hugo Haase, zu Wort kommen lassen. Haase spricht dennoch, es kommt zu Tumultszenen, und – nach der Sitzung zur Gründung einer eigenen Fraktion der »Sozialdemokratischen Arbeitsgemeinschaft«, von insgesamt 18 Abgeordneten. Aus der Arbeitsgemeinschaft geht eine neue Partei unter dem Vorsitz Haases hervor, die »Unabhängige Sozialdemokratische Partei Deutschlands«.

Haase: ... Aber nach den Erfahrungen dieses Krieges spricht alles dafür, daß auch unser Heer trotz großer militärischer Erfolge die Gegner nicht so schlagen wird, daß sie auf die Knie gezwungen werden können. Zwei mächtige Koalitionen stehen einander gegenüber und am Schlusse des fürchterlichen Ringens wird es wahrscheinlich weder Sieger noch Besiegte [lebhafte Rufe: Oho! – Glocke des Präsidenten – Unruhe – Rufe: Abwarten!] in Wahrheit wohl nur besiegte, aus Millionen Wunden blutende Völker geben. [Große Unruhe. Der Präsident unterbricht den Redner.] Haase setzt seine Rede fort, wird aber immer wieder unterbrochen.

Präsident: Herr Abgeordneter Haase, Sie haben zu schweigen, wenn die Glocke des Präsidenten ertönt! Ich rufe Sie nochmals zur Sache, und nunmehr bitte ich die Herren, Platz zu nehmen. Ich frage nunmehr das Haus, ob es dem Herrn Abgeordneten Haase das Wort weiter gestatten will. Ich bitte die Herren, die es ihm nicht weiter gestatten wollen, sich von ihren Plätzen zu erheben. [Geschieht. – Rufe: Auch Sozialdemokraten! – Lebhaftes Bravo.] Das ist die Mehrheit. [Mehrfache Rufe von den Sozialdemokraten: Gegenprobe! – Andauernde Bewegung.]

Staatssekretär Helfferich: Meine Herren, ich war als Vertreter der verbündeten Regierungen und als Leiter der Reichsfinanzen genötigt, in Erfüllung meiner Pflicht den Ausführungen des Herrn Abgeordneten Haase hier beizuwohnen. Wenn ich nicht in Erfüllung meiner Pflicht hier festgehalten gewesen wäre, so hätte ich selbstverständlich den Saal verlassen. Meine Herren, ich kann vor diesem hohen Hause und vor dem ganzen deutschen Volke nur das tiefste Bedauern und die stärkste Entrüstung aussprechen, daß ein Mann, der sich Vertreter des deutschen Volkes nennt – ich sage: ein Mann, der sich Vertreter des deutschen Volkes nennt –, es wagt, von dieser Tribüne aus Worte zu sprechen, die geeignet sind, unseren Feinden in ihrer schweren Lage das Herz und den Rücken zu stärken und so zur Verlängerung des Krieges beizutragen. Meine Herren, wenn jemand zu bestreiten und zu leugnen wagt, daß dem deutschen Volke heute im 20. Kriegsmonat nach all den schweren Lasten, die es getragen hat, aber auch nach all den großen Erfolgen, die wir auf jedem Felde errungen haben, die Zuversicht dafür fehle, daß wir siegen werden, so gibt es kein Wort, das scharf genug wäre, um das zurückzuweisen ... Das deutsche Volk hat durch die glänzende Zeichnung der Kriegsanleihe gezeigt, daß ihm die Gesinnung, die der Herr Abgeordnete Haase hier bekundet hat, so fremd ist, wie irgend etwas in der ganzen Welt ihm nur sein kann. [Brausender Beifall und Händeklatschen auf allen Seiten des Hauses. – Vereinzeltes Zischen bei den Sozialdemokraten.]

Haase: Der Herr Staatssekretär hat den Mut gehabt, anzuzweifeln, ob ich ein echter Volksvertreter sei. Darüber steht ihm eine Kompetenz nicht zu. Nur das eine will ich ihm sagen, daß mir in allen Ländern diejenigen die besten Patrioten zu sein scheinen, die nach 20monatigem, blutigem Ringen versuchen, für eine Verständigung der Völker, für eine Abkürzung des Krieges zu wirken, und nicht diejenigen, die gerade zu einem weiteren blutigen Ringen treiben! [16]

IMMER DARAN DENKEN

März 1916

Die ›Leipziger Volkszeitung‹ berichtet:

Ein patriotischer Nachtwächter sang in einem benachbarten Dörfchen dieser Tage: Hört, ihr Leute, laßt euch sagen, die Glock' hat zehn geschlagen, bewahrt das Feuer und das Licht, vergeßt die Kriegsanleihe nicht. [40]

NATURGESCHICHTE EINER DEPORTATION I

Lille, 25. März 1916

Durch Plakatanschlag und durch den ›Liller Anzeiger‹ (Nr. 144 vom 30. März) wird bekanntgegeben:

Erwerbslose Arbeiter beiderlei Geschlechts aus der Stadt können mit ihren Familien auf dem Lande untergebracht werden, im Norddepartement, wo sie Gelegenheit zu besserem Lebensunterhalt durch landwirtschaftliche Arbeiten und andere Beschäftigung finden.

Anträge auf Unterbringung auf dem Lande müssen ohne Verzug beim Bürgermeisteramt gestellt werden, unter genauer Angabe von Namen, Wohnort, Beruf, Zahl und Alter aller Familienmitglieder.

Schriftliche Anmeldungen werden vom 27. März 1916 ab am Schalter des Unterstützungsamtes (1. Stockwerk des Bürgermeisteramtes) täglich von 10–1 Uhr vormittags und 3–6 Uhr nachmittags (deutsche Zeit) entgegengenommen.

Der Gouverneur. [51]

EINE REICHSFLEISCHSTELLE

Berlin, 27. März 1916

Zur Sicherstellung des Fleischbedarfs des Heeres und der Marine sowie der Zivilbevölkerung hat der Bundesrat in seiner Sitzung vom 27. März 1916 die bereits angekündigte Verordnung über die Fleischversorgung erlassen. Danach wird für das gesamte Reichsgebiet die Bildung einer Reichsstelle für Versorgung mit Vieh und Fleisch (Reichsfleischstelle) vorgesehen. Sie hat die Aufbringung von Vieh und Fleisch im Reichsgebiet und deren Verteilung, sowie die Verteilung des aus dem Ausland eingeführten Schlachtviehs und Fleisches zur Aufgabe und ist zu diesem Zweck mit einer Reihe von Machtbefugnissen ausgestattet. Sie bestimmt den Umfang der für die Gemeinde oder den Kommunalverband zuzulassenden gewerblichen Schlachtungen und die Anrechnung der Haus- und Notschlachtungen auf diesen Anteil; ferner regelt sie den Fleisch- und Fleischwarenversand aus einem Kommunalverband in den eines anderen Bundesstaats. [3]

EIN KRIEGSAUSSCHUSS FÜR KAFFEE, TEE USW.

Berlin, 5. April 1916

Abermals hat das Reich mit tief einschneidenden Maßnahmen ein wichtiges Gebiet unserer Volksernährung organisiert: Fünf Bekanntmachungen des Bundesrats und des Reichskanzlers regeln die Einfuhr von Kaffee und Tee aus dem Auslande sowie den Verkehr in Kaffee, Tee und Kaffee-Ersatzmitteln. Die Einfuhr wie der Gesamtverkehr werden von nun ab in den Händen eines neu zu begründenden Kriegsausschusses (Kriegsausschuß für Kaffee, Tee und deren Ersatzmittel G. m. b. H. in Berlin) monopolisiert. [3]

VOR DEM ERSCHEINEN DES ›UNTERTAN‹

8. April 1916

Heinrich Manns Roman › Der Untertan‹ wurde in den Jahren 1912–1914 geschrieben; einzelne Vorabdrucke erschienen noch vor dem Krieg; die Zensur macht aber eine Veröffentlichung während des Krieges unmöglich. Die erste öffentliche Ausgabe erschien im Dezember 1918 und erzielte innerhalb von sechs Wochen eine Auflage von 100 000 Exemplaren. Der Verleger Kurt Wolff, nachdem er das Manuskript gelesen hatte, schreibt aus Mazedonien an seinen Mitarbeiter Georg Heinrich Meyer über seinen Eindruck:

Ich habe die Lektüre des Buches eben beendet und bin hingerissen. Hier ist der Anfang dessen, was ich immer suchte: der deutsche Roman der Nach-Gründer-Zeit. (Ist ›Schlaraffenland‹ dazu ein kleiner, ist dies ein ganz großer Beitrag) Hier ist der Anfang einer Fixierung deutscher Zustände, die uns – zumindest seit Fontane – völlig fehlt. Hier ist plötzlich ein Werk, groß und einzig, das, ausgebaut, für die deutsche Geschichte und Literatur sein könnte, was Balzac's Werk für das erste, Zola's für das zweite Kaiserreich waren. Und für unsere Gegenwart ist es viel mehr: dies zwei Jahre vor dem Krieg geschriebene Buch ist – in anderem Sinne – für uns a priori was den Franzosen a posteriori ›Débacle‹ wurde. Das Deutschland der ersten Regierungsjahre Wilhelms II, gesehen als ein Zustand, der den Krieg von 1914 heraufbeschwören mußte ...

Aber ich will hier weder einen Hymnus singen noch einen Waschzettel verfertigen, – wohl aber noch von der praktischen Seite der Sache sprechen:

Daß der ›Untertan‹ während des Krieges nicht erscheinen kann, darüber sind sich Autor und Verlag ja einig. Nach dem Kriege soll er unmittelbar erscheinen, mutig mit Pauken und Trompeten angezeigt ... Gerade in einer Zeit, in der die Sintflut feldgrauer Publicistik uns überschwemmen wird, soll und muß der ›Untertan‹ erscheinen. [121]

. . . Gott sei Dank, daß der Krieg gekommen ist, ich sage es auch heute noch, im dritten Kriegsjahr; und Gott sei Dank, daß wir noch keinen Frieden haben; ich sage es auch heute noch trotz allen Opfern . . . Die Wunden würden sich bald wieder schließen und das Volk würde noch ärger werden wie zuvor . . . Darum sage ich noch einmal: Gott sei Dank, daß wir den Krieg haben; er allein kann unser Volk noch retten, wenn es überhaupt noch möglich ist, wie wir zuversichtlich hoffen. Er ist das große Operationsmesser, mit dem der große Arzt der Völker die furchtbaren, alles vergiftenden Eiterbeulen aufschneidet.

Pastor D. Philipp [29]

EIN STÜCK KRIEGSREGIE

Berlin, 10. April 1916

Im Reichstag wird das »Kapitalabfindungsgesetz« beraten, nach dessen Grundgedanken den Kriegsversehrten und Kriegerwitwen nach bestimmten Richtlinien ein Stück Land zur Ansiedlung beziehungsweise eine Heimstätte für die Ausübung eines Handwerks vom Staat zur Verfügung gestellt werden sollte. Dies war als einmalige Abfindung für einen Teil der Rente gedacht.

Die Abgeordneten Liebknecht und Rühle (SPD), die nicht zu Worte kamen, haben dem Reichstag eine schriftliche Abstimmungsbegründung überreicht:

In der heutigen Sitzung des Reichstages haben wir gegen die Überweisung des Entwurfs zum Kapitalabfindungsgesetz an die Kommission gestimmt, weil wir ihn grundsätzlich ablehnen. Zur Begründung bemerken wir nach § 59 der Geschäftsordnung: Der soziale Wert und der Sinn des Entwurfs stehen im krassen Gegensatz zu den hohen Worten, mit dem er heute vom Kriegsminister und den Rednern der bürgerlichen Parteien begrüßt wurde.

Die bisherige Fürsorge für die Kriegsbeschädigten ist völlig unzureichend. Der Entwurf gibt ihnen aber keinen neuen Pfennig. Er will lebensunfähige und unselbständige landwirtschaftliche Kleinexistenzen künstlich schaffen oder erhalten, die, an die Scholle gefesselt, in politische und wirtschaftliche Abhängigkeit geraten müssen und dem Großgrundbesitz bequeme Arbeitskräfte, den reaktionären Parteien ein günstiges Rekrutierungsfeld bieten sollen.

Die Dankesschuld der Regierung und der herrschenden Klassen an die Masse der Bevölkerung, die sich für kapitalistische und absolutistische Interessen verblutet, ist allerdings riesengroß. Der Entwurf aber bedeutet keinen Versuch zur Austragung dieser Dankesschuld, sondern das Gegenteil, ein Stück Kriegsregie. Wie auch die Worte des Kriegsministers zeigen, soll er den Willen zum Durchhalten im Volke festigen. Er soll die Bereitschaft der Massen steigern, noch weitere Opfer für das imperialistische Kriegsziel zu bringen. Er ist nicht für das Wohl der Massen der Kriegsbeschädigten, sondern für das Wohl der herrschenden Klassen bestimmt. [9]

NATURGESCHICHTE EINER DEPORTATION 2

Hauptquartier der VI. Armee, 11. April 1916

Der Plakatanschlag in Lille vom 25. März hat nicht die gewünschte Wirkung gehabt. Es meldeten sich nur 10 Männer und 6 Frauen. Es wird deshalb ein geheimer Kommandanturbefehl herausgegeben, der Zwangsmaßnahmen vorsieht. Der Befehl (I c. Nr. 46312) ist in zehn Punkte aufgeteilt. Es lauten:

Punkt 2: Der Abschub erfolgt in Transporten zu 1000 Köpfen. Die Leute dürfen bis zu 30 kg Hausgerät pro Kopf mitnehmen.

Punkt 5: Die Durchführung der befohlenen Maßnahmen muß mit Energie erfolgen. Sie wird nicht ohne Härten vor sich gehen, doch ist jede unnötige Schärfe und Roheit zu vermeiden. Vom Geschick der mit der Durchführung beauftragten Führer und Truppen wird es abhängen, ob der Abschub ohne Unruhen vor sich gehen kann. Diese sind durchaus unerwünscht. Durch Zeigen unserer Machtmittel wird die Gefahr ihres Entstehens ebenfalls verringert. Wenn Unruhen entstehen, sind sie rücksichtslos niederzuwerfen.

Punkt 7: Das Zusammenbringen der Leute erfolgt quartierweise nach Umstellung eines Stadtbezirks durch Truppen. Die Häuser sind dann zu durchsuchen, die für den Abschub geeigneten Leuten festzunehmen. Sodann sind die Leute in geeignete Räume (Zitadelle Lille, Fabriken usw.) zusammenzuführen und dort bis zum Abtransport zu belassen.

Punkt 8: Die erste Festnahme erfolgt an einem vom A.-O.-K. zu bestimmenden Tage um 5 Uhr morgens in allen drei Städten (Lille, Roubaix, Tourcoing) gleichzeitig.

Für die erste Festnahme sind die Arbeiterviertel zu wählen, die am dichtesten bevölkert und am unruhigsten sind ... [51]

NATURGESCHICHTE EINER DEPORTATION 3

Lille, den 18. April 1916

Kommandantur Lille.
II. J.-No. 7853.
Geheim! Anweisung für Suchpatrouillen.
1. Aufgabe der Suchpatrouillen ist es, in dem ihnen zugewiesenen Stadtteil ein Haus nach dem anderen zu durchsuchen und die für den Abschub geeigneten Leute festzunehmen. Diese sind auf der in jedem Hausflur angebrachten Hausliste, die alle Bewohner des Hauses enthalten muß, anzustreichen. Ihnen ist unter Aufsicht zu gestatten, den nötigsten Hausrat (ungefähr 30 kg pro Kopf) mitzunehmen. (Besonders aufmerksam zu machen auf Mitnahme von Eßgeschirr.) Sodann sind die Leute nach dem Sammelplatz zusammen zu führen.

2. Die Durchführung der befohlenen Maßnahmen muß mit Energie erfolgen. Sie wird nicht ohne Härte vor sich gehen. Doch ist jede unnötige Schärfe und Roheit zu vermeiden. Vom Geschick der mit der Durchführung beauftragten Führer wird es abhängen, ob der Abschub ohne Unruhen vor sich gehen kann. Diese sind unerwünscht.

3. Die Personalien der Hausbewohner sind aus den Identitätskarten ersichtlich, die alle 14–55 Jahre alten Leute haben müssen. Frauen haben blaue, Männer rote Karten.

4. Festzunehmen sind nur arbeitsfähige Personen im Alter von 14–55 Jahren und zwar allgemein Männer und Weiber zu gleichen Teilen. Abänderungen in diesem Verhältnis werden jeweils befohlen.

5. Männer, ebenso Kinder männlichen oder weiblichen Geschlechts von und über 17 Jahren, können von ihren Familien getrennt werden. Nicht festzunehmen sind Frauen, die Kinder unter 14 Jahren haben. Kinder, die noch nicht 17 Jahre alt sind, bleiben grundsätzlich mit ihrer Mutter oder wenn weder Mutter noch Großmutter da sind, mit ihrem Vater zusammen.

Beispiel: Eine Arbeiterfamilie besteht aus Vater (45 Jahre),

Mutter (38 Jahre) und fünf Kindern im Alter von 18, 17, 15, 10 und 8 Jahren. Es sind mitzunehmen: der Vater und die beiden ältesten Kinder. Wären die Kinder von 10 und 8 Jahren nicht vorhanden, so wäre die ganze Familie mitzunehmen, da in diesem Falle das 15jährige Kind mit seiner Mutter mitgenommen würde. Wäre die Mutter nicht vorhanden, so müßte der Vater mit den fünf Kindern zurückgelassen werden, es sei denn, daß eine Großmutter da wäre, der die jüngsten Kinder anvertraut werden könnten.

6. Nicht festzunehmen sind:

a) Leute, die jünger als 14 oder älter als 55 Jahre sind;

b) Leute mit körperlichen Gebrechen und Kranke, die arbeitsunfähig sind;

c) Angehörige verbündeter oder neutraler Staaten;

d) Leute, die Ausweise laut Anlage haben; (bezieht sich auf Geschlechtskranke.)

e) Leute, die durch Uniform, Mütze oder Band (z. B. Polizisten, Feuerwehr- oder Trambahnangestellte) oder Ausweis bzw. Identitätskarte nachweisen, daß sie für französische Behörden (Mairie, Präfektur, Gerichte) oder französische öffentliche Anstalten (z. B. Gasanstalt, Wasser-, Elektrizitätswerk, Waisen-, Irren-, Krankenhäuser) tätig sind;

f) ältere Leute mit Frauen, die den besten Ständen angehören, wie Ingenieure, Professoren, Geistliche, Lehrer;

g) alle Ärzte und Apotheker mit Frauen;

h) alle Mädchen und Frauen besserer Stände, sofern sie nicht freiwillig ihren Mann begleiten wollen; sie dürfen jedoch nicht mitgenommen werden, wenn sie Kinder unter 14 Jahren haben;

Söhne der unter b–h genannten sind, soweit sie über 17 Jahre sind, mitzunehmen.

7. Nach Durchsuchung des Hauses und Feststellung der Schüblinge ist in dem den Suchpatrouillen mitgegebenen Papierblock zu notieren:

Straße: No. Zahl der Männer
  Zahl der Weiber.

Sollte jemand zurückgesandt werden, so ist Berichtigung dieser Eintragung vorzunehmen. [51]

Lille, 21. April 1916
6 Uhr nachmittags

Regimentsbefehl!

1. Den Befehl für die Festnahme übernimmt am 22. April Hauptmann Sch.

2. Von 5 Uhr vormittags ab stehen die ... Kompagnie alarmbereit in ihren Quartieren.

3. Die ... Kompagnie steht um 5 Uhr vormittags auf dem Vorbahnhof (Fives). Auf dem Bahnhof ist ein Raum zur Aufnahme von mindestens 1400 Personen abzusperren.

Wegen Gestellung von Unteroffizieren und Mannschaften zur Begleitung des Transportzuges hat sich Leutnant E. noch heute mit dem Rittmeister H., Nachrichtenoffizier der Kommandantur, persönlich in Verbindung zu setzen.

Für Verpflegung des Transportkommandos für zwei Tage hat die Kompagnie zu sorgen.

Betr. Empfangsbescheinigung an der Endstation und Aushändigung eines Transportscheines für die Rückreise des Transportkommandos hat Leutnant E. das Nähere ebenfalls mit dem Rittmeister H. zu verabreden.

Der Eisenbahntransport muß von einem Offizier begleitet werden.

4. Der Alarmsammelplatz des Hauptmann Sch. im Bezirk 8 ist: Rue Pierre Le grand No. 127 bis 129 an der Militärpolizeiwache. Hier meldet sich beim Hauptmann Sch. 4.55 Uhr vormittags Hauptmann v. Sp. mit sechs Masch.-Gew.

5. Der Bezirk 8 ist nach der Karte in 9 Kompagniebezirke eingeteilt. Die 9 auf der Karte bezeichneten Kompagnien suchen mit je zwei Zügen die Häuser ab. Ein Zug sperrt das Viertel nach außen ab. Die Absperrung muß um 5 Uhr vormittags beendet sein. An den Mündungen der Straßen sind Doppelposten aufzustellen. Auf den Straßen, durch welche die Außengrenze des Bezirkes führt, haben Patrouillen ein Überlaufen der Bevölkerung auf die gegenüberliegende Straßenseite zu verhindern.

Während des Absuchens des Bezirkes 8 hat jeder weitere Verkehr, auch der der Straßenbahn, zu stocken.

6. Anliegend geht den Kompagnien ein Verzeichnis mit Halteplätzen der Straßenbahnen für die Kompagniebezirke zu. An diesen Halteplätzen, die als Alarmsammelplätze der Kompagnien zu betrachten sind, ist die Bevölkerung zu sammeln.

Ist für eine Kompagnie kein Straßenbahnhalteplatz angegeben, so hat der Kompagnieführer für seine Kompagnie selbständig einen Alarmsammelplatz anzugeben und dort die Bevölkerung zu sammeln.

7. Jede Kompagnie hat 160 Personen, Männer und Weiber zu gleichen Teilen, dort zu sammeln.

8. Sind die befohlenen Personen an der angegebenen Sammelstelle gesammelt, so meldet der Kompagnieführer durch Radfahrer das Ergebnis an den Bataillonsalarmplatz.

Von dort erfolgt dann schriftlicher Befehl an die Kompagnien zum Einsteigen in näher zu bezeichnende Straßenbahnzüge sowie über Gestellung von Begleitkommandos bis zum Bahnhof. Einsteigen darf erst nach erfolgtem schriftlichem Befehl des Bataillons erfolgen.

Steht den Kompagnien zur Abbeförderung keine Straßenbahn zur Verfügung, so hat der Abtransport, nachdem der Befehl hierzu durch das Bataillon erfolgt ist, durch Fußmarsch auf dem kürzesten Wege zum Vorbahnhof (Fives) in kleineren Trupps (höchstens 50 Personen) zu erfolgen.

9. Nach Abfahrt der Bevölkerung aus dem Bezirk mit der Straßenbahn bzw. Abgabe derselben auf dem Bahnhof sind die betreffenden Kompagnien entlassen.

10. Die von der Militärpolizei den Kompagnien für das Absuchen zur Verfügung gestellten Leute sind von den Kompagnieführern selbständig auf die Kompagniealarmplätze zu bestellen.

11. Der Abmarsch der Kompagnien in den Bezirk 8 hat lautlos zu erfolgen. Auf dem Rückmarsch haben die Spielleute zu schlagen.

12. Anzug: Helm, Kinnriemen herunter, ohne Tornister, umgeschnallt, Patronentaschen mit Munition, Gewehr mit aufgepflanztem Seitengewehr, Hosen in Stiefeln.

13. Auf dem Vorbahnhof Fives und dem Bataillonsalarmplatz ist nach Anordnung des Regimentsarztes je ein Verbandplatz einzurichten und mit einem Arzt zu besetzen.

14. Die bei der Festnahme gemachten Erfahrungen sind dem Regiment am 22. April bis 6 Uhr nachmittags durch Hauptmann Sch. einzureichen.

15. Die Leutnants W. und F. stehen für die Suchpatrouillen dem zweiten Bataillon zur Verfügung.

16. Für den Rückmarsch steht die Regimentsmusik der 11. Kompagnie zur Verfügung. Diese hat Ort und Zeit direkt mit dem Musikleiter zu verabreden. [51]

Lille, 23. April 1916

Den Liller Behörden wurden die für den 22. April (Ostersamstag)
vorgesehenen ersten Deportationen am 20. April mitgeteilt; der Be-
völkerung am 23. April:

Proklamation

Durch Englands Haltung gestaltet sich die Ernährung der Bevölkerung immer schwieriger.

Um die Not zu mildern, hat die deutsche Behörde kürzlich die Bewohner aufgefordert, sich freiwillig zur Landarbeit zu melden. Diese Aufforderung hatte nicht den erwarteten Erfolg.

Infolgedessen werden die Bewohner auf Befehl evakuiert und aufs Land gebracht. Die Evakuierten werden ins Innere des besetzten Frankreich geschickt, weit hinter die Front, und dort mit Ackerbau und keineswegs mit militärischen Arbeiten beschäftigt werden.

Durch diese Maßnahmen wird ihnen Gelegenheit gegeben, besser für ihren Unterhalt zu sorgen.

Im Notfall erfolgt die Versorgung aus den deutschen Beständen.

Jeder Evakuierte darf 30 kg Gepäck mitnehmen (Hausgerät, Kleidungsstücke usw.). Es wird angeraten, dies schon jetzt vorzubereiten.

Ich befehle also: Niemand darf bis zu einem neuen Befehl seine Wohnung wechseln. Niemand darf sich in der Zeit von 9 Uhr abends bis 6 Uhr morgens von seiner angegebenen Wohnung entfernen, er sei denn im Besitze eines besonderen Ausweises.

Da es sich um eine unwiderrufliche Maßnahme handelt, liegt es im eigenen Interesse der Bevölkerung, sich ruhig und gehorsam zu verhalten.

Der Kommandierende General. [51]

Hauptquartier der VI. Armee, 29. April 1916

Oberkommando VI. Armee.
I. c. No. 48907.
betr.: Abschub der Bevölkerung.
An
die Etappeninspektion 6,
die Kommandantur Lille,
das Garde-Reservekorps,
das 7. Armeekorps.
Seine Königliche Hoheit, der Herr Oberbefehlshaber erkennt
mit besonderem Danke die musterhafte Vorbereitung und Durchführung der schwierigen Maßnahme in den drei Städten an und
spricht den damit betrauten Behörden und Truppen seine volle
Anerkennung aus.

Den Regimentern des Garde-Reservekorps und den Abgaben
des 7. Armeekorps, die hierbei einen sehr anstrengenden Dienst
verrichtet haben, bewilligt der Herr Oberbefehlshaber nach Abschluß der Maßnahmen drei Ruhetage in dem Orte ihrer Tätigkeit. Die Rücktransporte melden die Kommandantur Lille und
die Etappeninspektion beim B b a. 6 an. [51]

EIN PFARREREINSATZ

*Der kaiserliche Hofprediger Johannes Kessler beschreibt seinen Sonn-
tagsdienst:*

Lambersat bei Lille, 30. April 1916

... morgens 5 Uhr. Mein Bursche weckt mich, bringt die Uniform, hilft beim Ankleiden. Ein großartiger Kammerdiener,
dieser Alfred! Wie soll ich im Frieden ohne ihn auskommen?
Hinunter in unseren Gartensalon mit Bechsteinflügel und be-
zaubernder Fernsicht in den taufrischen Frühlingsmorgen. Den
Kaffee schnell getrunken mit Kriegszucker und obligaten Kon-
servenbüchsen und reisefertig gemacht. Es ist doch ein eigen
Ding, wenn man als Geistlicher beim Gang in die Feuerstellung
die Verbandspäckchen einsteckt, die Gasmaske umhängt und
dazu das Neue Testament einsteckt. Mit Abendmahlsgeräten
und Schriften zur Verteilung geht es auf dem kleinen zweirädri-
gen Wagen hinaus in den sonnigen Morgen. Nicht weit, da
begegnen uns der sächsische Kronprinz und Prinz Ernst, die zur

Messe gehen. Vorüber an dem idyllischen Herrenhause, aus dem gerade General Hammer mit seinem Stabe herausreitet. Herzliche Begrüßung. Weiter durchs fruchtbare flandrische Land ... Da die Engländer am Sonntag meist bis zehn Uhr Ruhe halten, kann Gottesdienst im Freien stattfinden. Schnell wird ein kleiner Tisch geholt, mit Altardecke und Kruzifix geschmückt. Wir etwa fünfzig Mann singen allem Kriegstrubel zum Trotz ›Lobe den Herren, den mächtigen König der Ehren‹. Ich spreche über das kurze Psalmenwort »Gott ist meine Kraft« ... Möglich, daß diese Männer in einer Stunde an ihren Geschützen stehen und den Tod verbreiten und selbst den Tod erleben. Da muß jedes Wort auf den Doppelton gestimmt sein: Gottesfurcht und Gottvertrauen.

Schnell zum Wagen und zum nächsten Gottesdienst. Im Augenblick, da wir Aufstellung nehmen wollen, werden feindliche Flieger gemeldet. Also in einen großen Schuppen. Großartig, mit welcher Seelenruhe sie singen: ›Ein' feste Burg ist unser Gott‹. Ich spreche über die vier anderen Psalmenworte: »Gott ist unser Schild«. Zum Schluß sagte mir der Major: »Ich unterschreibe jedes Wort.« Dreiundzwanzig Mann sitzen wir im Eßraum. Plötzlich schlägt eine Bombe mitten hinein. Kein Mann tot, nur drei leicht verletzt. Nun zur nächsten Batterie, zum dritten Gottesdienst. Da die feindlichen Flieger durch Abwehrkanonen vertrieben worden sind, können wir ihn wieder im Freien abhalten. Dann zum vierten Gottesdienst unter Kanonendonner. Die Batterie, der ich den ersten Gottesdienst gehalten habe, ist bereits beim Schießen. Die Engländer antworten nur sehr schwach. Der Oberstleutnant meint: »Die verdammten Engländer haben doch Angst vor einem kaiserlichen Hofprediger.« Natürlich werde ich nicht fortgelassen. »Sie haben uns gezeigt, was Sie können; jetzt wollen wir Ihnen zeigen, was wir können.« Ich darf nicht schreiben, was sie mir gezeigt haben, aber man macht sich keine Vorstellung von diesen Festungen im kleinen ... Ich beobachte die Leute an ihren Geschützen. Ein Artillerist liebt sein Geschütz wie eine Mutter ihr Kind, streichelt es, beruhigt es, wenn es heiß wird, lobt es, wenn der Schuß gesessen. Es war urgemütlich bei den Kameraden von der Bombe. Ihre Gaststube »Zur Stadt Leipzig« im Unterstand ist ein Unikum, eine große Sammlung von Schützengrabenhumor ... Wir fuhren etwas scharfes Tempo und waren um halb zwölf Uhr an unserem nächsten Ziel, dem neuen Soldatenfriedhof von Verlinghem.

Der Friedhofsverwalter gibt mir sieben Personalbogen, das heißt, es sollen sieben Kameraden zur letzten Ruhe bestattet werden. Erst auf dem Friedhof erfährt man ihre Namen und ihr Schicksal. Ich gehe fünf Minuten abseits und lese die Bogen. Was geht in solchen fünf Minuten durch Kopf und Herz! Wer da nicht freisprechen und mitempfinden kann, ist verloren. Nun kommt die Begräbnisfeier. Und wenn ich Hunderte zu halten hätte, sie würden mir nie eindruckslos werden ... Gebet und Segen, das ist alles ... und nach dem Segen ein fröhlicher Marsch. Mit alledem kam es zu ergreifendem Ausdruck: wir glauben nicht an den Tod, sondern an das Leben! Wir betrauern unsere Gefallenen nicht, sondern ehren sie mit dem Kranz der Treue! Um ein Uhr bin ich daheim. Mittagessen im Offizierskasino. [35]

DER REICHSTAGSABGEORDNETE IN DER ARRESTANSTALT

Während einer Kundgebung zum 1. Mai auf dem Potsdamer Platz hatte Karl Liebknecht, der sich in Berlin auf Urlaub befand, der Menge zugerufen: »Nieder mit der Regierung, nieder mit dem Krieg.« Er wurde verhaftet und in die Nördliche militärische Arrestanstalt gebracht. Von dort schreibt er seiner Frau:

3. Mai 1916

Liebes Kind! Die Sache wird sich noch etwas hinziehen. Vorläufige Festnahme wegen Nichtbefolgung eines Dienstbefehls in Idealkonkurrenz mit einigen andern (begangen durch ein paar Rufe). Kein Grund zur Unruhe. Die Haussuchung wird Dich etwas gestört haben. Hoffentlich ist das wüste Durcheinander in meinem Zimmer nicht zum Chaos geworden. Bisher fand ich mich doch glänzend zurecht. Bitte sei vorsichtig. Laß zusammen, was jetzt zusammen liegt. Ich bin gut untergebracht. Nur einiges brauche ich geschwind. Taschentücher, Strümpfe, Kragen, Taghemden – Bücher: 1. Ploetz, Geschichtsgrundriß; 2. Hilferding, Finanzkapital; 3. Luxemburg, Akkumulation des Kapitals; 4. Geschichte der französischen Revolution.

Wende Dich keinesfalls an einen andern Anwalt als Thedel. Auch an keinen Reichstagskollegen. Ich will keine unerbetenen und wenn noch so gut gemeinten Dienste. Das meine ich ganz strikt. Hast Du schon mit einem gesprochen, so bitte revoziere sofort. Vielleicht können wir uns bald sehen. Dich und die Kinder küsse ich. Seid vergnügt, daß ihr einige Zeit vor mir Ruhe habt. Grüße auch Theo, Lu, Alice, Gertrud und alle anderen. Dein Karl. [56]

ERBITTERUNG ÜBER OFFIZIERE

Eingabe des national-liberalen sächsischen Landtagsabgeordneten Nitzsche aus Leutzsch:

Leipzig, 10. Mai 1916

An das Kgl. Sächs. Kriegsministerium Dresden
Dem Kgl. Sächs. Kriegsministerium beehren wir uns folgendes zu unterbreiten:

Es hat sich nicht vermeiden lassen, daß auch unsere Krieger im Felde sich allmählich große Einschränkungen in der Ernährung auferlegen müssen. Sie sind ohne Murren bereit, auch dieses zu ertragen. Leider hat sich aber im Felde eine ähnliche unerfreuliche Erscheinung gezeigt, wie dies infolge der Nahrungsmittelknappheit auch im Lande der Fall war; ein schweres Mißvergnügen darüber, daß an manchen Stellen Ungleichmäßigkeiten in der Ernährung vorkommen. Die Klagen, daß bei manchen Truppenteilen die Vorgesetzten, besonders die Offiziere, ganz erheblich besser und abwechslungsreicher mit mehr Fleisch, Butter und Fett verpflegt werden als die Mannschaften, die auf Marmelade und Salzheringe angewiesen sind und dann den Offizieren stellenweise auch mehr Köche als nötig zur Verfügung stehen sollen, kehren öfter wieder und nicht etwa nur von Leuten, die man zu den gewohnheitsmäßigen Nörglern rechnen muß, sondern von solchen aus allen Kreisen und Richtungen. Die Mißstimmung darüber ist teilweise so groß, daß daraus eine für den sozialen Frieden nach dem Kriege sehr gefährliche Erbitterung zu entstehen droht, um so mehr als auch die Mißstimmung über die Ernährungspolitik im Inland noch immer stark ist. Man erblickt in diesen Tatsachen eine von den oberen Behörden gewiß nicht gewollte, aber übermäßige Bevorzugung der Vorgesetzten, die als ungerecht empfunden wird. Denn der Soldat erwartet, daß in Zeiten, wo die Nahrungsmittel so knapp sind wie jetzt, alle Kämpfer möglichst gleich behandelt werden, wie sie ja auch die Gefahren des Krieges alle in gleicher Weise tragen.

Es ist nun, wie jeder Beobachter des politischen Lebens bestätigen wird, unbedingt nötig, daß schon während des Krieges alle Mißstände, die zu sozialem Unfrieden nach dem Kriege führen können, so viel als nur irgend möglich beseitigt werden. Man kann sonst der Entwicklung unserer inneren politischen Verhältnisse nur mit schwerster Sorge entgegensehen.

Es erscheint deshalb dringend geboten, daß alles geschieht, um künftig so große Ungleichheiten in der Beköstigung von Vorgesetzten und Mannschaften nicht mehr vorkommen zu lassen. Unsere Offiziere selbst, die in so mustergültiger, bewunderungswürdiger Weise ihren Untergebenen Beispiele der Hintansetzung ihrer Person im Kampfe und im Ertragen aller anderen Gefahren und Anstrengungen des Krieges von jeher und auch im gegenwärtigen Kriege gegeben haben, werden auch nicht zögern, sich größeren Beschränkungen auch in der Verpflegung zu unterwerfen. Es mag auch noch darauf hingewiesen werden, daß die Mißstimmung über die bisherigen Zustände um so erklärlicher ist, als unter den Soldaten sich sehr viele befinden, die infolge des Krieges ohnehin schon erheblich größere Opfer bringen müssen als mancher Offizier, und ferner auch solche, die im Frieden gesellschaftlich und wirtschaftlich die gleichen Gepflogenheiten haben als die Offiziere, denen das Ertragen der notwendigen Opfer durch die jetzigen Zustände nur unnütz schwer gemacht wird.

Aus diesen Gründen gestatten wir uns, das Kgl. Sächs. Kriegsministerium ganz ergebenst zu bitten, diesen Tatsachen seine besondere Aufmerksamkeit schenken zu wollen und auf Abstellung dieser Unzuträglichkeiten, wo sie sich finden, zur Verhinderung einer immer weiter um sich greifenden Erbitterung der Volksklassen gegeneinander und gegen das Offizierskorps nach Möglichkeit hinzuwirken. [9]

BESCHREIBUNG EINER DEMONSTRATION

Berlin, 16. Mai 1916

... Die Agitation wurde mit Handzetteln und Flugblättern intensiv betrieben, und siehe da, am 1. Mai kam eine imposante Demonstration in Berlin zustande! Den üblichen verlogenen Polizeiberichten zum Trotz waren die Angst der Polizei und ihre Vorbereitungen außerordentlich groß. Der Potsdamer Platz und seine Zugänge waren schon um 7 Uhr mit Schutzleuten zu Fuß und zu Pferde überfüllt. Um 8 Uhr pünktlich sammelte sich am Platze eine so dichte Menge demonstrierender Arbeiter, unter denen Jugendliche und Frauen sehr zahlreich vertreten waren, daß die üblichen Scharmützel mit der Polizei alsbald begannen. Die »Blauen« und namentlich ihre Offiziere wurden bald von äußerster Nervosität befallen und fingen an, die Masse mit Fäusten hin und her zu stoßen.

In diesem Moment, an der Spitze der Masse, mitten auf dem Potsdamer Platz, erscholl die laute sonore Stimme Karl Liebknechts: »Nieder mit dem Krieg! Nieder mit der Regierung!« Sofort bemächtigte sich seiner ein ganzer Knäuel Polizisten, die ihn durch einen Kordon von der Menge trennten und auf die Wache am Potsdamer Bahnhof abführten. Hinter dem Verhafteten erscholl der Ruf: »Hoch Liebknecht!«, worauf sich die Polizisten in die Menge stürzten und zu neuen Verhaftungen schritten. Nach der Abführung Karl Liebknechts begann die Polizei, angefeuert durch die Offiziere, die sich am brutalsten benahmen, die Menschenmassen in die Seitenstraßen abzuschieben. So formierten sich drei große Züge von Demonstranten, in der Köthener Straße, in der Linkstraße und in der Königgrätzer Straße, die sich unter fortwährenden Zusammenstößen mit der Polizei langsam vorwärtswälzten. Rufe »Nieder mit dem Kriege!«, »Es lebe der Frieden!«, »Es lebe die Internationale!« erschallten einmal über das andere und wurden vieltausendstimmig wiederholt. Am lautesten aber wurde immer wieder der Ruf »Hoch Liebknecht!« von den Massen aufgegriffen. Die Kunde von seiner Verhaftung verbreitete sich rasch unter den Demonstranten. Tausende hatten ihn an der Spitze der Demonstration gesehen und seine laute anfeuernde Stimme gehört. Die Erbitterung und der Schmerz um den geliebten Führer, den man in den Fängen der Polizeischergen wußte, erfüllte alle Herzen, war auf aller Lippen. Namentlich Frauen klagten laut weinend und brachen in Verwünschungen gegen die Polizei, gegen den Krieg, gegen die Regierung aus. Bis 10 Uhr dauerte die Demonstration, wobei die Menge immer wieder durch die Seitenstraßen aus den drei Hauptzügen zusammenzuströmen suchte, aber durch die wimmelnden, springenden und dreinhauenden Polizisten daran immer wieder verhindert wurde. Abwechselnd mit revolutionären Rufen wurden Lieder laut: die Arbeitermarseillaise, der Sozialistenmarsch. Erst gegen $^1/_2$ 11 Uhr, stellenweise noch später, verlief sich allmählich die Masse der Demonstranten, die von ausgezeichneter Stimmung beseelt war. Die Anzahl der Demonstrierenden wird nach mäßiger Schätzung auf zehntausend gerechnet.

Sunlicht Seife
Ist ein deutsches Erzeugnis.

Kein Ausländer
Ist an ihrer Herstellung mehr beteiligt.
Das ist unser Sieg auf wirtschaftlichem Gebiet.

Der Name Sunlicht Seife ist nicht, wie einzelne unserer Abnehmer anzunehmen scheinen, neu geschaffen. Wer dies glaubt, übersieht, daß die in Deutschland hergestellte und verkaufte Sunlicht Seife vom Volksmund von jeher so bezeichnet worden ist, indem er die klangliche Aussprache so gestaltet hat, als ob die Schreibweise Sunlicht sei. Unter dieser Bezeichnung hat auch unser Fabrikat in vielen Hunderttausenden von deutschen Familien bereits langjährige Heimatrechte erworben.

Mit der zuweilen geäußerten Ansicht, daß der Name einer volkstümlich gewordenen Verbrauchsware von heute auf morgen willkürlich geändert werden kann, ohne große Einbuße an Absatz zu erleiden, verkennt man die Bedeutung, den Wert und die Lebenskraft

der eingeführten „Marke".

Markenbezeichnungen (Wort- und Bildzeichen) sind in der Regel freie Gebilde der Phantasie. Sie sind allen Sprachstämmen entnommen, vielfach der lateinischen und griechischen Sprache, sie kümmern sich in ihrer Zusammensetzung nicht um die strengen Grundsätze der Grammatik. Reine schriftgebräuchliche Wörter sind unverwendbar und auf Grund des Warenzeichengesetzes meistens gar nicht schutzfähig.

Gerade durch ihre Eigenart müssen sie sich dem allgemeinen Bewußtsein von selbst einprägen.

Nicht einer Nationalität zuliebe oder aus anderen Erwägungen ist Sunlicht Seife eben —

Sunlicht Seife

geblieben, sondern nur, weil das deutsche Volk dieses ganz besondere Erzeugnis der Seifenindustrie als „Sonnenlicht Seife" oder unter einer anderen Bezeichnung nicht wieder erkennen würde und der markenrechtliche Schutz ein ungenügender wäre. — In diesem Umstande liegt ja auch die Gewähr dafür, daß wir noch in der Lage sind, die Sunlicht Seife in derselben

gleichmäßigen Güte und Beschaffenheit

wie zu Friedenszeiten auch ferner herzustellen und zu liefern. Diesen Vorteil wird derjenige am besten beurteilen können, der weiß, **wie teuer und wie schwer beschaffbar erstklassige Rohstoffe für die Seifenfabrikation geworden sind.**

Neue Sunlicht~Gesell~ schaft von 1914 m. b. H.
Rheinau~Mannheim.

›Die Woche‹, 5. Dezember 1914

Welchen Schreck die Demonstration der Regierung eingejagt hatte, beweist der Umstand, daß die ganze Stadtgegend um den Potsdamer Platz noch bis Mitternacht förmlich von berittener Polizei überschwemmt war und in der Wache am Potsdamer Fernbahnhof, wo das Hauptkommando etabliert war, nervöses Hin- und Herrennen der Patrouillen, Instruktionen und Rapporte bis fast ein Uhr nachts kein Ende nahmen.

So muß die Maidemonstration in Berlin als vollauf gelungen bezeichnet werden. Freilich ist sie durch einen ungeheuren Preis erkauft: durch den Verlust Karl Liebknechts, der auf jeden Fall von seinem Posten, wo er unersetzlich ist, für die nächste Zeit entfernt, aus unserer Mitte entrissen ist. Schon wirkt der Deutsche Reichstag wie ein verächtlicher Hundestall, nachdem der einzige Mann fehlt, der mit der ganzen Kraft und Würde den internationalen Sozialismus, grundsätzliche Politik und männliche Charakterfestigkeit vertrat. Aber wie immer hat auch dieses große Opfer den unschätzbaren Wert der moralischen Wirkung. Karl Liebknecht hat gezeigt, daß man an der Spitze der Massen sein ganzes Ich in die Schanze schlägt, um einen Schritt wirklicher revolutionärer Bewegung zu erstreiten. Er hat gezeigt, wo der Platz des echten Führers der Massen ist, welche Gefahren ihm persönlich auch drohen mögen. Wo waren die anderen »Führer«, die sich auch zur »Opposition« zählen? Sie hatten sich von der Maifeier ausgeschaltet, sie lehnten die Mitwirkung an der Demonstration ab, sie lähmten ihre eigenen Anhänger unter den Arbeitern durch schwächliche Bedenken, durch Mangel an Mut und Initiative. [9]

DEUTSCHE MUSIK AUF DEM BALKAN

20. Mai 1916

Wolffs Telegraphenbüro meldet:

Die deutschen Musikfeste in Sofia wurden gestern im Nationaltheater vor übervollem Hause in Gegenwart der Königin, des Kronprinzen und des Prinzen Kyrill eröffnet. In den Rängen saßen Kopf an Kopf bulgarische, deutsche und österreichische und ungarische Soldaten, während die Studenten der Sofioter Universität das Parterre dichtgedrängt füllten. Die Minister, an ihrer Spitze der Ministerpräsident Radoslawow, die Gesandten der verbündeten Mächte, die Militär- und Sanitätsmissionen, wohnten dem Konzert vollzählig bei. Das fürstlich Reußsche Hoforchester, das hinreißend spielte, und vor allem die Solistin Emmy Leisner und Karl Clewing von den Königlichen Theatern in Berlin, wurden mit Blumen und Beifall überschüttet. [3]

EIN KRIEGSERNÄHRUNGSAMT

Berlin, 22. Mai 1916

Der Bundesrat hat den Reichskanzler ermächtigt, eine eigene, neue, ihm unterstellte Behörde, das Kriegsernährungsamt zu errichten. Der Präsident dieser Behörde erhält das Verfügungsrecht über alle im Deutschen Reiche vorhandenen Lebensmittel, Rohstoffe und die Gegenstände, die zur Lebensmittelversorgung notwendig sind, ferner über die Futtermittel und die zur Viehversorgung nötigen Rohstoffe und Gegenstände. Das Verfügungsrecht schließt die gesamte Verkehrs- und Verbrauchsregelung (damit erforderlichenfalls natürlich auch die Enteignung), die Regelung der An-, Aus- und Durchfuhr sowie der Preise ein. Der Präsident kann in dringenden Fällen die Landesbehörden unmittelbar mit Anweisungen versehen. Zum Präsidenten des Kriegsernährungsamtes ist der Oberpräsident der Provinz Ostpreußen, v. Batocki, berufen. [3]

DIE VERKÖSTIGUNG IN WIRTSCHAFTEN

Berlin, 31. Mai 1916

Der Bundesrat beschloß in seiner Sitzung vom 31. Mai 1916 eine Verordnung zur Vereinfachung der Beköstigung. Danach dürfen in Gast-, Schank- und Speisewirtschaften nicht mehr als zwei Fleischgerichte zur Auswahl gestellt werden. Zu einer Mahlzeit darf jedem Gaste nur ein Fleischgericht verabfolgt werden. Feste Speisefolgen dürfen höchstens aus Suppe, zwei Gängen und Nachtisch bestehen. Auch sonst sind noch verschiedene Vereinfachungen vorgesehen. Die Verordnung tritt am 7. Juni in Kraft. [3]

Wilhelmshaven, 5. Juni 1916

*Von Bord des Flottenflaggschiffs hält der Kaiser an die an Land getre-
tenen Abordnungen sämtlicher an der Seeschlacht beim Skagerrak
beteiligt gewesenen Schiffe eine Ansprache:*

Monate um Monate verstrichen. Große Erfolge auf dem Lande
wurden errungen und noch immer hatte die Stunde für die Flotte
nicht geschlagen. Vergebens wurde ein Vorschlag nach dem andern gemacht, wie man es anfangen könne, den Gegner heraus-
zubringen.

Da endlich kam der Tag. Eine gewaltige Flotte des meer-
beherrschenden Albion, das seit Trafalgar hundert Jahre lang
über die ganze Welt den Bann der weltbeherrschenden Seetyrannei gelegt hatte, den Nimbus trug der Unüberwindlichkeit
und Unbesiegbarkeit – da kam sie heraus. Und was geschah?
Die englische Flotte wurde geschlagen. Der erste gewaltige
Hammerschlag ist getan, der Nimbus der englischen Weltherrschaft geschwunden.

Wie ein elektrischer Funke ist die Nachricht durch die Welt
geeilt und hat überall, wo deutsche Herzen schlagen, und auch
in den Reihen unserer tapferen Verbündeten beispiellosen Jubel
ausgelöst. Das ist der Erfolg der Schlacht in der Nordsee. Ein
neues Kapitel in der Weltgeschichte ist von uns aufgeschlagen.
Die deutsche Flotte ist imstande gewesen, die übermächtige
englische Flotte zu schlagen. Der Herr der Heerscharen hat
Eure Arme gestählt, hat Euch das Auge klar gehalten.

So spreche ich den Führern, dem Offizierskorps und den
Mannschaften vollste Anerkennung und Dank aus. Gerade in
diesen Tagen, wo der Feind vor Verdun anfängt, langsam zu-
rückzuweichen, und wo unsere Verbündeten die Italiener von
Berg zu Berg verjagt haben und immer noch weiter zurück-
werfen – habt Ihr diese herrliche große Tat vollbracht. Auf
alles war die Welt gefaßt, auf einen Sieg der deutschen Flotte
über die englische nimmermehr. Der Anfang ist gemacht. Dem
Feind wird der Schreck in die Glieder fahren!

Kinder! Was Ihr getan habt, das habt Ihr getan für unser
Vaterland, damit es in alle Zukunft auf allen Meeren freie Bahn
habe für seine Arbeit und seine Tatkraft. So ruft denn jetzt hier
aus: Unser teures, geliebtes, herrliches Vaterland Hurra, Hurra,
Hurra! [3]

Am Miadziolsee, Sonntag, 11. Juni 1916

Pfingsten!... Wie am Himmelfahrtstag so sind auch heute wieder strenge Maßnahmen getroffen, die Verbrüderungen der deutschen und russischen Infanterie verhindern sollen. Das war an Ostern der Fall, und das Treiben mußte mit Verlusten abgebrochen werden. Damals schoß unsere Artillerie zu spät, heute aber »funkt« sie schon vom frühen Morgen an aus allen Ecken ... [12]

INTERMEZZO

Wien, 30. Juni 1916

In einer Meldung des Kriegspressequartiers heißt es:

Und wenn daran erinnert wird, daß im modernen Kampf Gesamtverluste von mehr als fünfundzwanzig Prozent keineswegs zu den Ausnahmefällen gehören, so bietet die Mitteilung, daß unsere Kampftruppen in drei Wochen schweren Ringens an Toten, Verwundeten und Gefangenen eine Einbuße von zwölf bis höchstens zwanzig Prozent zu verzeichnen haben, bei aller Einschätzung jedes einzelnen Menschenlebens gewiß keinerlei Anlaß zur Beunruhigung. [52]

BEGRIFFSVERWIRRUNG

Großes Hauptquartier, 30. Juni 1916

Nach dem Essen aber läßt er [der Kaiser] sich eine ihm zugegangene Denkschrift über die Entzifferung der Hethiter-Sprache kommen und liest sie vor, raisoniert dann darüber, daß man ihm diese äußerst wichtige Sache nicht gleich gemeldet.

Als Lyncker bemerkt, man habe wohl gedacht, der Kaiser sei im Kriege mit wichtigeren Dingen beschäftigt, brauste er auf und sagte: »Was wichtigere Dinge! Die Erschließung der Hethiter-Sprache ist mindestens ebenso wichtig wie der ganze Krieg. Hätte sich die Welt mehr mit den Hethitern beschäftigt, so wäre der Krieg gar nicht ausgebrochen, denn dann hätten Frankreich und England gewußt, daß die Gefahr immer von Osten kommt und hätten sich niemals mit Rußland verbündet.« [48]

Nach der Somme-Schlacht

Diese Skizze aus dem Hinterland von Alfred Polgar wurde von der Wiener Zensur verboten; der Prager Zensor aber ließ sie durch, und so konnte sie als Zitat aus dem ›Prager Tagblatt‹ vierzehn Tage später unbeanstandet im Wiener ›Frieden‹ erscheinen:

Zwischen ›Aus dem Reich des Humors‹ und Schachturniernotizen gemütlich eingebettet findet sich folgende Mitteilung: »Eine Familie in Tanna hatte, wie uns aus Zittau berichtet wird, sechs Söhne im Felde stehen. Innerhalb eines Jahres erlitten vier den Tod auf dem Schlachtfelde. An der Somme erlitt kürzlich der fünfte Sohn den Heldentod. Die Mutter bereitete man schonend auf die Trauernachricht vor. Als ihr aber die schreckliche Wahrheit klar wurde, fiel sie mit einem Schmerzensschrei tot zu Boden. Nun ward der Vater bittlich, daß der letzte und jüngste Sohn enthoben werde. Das Bittgesuch aber kreuzte sich mit der Nachricht, daß auch der letzte Sohn an der Lys gefallen ist.«

Angenommen, daß der Vater nicht eingerückt, also nicht in der Lage ist, in der Erfüllung hehrer Pflicht Trost für das Erlittene zu finden:

Welchen andern Trost dann könnten mitfühlende Menschenbrüder diesem unseligsten Mann spenden? Welche Hoffnung soll er an den sieben Gräbern der Seinen aufpflanzen?

Es muß doch aus den Bezirken der Religion oder Philosophie ein Etwas geben, das auch diesem Schmerz Linderung brächte! Aber was?

Wen Gott liebt, den züchtigt er. Es ist kein Beispiel bekannt, daß Gott einem Sterblichen mehr Liebe bezeigt hätte, als diesem Mann aus Tanna. Aber, das ist die bange Frage, wird der so Geliebte das einsehen? Und zu würdigen wissen?

Auch für den Zuspruch: »Kein schönres Los, als wer vorm Feind erschlagen«, dürfte er, angesichts der verwirrenden Fülle schönster Lose, die seinem Hause zugefallen ist, nicht empfänglich sein.

Hier hätten Lobredner, Verteidiger, Heldenreizer des Krieges Gelegenheit, sich hervorzutun.

Wer wagt es, dem Mann aus Tanna in die Augen zu blicken? Und ihm eine Trostesformel für seinen Schmerz zu reichen?

Waffensegnende Pfarrer, Rabbiner, Pastoren: heraus jetzt mit den Seelenheilmitteln aus euren Feldapotheken.

Ihr solltet jedenfalls die Geschichte von dem Mann aus Tanna im Gebet vor des Schöpfers Thron bringen. Vielleicht geschähe dann das heißersehnte Mirakel: daß sich die Erde spaltete und das ganze Geschlecht der Stahlbadediener verschlänge wie einst die weit harmlosere Rotte Korah. [72]

GOETHE IM SCHÜTZENGRABEN

Weimar, 12. Juli 1916

Hans Gerhard Gräf, der Herausgeber des ›Jahrbuchs der Goethe-Gesellschaft‹, geht in seinem Vorwort auf neue Beweise dafür ein, »wie lebendig das Gefühl für deutsche Geistesgröße auch im Feldlager, auch im Schützengraben geblieben, wie stark es geworden ist«. Er schreibt:

Das Verlangen nach einem Becher der Erquickung aus dem Jungbrunnen unserer vaterländischen Dichtung ist auch im verflossenen Jahre stetig gewachsen; Goethes ›Faust‹, ›Götz‹, ›Egmont‹, ›Hermann und Dorothea‹, Gedichte, ›Campagne in Frankreich‹ sind in zahllosen Exemplaren unmittelbar hinter der Kampflinie begehrt und gesandt worden.

Wie auch der schlichte Mann da draußen im Unterstand sich gelegentlich über Goethe unterhält, wie sogar Einzelfragen aus Goethes Leben leidenschaftlich erörtert und »Goethe-For-schung« selbst im Schützengraben getrieben wird, das zeigen in anschaulichster Weise zwei Feldbriefe, die mir in den letzten Tagen zugegangen sind. Der erste trägt, ohne Nennung des Ortes, das Datum 15. Juni 1916 und ist an ein Mitglied unseres Vorstandes gerichtet, dem ich für die freundliche Überlassung zu Dank verpflichtet bin:

». . . Gelegentlich der Tagung der Goethe-Gesellschaft haben wir uns hier sehr oft über Goethe, Weimar, Frau von Stein, und Christine von Goethe unterhalten.

Ich selbst war schon 4mal in Weimar und habe ich meinen Kameraden viel erzählt. Ich war erstaunt, daß viele meiner Kameraden gut Bescheid wußten über Goethe und was dazu gehört, aber selbst nichts von Goethe gelesen hatten. Nur einer meiner Kameraden arbeitet mir entgegen und sucht die Meinung der übrigen zu beeinflussen [so]. Er erzählt z. B., daß Christine ein Fabrikmädchen gewesen wäre, und Goethe hätte die Armut des Mädchens ausgenutzt und sie später nur der öffentlichen Meinung wegen geheiratet; auch Gretchen würde so ähnlich behandelt. Daß die Verhältnisse anders lagen, und daß man bei dem Wort Fabrikmädchen nicht an die heutige Zeit denken darf, und daß Christine aus guter, gebildeter Familie stammte, wenn sie auch in einer Fabrik arbeitete, das alles sagt der gute Mann natürlich nicht.

Ich möchte nun bei Ihnen als Vorstandsmitglied der Goethe-Gesellschaft anfragen, ob ich als Lesestoff für meine Kameraden einiges von und über Goethe bekommen könnte. Ich denke an ›Faust‹, ›Wilhelm Meister‹, Briefe mit Frau von Stein, mit Christine, und das neue Buch ›Christine von Goethe‹ (bei Delphin-Verlag, München) u. s. w. Ich überlasse es natürlich Ihrem Ermessen, für den Fall, daß Sie mir einiges besorgen könnten. Ich denke, daß die dortigen Mitglieder genug Einzelbände haben, die sie gerne abgeben würden. Natürlich brauchen es gerade nicht die schweren poetischen Arbeiten zu sein.

Daß ich sehr aufgebracht bin über meinen Kameraden, der ein solches Bild von Goethe malt, brauche ich Ihnen wohl nicht erst zu sagen, daher meine dringende Bitte. (Bücher möglichst gebunden.)

Nebenbei bemerkt, mein Kamerad ist sehr streng katholisch.«

».... Man hat viel, sehr viel von Goethes Verhältnisse zu Frau von Stein und Christine gesprochen, man konnte sich nicht recht denken, daß Goethe ein so armes Mädchen zur Frau nehmen konnte, bei den innigen Beziehungen zur Frau von Stein. Ich hatte meinen Kameraden davon erzählt. Auch daß ein so überragender Geist mit einem Mädchen wie Christine geistig zufrieden sein konnte, bzw. es überhaupt zur Lebensgenossin wählte, ist vielen schwer verständlich. Ich selbst denke dabei, was aus Goethe hätte werden können, wenn er z. B. Charlotte Buff als Lebensgenossin bekommen hätte. Ich und meine Kameraden schätzen es sehr hoch, daß Goethe aller zum Trotz Christine zu sich genommen hatte. Man freut sich schon über die Tatsache, daß Goethe sich über die Sitte hinweg gesetzt hat und ganz seinen Neigungen nach gewählt hatte. .... Ich habe mir angewöhnt, nicht immer zu fragen, was hat der Verfasser mit diesem und mit jenem Satze gemeint? sondern ich hole aus dem Buch, was ich für mich finden kann, ob ich dann etwas anderes finde, als der Verfasser gemeint hat, was schadet das, die Hauptsache ist doch die, daß ich etwas von dem Buche habe und mir etwas seelisch Positives hole. Was meinen Sie zu meiner Gewohnheit? Ich glaube, daß ich ganz richtig denke. ....«

Wer diese naivherzlichen, zutraulichen Äußerungen eines gesunden, nicht durch sogenannte »Bildung« verdorbenen Geistes liest und zugleich weiß, wie eisern der Widerstand ist, den diese tapfern Goethe-Verehrer ringsum dem an Zahl vielfach überlegenen Feinde leisten, der ruft unwillkürlich aus: »Lieb Vaterland, magst ruhig sein.« [96]

URLAUBS-ERINNERUNG

Kurt Tucholsky schreibt an Hans Erich Blaich (Dr. Owlglaß):

Ortsunterkunft, 21. Juli 1916
Armierungsbataillon 26
3. Kompagnie

Der Kriegsschauplatz zerfällt nach wie vor in zwei große Parteien. Nicht etwa Russen und Deutsche; sondern in Vorgesetzte und Mannschaften. »Die Vorgesetzten«, hat hier neulich jemand gesagt, »sind der Krebsschaden der Armee.« Ein wahres Wort. Aber das ist gut so – denn wenn der Schrecken von hinten größer ist denn der von vornen, so beseelt (ich kenne doch meinen Lokalanzeiger) so beseelt ein ungestümer Drang nach Vorwärts die gesamte Armee. Amen. [71]

NATURGESCHICHTE EINES AUFSTANDES 7

Linienschiff »Helgoland«, 25. Juli 1916

Die berühmte Werftordnung ist in Kraft getreten, wonach jeder nur mit Erlaubnis des Wachtoffiziers austreten darf, über die Länge des Schiffes nicht hinausgehen darf, das Rauchen ist verboten, das Baden, Wäscheaufhängen usw. Alle diese Vorschriften sind da, um übertreten zu werden. Aber einem Offizier mit kleinlicher Denkungsart bieten sie hundert Handhaben, um uns zu quälen und zu schikanieren. Wie beschämend ist es, einen Leutnant von 20 Jahren fragen zu müssen ob man austreten darf. Und wenn man dann hören muß, ob es dringend sei oder nur ein Vorwand zum Drücken, da juckt es mir in den Fingern. Der frischgebackene Leutnant A. ist in diesen Kleinigkeiten wirklich groß. Es ist eine tiefe Schande, daß so einem Schnösel, den man noch als Kadett gekannt hat, eine solche Machtbefugnis in die Hand gegeben wird. Ich muß sagen, daß er noch lange nicht der gemeinste in dieser Hinsicht ist. [21]

August 1916

Der Kaiser hält eine Ansprache an die Feldgeistlichen und sagt ihnen, wie er sich ihr Amt denkt:

. . . Wir brauchen praktisches Christentum, die Exemplifizierung unseres Lebens auf die Persönlichkeit des Herrn. Nehmen Sie ihn nur einfach nach dem, was er gesprochen und getan hat. Meine Herren, wie fesselnd und fabelhaft vielseitig ist diese Persönlichkeit. Man muß sich nur gründlich mit ihm beschäftigen. Man muß mit dem Herrn leben, angenommen, der Herr trete in diesem Augenblick in die Türe, könnten wir ihm in die Augen sehen? . . . Die Person des Herrn, die jetzt ganz entschieden, vielleicht richtend durch die Welt schreitet, sollen Sie uns sehen lassen. Sie sollten dieselbe vergegenwärtigen, neu zeigen . . . Jedenfalls wird es der größte Gewinn für unser Volk sein, daß es begriffen hat, man kommt ohne ihn nicht aus, man muß mit ihm rechnen . . . Man muß doch sagen, unser Volk ist groß, daß es ohne zu murren oder mit der Wimper zu zucken, sich für eine große Sache eingesetzt hat und sich dafür opfert. Das ist vom Herrn unserem Volk gegeben. Grüßen Sie die Leute draußen. Prägen Sie ihnen ein festes Gottvertrauen ein! [74]

RELIGION DER NÄCHSTENLIEBE

1916

Divisionspfarrer Schettler ruft in einer Broschüre ›In Gottes Namen durch‹ den Soldaten zu:

Ihr seid nicht hinausgeschickt, um den Gegner zu bedauern, der hat sein Los nicht anders verdient. Sondern ihr sollt als Männer mit rücksichtsloser Entschlossenheit das Mittel anwenden, das uns einen baldigen und dauerhaften Frieden verschafft. Das Mittel heißt: Kalt' Eisen! . . . Die Welt hat wieder eine Eisenkur nötig, gebt ihr den deutschen Stahl zu kosten. Furcht und Schrecken muß vor euch hergehen. Gott hat es zugelassen, daß diese Prüfung die Menschheit trifft. Ihr habt sie nicht zu verantworten; ihr habt nur ein jeder an seiner Stelle, eure Waffen mit allem Nachdruck zu gebrauchen: Ihr Russen, ihr Belgier, und vor allem ihr englischen Kanaillen, da habt ihr, was euch zukommt: Kalt' Eisen!... Krieg führen heißt Blut vergießen, und je ausgiebiger es geschieht, umso rascher werden unsere Gegner den Frieden suchen ... Unsere Schuld ist es nicht, wenn wir in der Blutarbeit des Krieges auch die des Henkers verrichten müssen. Den Soldaten ist das kalte Eisen in die Hand gegeben; er soll es führen ohne Scheu; er soll dem Feinde das Bajonett zwischen die Rippen rennen; er soll sein Gewehr auf ihre Schädel schmettern; das ist seine heilige Pflicht, das ist sein Gottesdienst. [29, 24]

DIE EINRICHTUNG EINES GEFANGENEN-LAZARETTS

10. August 1916

Bericht der spanischen Botschaft an die französische Regierung (Abschrift an das deutsche Auswärtige Amt), erstattet im Auftrag und als Abgeordneter der spanischen Botschaft von Kavallerie-Leutnant Gonzalero de Aquilera:

Der vorgelegte Bericht schildert eingehend die gesunde Lage des Militärhospitals Darmstadt, das ganz in der Nähe des Gefangenenlagers gelegen war, etwa 5 km von der Stadt entfernt auf einem ebenen und sandreichen Boden, umgeben von bedeutenden Laub- und Nadelwaldungen. »Die hier herrschende Atmosphäre ist sehr rein; somit trägt die ganze Lage des Lazaretts sehr zur Erhaltung eines guten Gesundheitszustandes der Leute bei.« Das Hospital umfaßte 1000 Betten in zusammen 20 Baracken. Jede Baracke von genügender Länge und Breite hatte an jeder Seite Fenster, außerdem oben an der Decke Fenster für die Luftzuführung. Im Hintergrund jedes Saales lag ein Wohnraum als Schlafstätte für die französischen Sanitäter. Außer einem deutschen Arzt besorgten zwei weitere französische Ärzte den Krankendienst. Unmittelbar an den Operationssaal grenzte eine sehr gut eingerichtete Abteilung für Radiographie. Der spanische Besucher fand 759 Kranke vor, mit Ausnahme von etwa 20 Russen ausschließlich Franzosen. Die Kleidung der Kranken wie die Bettwäsche machten einen sehr sauberen Eindruck. Die Geschlechtskranken waren in einem besonderen Saal untergebracht. In einem andern Saal befanden sich Apparate zu gesundheitlichen Turnübungen der Verwundeten unter Leitung deutscher Sanitäter. Ein besonderer Apparat war eigens für einen einzelnen Kranken konstruiert worden. Das Hospital erhielt seine Verpflegung aus eigenen Küchen.

Der Bericht kommt zu dem Schlußergebnis: »Alle Leute, mit denen ich zu sprechen Gelegenheit gehabt habe, haben mir irgendwelche Beschwerden nicht vorgebracht, waren vielmehr mit der ihnen zuteil werdenden Behandlung durchaus zufrieden. Im allgemeinen macht das Lazarett somit einen recht günstigen Eindruck und nötigt zu der Überzeugung, daß die deutsche Behörde hier ihrerseits alles Menschenmögliche tut zu Gunsten der Kranken und Verwundeten. Die Sauberkeit in allen einzelnen Abteilungen des Hospitals ist geradezu peinlich und gewissenhaft. [77]

VERURTEILUNGEN

Gent, 26. August 1916

Bekanntmachung.
Durch Urteil des Feldgerichts der mobilen Etappen-Kommandantur 237/VIII der vierten Armee vom 26. August 1916 ist der Petrus Deman, Gärtner in Gent, und dessen Ehefrau Rosalie Deman, geborene Meirsmann, in Gent, wegen verbotenen Taubenbesitzes zu je zwei Jahren und sechs Monaten Gefängnis verurteilt worden.
Der Gerichtsherr: von Wick,
Oberstleutnant und Etappen-Kommandant. [13]

AUS DER DENKSCHRIFT LICHNOWSKYS

August 1916

Der letzte kaiserliche Botschafter in London, Fürst Karl Max Lichnowsky, verfaßt eine Denkschrift ›Meine Londoner Mission‹; diese gelangte durch Indiskretion in die Hände des Hauptmanns v. Beerfelde aus der Politischen Abteilung des Generalstabs, der fünfzig Abdrucke davon herstellen ließ und diese nicht nur an den Kronprinzen, an Hindenburg und Ludendorff weitergab, sondern auch an Parlamentarier und Journalisten. Noch während des Krieges erschien die Denkschrift im Ausland, wo sie als Beweis der Kriegsschuld Deutschlands ausgewertet wurde. Das Preußische Herrenhaus, dem der Fürst angehörte, stellte Antrag auf Ausschluß (lt. § 9 der Verordnung vom 12. 10. 1854 – Würdelosigkeit –) dem auf Intervention des Kaisers nicht stattgegeben wurde.
Die Stellungnahme zur Schuldfrage lautet:

Wir haben, wie aus allen amtlichen Veröffentlichungen hervorgeht, und auch durch unser Weißbuch nicht widerlegt wird, das durch seine Dürftigkeit und Lückenhaftigkeit auffällt,

1. den Grafen Berchtold ermutigt, Serbien anzugreifen, obwohl kein deutsches Interesse vorlag und die Gefahr eines Weltkrieges uns bekannt sein mußte (ob wir den Wortlaut des Ultimatums gekannt, ist völlig gleichgültig);

2. in den Tagen zwischen dem 23. und 30. Juli 1914, als Herr Sasonow mit Nachdruck erklärte, einen Angriff auf Serbien nicht dulden zu können, die britischen Vermittlungsvorschläge abgelehnt, obwohl Serbien unter russischem und britischem Drucke nahezu das ganze Ultimatum angenommen hatte und obwohl eine Einigung über die beiden fraglichen Punkte leicht zu erreichen war;

3. am 30. Juli, als Graf Berchtold einlenken wollte, und ohne daß Österreich angegriffen war, auf die bloße Mobilmachung Rußlands hin ein Ultimatum nach Petersburg geschickt und am 31. Juli den Russen den Krieg erklärt, obwohl der Zar sein Wort verpfändete, solange noch unterhandelt wird, keinen Mann marschieren zu lassen, also die Möglichkeit einer friedlichen Beilegung geflissentlich vernichtet.

Ist es zu verwundern, wenn angesichts dieser Tatsachen außerhalb Deutschlands nahezu die gesamte Kulturwelt uns die Schuld am Weltkriege beimißt?

Über Deutschlands Zukunft schrieb der Fürst:

Heute nach zweijährigem Kampfe kann es nicht mehr zweifelhaft sein, daß wir auf einen bedingungslosen Sieg über Russen, Franzosen, Italiener, Rumänen und Amerikaner nicht hoffen dürfen, mit dem »Niederringen« unserer Feinde nicht rechnen können. Zu einem Kompromißfrieden gelangen wir aber nur auf Grundlage der Räumung der besetzten Gebiete, deren Besitz für uns überdies eine Last und Schwäche und die Gefahr neuer Kriege bedeutet. Daher soll alles vermieden werden, was diejenigen feindlichen Gruppen, die für den Kompromißgedanken vielleicht noch zu gewinnen wären, den britischen Radikalen und den russischen Reaktionären ein Einlenken erschwert. Schon von diesem Gesichtspunkte aus ist das polnische Projekt ebenso zu verwerfen, wie jeder Eingriff in belgische Rechte oder die Hinrichtung britischer Bürger, vom wahnwitzigen U-Boot-Plane gar nicht zu reden. [80]

Die neue Kriegsanleihe muß erfolgreich sein — sonst ermutigen wir England weiterzukämpfen! — Sie **kann** erfolgreich sein — denn es ist Geld genug im Lande! Und sie **wird** erfolgreich sein — wenn jeder handelt, als ob von ihm allein alles abhinge!

›*Allgemeiner Wegweiser*‹, *29. September 1917*

Pless, 30. August 1916

Der Kaiser hat Kater wegen Weggang von Falkenhayn. Als ihn
der Kanzler damit tröstet, daß er doch aus den Zeitungen er-
sehen müsse, welcher Jubel über Hindenburgs Ernennung
herrsche, antwortete der Kaiser: »Die Stimmung des Volkes ist
mir ganz egal.« [48]

WAS DIE FRONT DENKT

Pless, 12. September 1916

Graf Roedern, der Schatzsekretär, hier angekommen, um mit
Feldmarschall v. Hindenburg zu verhandeln, wegen Förderung
der matt gezeichneten Kriegsanleihe in der Armee, besonders,
um zu verhindern, daß weiterhin aus der Front Aufforderungen
an die Angehörigen in der Heimat gelangen, die Kriegsanleihe
nicht zu zeichnen, weil mit der Zeichnung nur der Krieg verlängert würde. [48]

RECHTFERTIGUNG

21.–23. September 1916

*Die Reichskonferenz der Sozialdemokratischen Partei erörtert ein-
gehend die Gründe, welche ihre Reichstagsfraktion veranlaßten, die
Kriegskredite zu bewilligen. Als Ergebnis wurde bekanntgegeben:*

Unsere Abstimmung vom 4. August 1914 war kein Votum
für den Krieg. Der Krieg war da. Er war gegen unseren Willen
und gegen unsere Bemühungen um die Erhaltung des Friedens
gekommen. An der ehernen Tatsache des Krieges konnte unsere
Abstimmung für oder gegen die Kredite nichts mehr ändern.
Die feindlichen Heere bedrohten unser Land mit den Schreck-
nissen der Invasion. . . . Was tun? Wir mußten uns wehren.
Die einzige Rettung für unser von zwei Seiten so furchtbar
bedrohtes Land lag in seinem festen Zusammenhalten. Innere
Uneinigkeit bedeutete die Niederlage. Diese Erkenntnis setzte
sich mit Macht durch. Das elementare Gefühl der Volkszusam-
mengehörigkeit riß alle zueinander, um die gemeinsame Gefahr
abzuwenden.

Wie überall, so mußte auch im Parlament alles geschehen, um

die Niederlage des eigenen Landes zu verhüten. Hatten wir den Krieg nicht verhindern können, so mußten wir nun wenigstens den Sieg der feindlichen Mächte unmöglich machen. Nichts durfte geschehen, was die Pläne und Ziele der Gegner förderte. Die Ablehnung der Kredite hätte unzweifelhaft diese Wirkung gehabt ...

Es gibt freilich Leute, die das Recht und die Pflicht der Landesverteidigung als »kapitalistische Verwirrungsphrase« grundsätzlich ablehnen. Aber wer die Geschichte der deutschen Arbeiterbewegung kennt, weiß, daß sie sich niemals auf den Standpunkt gestellt hat, daß die Schicksalsfragen der eigenen Nation sie nichts angehen. Marx, Engels, Lassalle haben die enge Verknüpfung der Arbeiterinteressen mit der nationalpolitischen Stellung und Gestaltung der deutschen Volksgemeinschaft scharf gesehen und klar ausgesprochen ... Es genügt, darauf hinzuweisen, daß das Programm der Partei die Erziehung zur allgemeinen Wehrhaftigkeit und ein demokratisch organisiertes Volksheer vorsieht, um die Behauptung, das Eintreten für die Verteidigung des eigenen Landes sei »Verrat an den Grundsätzen der Partei«, ins rechte Licht zu setzen.

Das Gegenteil ist richtig. Die Lehre, daß der Arbeiter kein Vaterland zu verteidigen habe, daß ihn nichts verpflichtet, die Volksgemeinschaft, der er nach Geburt und Sprache angehört, gegen Bedrohung von außen zu schützen, ist eine Verletzung sozialdemokratischer Grundgedanken. Die Sozialistische Internationale ist niemals gedacht gewesen als eine Aufhebung der nationalen Gebilde und ihrer Rechte. Sie war vielmehr aufgebaut auf der Anerkennung der einzelnen Nationen und hat deren berechtigte Ansprüche auf Dasein und Entwicklung als einen ihrer vornehmsten Rechtsgrundsätze jederzeit betont. Die Lehre von der Vaterlandslosigkeit des Proletariers und die daraus abgeleiteten praktischen Folgerungen der Verteidigungsnihilisten, sind von den internationalen Kongressen energisch abgelehnt worden ...

Stellte man schließlich noch die Frage nach der Rechtfertigung unserer Politik am 4. August 1914 durch den Erfolg, so ist folgendes zu sagen: Nur dadurch, daß wir die Einheit unseres Volkes herstellten und damit seine militärische Aktionskraft sicherten, wurde es möglich, dem Einbruch der russischen Kriegsmacht in das Reich Einhalt zu tun und ihr die Niederlagen beizubringen, die die Hauptursache zum Zusammenbruch des zaristischen Systems bildeten.

Was aber das Ansehen der Sozialdemokratie im eigenen Lande betrifft, so bedarf es keines Nachweises, daß ein Verrat an der eigenen Volksgemeinschaft in der Stunde der höchsten Gefahr ihr jeden Kredit genommen und die starken Wurzeln ihrer Kraft zerstört hätte. Wenn die deutsche Sozialdemokratie im innerpolitischen Kräftespiel heute ein stärkerer Machtfaktor ist und die Entwicklung in ihrem Sinne erfolgreicher zu beeinflussen vermag als vordem, so ist das unserer Haltung im Kriege zu danken. [31]

DIE JUDEN-STATISTIK

Anfang Oktober 1916

Das Kriegsministerium ordnet eine Statistik über sämtliche in vorderster Front, in der Etappe und im Heimatgebiet im Truppen- und Verwaltungsdienst verwendeten Juden an. Das Ergebnis zu veröffentlichen lehnte der Kriegsminister »mit Rücksicht auf den inneren Frieden« ab. Dadurch ließ er den Gerüchten freien Lauf, die Juden würden es verstehen, sich dem Heeresdienst zu entziehen. Das Ergebnis der Erhebungen war:

1. Es befanden sich

a) beim Feldheer	27515 Juden
b) bei der Etappe	4752 Juden
c) beim Besatzungsheer	30005 Juden
	zusammen 62272 Juden.

2. Von den beim Feldheer Verwendung findenden 27515 Juden taten 6060, also 22%, nicht mit der Waffe in der Hand Dienst.

3. Von den in der Etappe Verwendung findenden 4752 Juden waren 1754 – also 36,9% – kv., wovon wieder 863 – also 49,2% – nicht mit der Waffe in der Hand und 1021 – also 58,2% – bereits über 3 Monate in der Etappe verwendet wurden.

4. Von den im Besatzungsheer befindlichen 30005 Juden waren 8152 – also 27,1% – kv., wovon 2059 Juden – also 25,2% – keinen Dienst mit der Waffe verrichteten und 3747 Juden – also 45,9% – bereits über 4 Monate im Besatzungsheer Verwendung fanden.

5. Noch nicht zur Einstellung gelangt waren 15999 Juden, von denen 7065 auf Reklamation zurückgestellt waren, davon 2322 allein in Berlin.

6. Als kriegsunbrauchbar waren insgesamt 12051 Juden ausgemustert worden.

7. Die Gesamtzahl der Juden (rund 600000) beträgt nicht ganz 1% der Bevölkerung Deutschlands, im Heeresdienst standen somit rund 10% der vorhandenen Juden, gegen rund 14% der übrigen Bevölkerung.

Es standen also im Heeresdienst:

8. Im Vergleich zum gesamten Feldheer 0,6% Juden, davon 22% nicht mit der Waffe in der Hand. Im Vergleich zur gesamten Etappe, 11% Juden, davon 36,9% kv., im Vergleich zum gesamten Besatzungsheer 0,9% Juden, davon 27,1% kv. [22]

»SCHMEISS DOCH DEN KERL RAUS!«

Aus den Kriegstagebüchern des Admirals Georg Alexander von Müller:

Pless, 14. Oktober 1916

. . . der Kaiser schickte mir einen Brief des Kronprinzen an Se. Majestät mit der dringenden Bitte, den Kanzler zu entlassen, der sich nur auf Juden und . . . Sozialdemokraten stütze: »Schmeiß doch den Kerl raus!« [48]

DIE GEFANGENSCHAFT ALS AUSWEG

27. Oktober 1916

Heeresgruppe Kronprinz
Oberbefehlshaber
Ia. Nr. 623. Persönlich!
Nur durch Offizier zu bearbeiten!
Eine der bedauerlichsten Folgeerscheinungen für die zersetzenden Einflüsse der schweren Kämpfe an der Westfront ist unser verhältnismäßig hoher Verlust an unverwundeten Gefangenen.

Ich verkenne keineswegs, daß es Lagen geben kann, in denen ein weiterer Widerstand nutzlos ist. Solche Fälle können eintreten, wenn Leute verwundet oder wehrlos sind, wenn einzelne Leute oder Abteilungen umzingelt und von allen Seiten mit erdrückender Übermacht angegriffen werden. Wir müssen aber an dem Standpunkt festhalten, daß es für einen Truppenteil gemeinhin als eine Schande gelten muß, sich mit der Waffe in der Hand gefangen zu geben.

Ich habe Grund zu der Annahme, daß diese Auffassung vielfach der Truppe verlorengegangen ist und lenke das Augenmerk der Kommandierenden Generale und der Divisions-Kommandeure eindringlich auf diese Frage. Hauptsächlich wende ich mich aber an meine Regiments-Kommandeure als die verantwortlichen Träger für den Geist und die Disziplin der Truppe. Von ihrer verständnis- und kraftvollen Einwirkung erwarte ich, daß in dieser Auffassung ein Wandel eintritt und daß in meiner Armee die Auffassung gilt: Lieber in Ehren untergehen, als leben ohne Ehre!

Der Oberbefehlshaber: Wilhelm,
Kronprinz des Deutschen Reiches und von Preußen. [13]

VERSTÖSSE GEGEN DIE STANDESSITTEN

Berlin, 29. Oktober 1916

Kriegsministerium
Nr. 1510/16 g. A. 2
Geheim
Urlaub nach Berlin.
An den Herrn Chef des Generalstabes des Feldheeres
Nach Mitteilung des Oberkommandos in den Marken nehmen die Fälle zu, daß Offiziere in Uniform öffentliche Lokale Groß-Berlins in Begleitung von Halbweltdamen oder unzweifelhaften Dirnen besuchen.

Es handelt sich nicht nur um Offiziere der Garnisonen von Berlin und Umgegend, sondern vornehmlich um durchreisende oder beurlaubte. Der Oberbefehlshaber in den Marken wird gegen Offiziere, die in dieser Weise das Ansehen des Standes schwer schädigen, mit den schärfsten Mitteln vorgehen. Die in Frage kommenden Lokale werden dauernd durch vereinigte Offiziers- und Kriminalpatrouillen überwacht werden. Offiziere, bei denen festgestellt wird, daß sie sich in der oben bezeichneten Weise gegen die Standessitten vergehen, haben zu gewärtigen, daß sie gegebenenfalls disziplinarisch oder ehrengerichtlich zur Rechenschaft gezogen werden.

Wild von Hohenborn. [13]

Pless, 4. November 1916

Se. Majestät legte einem Bericht des Forstmeisters Frh. Speck von Sternburg über den Hirschbestand in Rominten (Ostpreußen, ein Lieblingsjagdrevier des Kaisers) solches Gewicht bei, daß er ihn vor der Mittagstafel vorlas. Er stieß aber auf Stille und doch beredte Mißbilligung, als in dem Berichte von der Absicht gesprochen wurde, Mohrrüben zur besseren Geweihbildung für die Fütterung aufzukaufen. Das im Notwinter 1916/17! [48]

AUF IN DIE KRIEGSINDUSTRIE!

Berlin, 12. November 1916

Die Reichsregierung erläßt einen Aufruf an die deutschen Frauen, in welchem es u. a. heißt:

Es ist vaterländische Pflicht jeder deutschen Frau, ob verheiratet oder nicht, sich ernstlich die Frage vorzulegen, ob sie nicht auch ihre Kräfte im allgemeinen Interesse nutzbar machen kann, sofern das ihre häuslichen und gesundheitlichen Verhältnisse irgendwie zulassen. Besonders fehlt es an jüngeren, kräftigen Frauen für die Kriegsindustrie, und gerade hier ist manchmal die bedauerliche Beobachtung gemacht, daß namentlich jüngere kriegsgetraute Frauen, welche bislang für die Rüstungsindustrie arbeiteten, es als »Kriegsfrauen« nicht mehr nötig zu haben glauben, weiter zu arbeiten! Sie nehmen einfach die Unterstützung von Staat und Gemeinde in Anspruch und bedenken nicht, wie sehr das Vaterland jetzt auch ihrer Arbeitskräfte bedarf, und welch höheren Verdienst und größere innere Befriedigung sie erzielen, wenn sie sich wieder der praktischen Arbeit widmen. Auch der alte törichte Kastengeist spielt oft mit. Manche Frau hält es unter ihrer Würde, »in die Fabrik« zu gehen, obwohl Arbeiter und Arbeiterinnen in der Fabrik oft genau so wichtig und für unseren Sieg so nötig sind wie der Soldat draußen im Felde. Darum auf, Ihr deutschen Frauen, die Ihr gesunde Hände und Arme habt, und nicht durch häusliche Pflichten gefesselt seid, auf in die Kriegsindustrie, wo Eure Arbeit dem Vaterlande und Euch selbst Segen bringt! [3]

Krupp v. Bohlen und Halbach an Konrad v. Studt:

[Essen] Hügel, 25. November 1916

Im Verfolg meines Schreibens vom 4. d. M. bitte ich heute mitteilen zu dürfen, daß in den nächsten Tagen durch die Diamanten-Regie des südwestafrikanischen Schutzgebietes in Berlin der Betrag von 250000 Mark dem Zentralkomitee der deutschen Vereine vom Roten Kreuz überwiesen wird. Dieser Betrag stellt einen Teil des Erlöses von Schmucksachen dar, die von Frau Krupp und von meiner Frau für die von der Reichsbank eingeleitete Sammlung zur Verfügung gestellt worden sind. [62]

DIE NEUE MOBILMACHUNG

Berlin, 2. Dezember 1916

Das Gesetz über den vaterländischen Hilfsdienst, das wie kein zweites in die wirtschaftlichen, sozialen und persönlichen Verhältnisse aller Schichten des arbeitenden Volkes eingreift und der militärischen Mobilmachung vom August 1914 die noch imponierendere Mobilmachung eines ganzen Volkes folgen läßt, ist heute vom Reichstag mit 235 gegen 19 Stimmen angenommen worden. Durch diese Abstimmung beteuert das deutsche Volk durch den Mund seiner Vertreter den Siegeswillen, mit dem es in den ihm aufgezwungenen Krieg gezogen wurde, und die feste Entschlossenheit, diesen Siegeswillen in die Tat umzusetzen und den Krieg zu einem schnellen und glücklichen Ende zu führen. Es kann seinen Eindruck nicht verfehlen, daß gerade die Führer der Gewerkschaften es waren, die heute diesen hohen Zweck des Gesetzes in den Vordergrund und als maßgebend für seine Bewilligung hinstellten. Das Gesetz ist eine nationale Tat, die ihre schönste Blüte freilich erst zeigen kann, wenn seine Ausführung allen Beteiligten die gemeinsame Arbeit zur Lust macht ... Die heutige dritte Lesung ging nicht ganz glatt vor sich. Einige Fragen, so wieder die Vereins- und Versammlungsfreiheit der im Hilfsdienst beschäftigten Personen, sodann die Stellung der landwirtschaftlichen Arbeiter, die Beziehungen zu den Staatsbahnbetrieben und dergleichen verursachten Schwierigkeiten, und der Staatssekretär Helfferich war in seinem Bestreben, dem Reichstag die Annahme des Gesetzes nach Möglichkeit zu erleichtern, nicht immer glücklich. Erfolglos waren auch die Versuche der äußersten Linken, das Gesetz zum Scheitern zu bringen, und so kam man endlich zur Schlußabstimmung, deren Ergebnis mit Beifall aufgenommen wurde ... Und so konnte der Reichstag im Vollgefühl der Freude über die vollbrachte historische Tat in die wohlverdienten Ferien gehen. [3]

AUS KRIEGSMETALL

Berlin, 6. Dezember 1916

Der Kaiser hat als preußische Auszeichnung das Verdienstkreuz für Kriegshilfe gestiftet, das aus einem achtspitzigen Kreuz aus Kriegsmetall besteht und an Männer und Frauen verliehen werden soll, die sich im vaterländischen Hilfsdienst besonders auszeichnen. [3]

UNEINGESCHRÄNKTE ANERKENNUNG

Berlin, 9. Dezember 1916

Seine Majestät der Kaiser hat heute dem Generalfeldmarschall von Beneckendorff und von Hindenburg das Großkreuz des Eisernen Kreuzes mit nachstehendem Allerhöchsten Handschreiben verliehen:

Mein lieber Feldmarschall!
Der rumänische Feldzug, der mit Gottes Hilfe schon jetzt zu einem so glänzenden Erfolge führte, wird in der Kriegsgeschichte aller Zeiten als leuchtendes Beispiel genialer Feldherrnkunst bewertet werden. Von neuem haben Sie große Operationen mit seltener Umsicht in glanzvoller Anlage und mit größter Energie in der Durchführung mustergültig geleitet und mir in vorausschauender Fürsorge die Maßnahmen vorgeschlagen, die den getrennt anmarschierenden Heeresteilen zu vereintem Schlagen den Weg wiesen. Ihnen und Ihren bewährten Helfern im Generalstabe gebührt dafür aufs neue der Dank des Vaterlandes, das mit stolzer Freude und Bewunderung die Siegesnachrichten vernommen und mit sicherer Zuversicht und vollem Vertrauen auf solche Führer der Zukunft entgegensieht. Ich aber habe den Wunsch, meinem tiefgefühlten Dank und meiner uneinge-

schränkten Anerkennung dadurch besonderen Ausdruck zu geben, daß ich Ihnen als erstem meiner Generale das Großkreuz des Eisernen Kreuzes verleihe.

Großes Hauptquartier, den 9. Dezember 1916,
Ihr dankbarer und stets wohl affektionierter König
gez. Wilhelm R. [3]

NATURGESCHICHTE EINER DEPORTATION 8

Berlin, 11. Dezember 1916

Die ›Norddeutsche Allgemeine Zeitung‹ meldet: Über die Wegführung belgischer Arbeiter ließ die Regierung der Vereinigten Staaten von Amerika hier folgende Mitteilung übergeben: »Die Regierung der Vereinigten Staaten hat mit größter Besorgnis und mit Bedauern von der Politik der deutschen Regierung Kenntnis erhalten, nach der ein Teil der Zivilbevölkerung aus Belgien weggeführt und zwangsweise zur Arbeit in Deutschland angehalten werden soll, und sieht sich genötigt, in freundschaftlichem Geiste, aber in feierlichster Weise gegen ein solches Vorgehen Einspruch zu erheben, das mit allem Herkommen und den humanen Grundsätzen des internationalen Brauches in Widerspruch steht, die seit langem von den zivilisierten Nationen bei der Behandlung von Nichtkämpfern in besetzten Gebieten angenommen und befolgt wurden. Die Regierung der Vereinigten Staaten ist ferner überzeugt, daß die Wirkung dieser Politik, falls sie fortgesetzt werden sollte, nach aller Wahrscheinlichkeit für das belgische Hilfswerk, das in so humaner Weise gedacht und so erfolgreich zur Durchführung gebracht wurde, von Nachteil sein wird, eine Folge, die allgemein bedauert und, wie anzunehmen ist, auch die deutsche Regierung in eine ernstliche Verlegenheit bringen würde.«

Auf diese Note hat die deutsche Regierung eine Antwort gegeben, in deren Beginn es heißt, die deutsche Regierung glaube, daß die Regierung der Vereinigten Staaten über den Grund und die Durchführung der Maßnahmen nicht zutreffend unterrichtet sei, und halte es für angezeigt, zunächst den Sachverhalt näher darzulegen. Die Antwort schildert dann ausführlich die Gründe und die Durchführung der Maßregel, wie sie hier bereits bekannt sind, und sagt zum Schlusse:

»Die deutsche Regierung bedauert außerordentlich, daß durch die lügnerische Pressehetze ihrer Feinde die vorstehend dargelegten Verhältnisse in den Vereinigten Staaten von Amerika offenbar völlig entstellt worden sind. Ebenso würde sie es und zwar nicht zum wenigsten im Interesse der belgischen Bevölkerung sehr bedauern, wenn durch diese Entstellungen die segensreiche Tätigkeit der *Relief Commission* irgendwie beeinträchtigt werden sollte. Schließlich kann die Deutsche Regierung nicht umhin, auf die Tatsache hinzuweisen, daß die Fortführung der deutschen Bevölkerung aus den von feindlichen Truppen besetzten Teilen Deutschlands und seiner Kolonien, insbesondere die Verschleppung von Frauen, Kindern und Greisen aus Ostpreußen nach Sibirien, die neutralen Staaten, soviel hier bekannt ist, keinen Anlaß gegeben haben, bei den beteiligten Regierungen ähnliche Schritte zu tun, wie sie jetzt Deutschland gegenüber unternommen worden sind; und doch kann es keinem Zweifel unterliegen, daß diese Maßnahmen eine gröbliche Verletzung der Gesetze der Menschlichkeit und der Regeln des Völkerrechts darstellen, während nach den vorstehenden Darlegungen sich die deutschen Maßnahmen mit diesen Grundsätzen durchaus in Einklang befinden.« [3]

DER DANK DES HEERES

Berlin, 11. Dezember 1916

Generalfeldmarschall von Hindenburg richtete heute nach dem täglichen Vortrag über die Kriegslage als ältester aktiver General der preußischen Armee an den Kaiser namens des Heeres die Bitte, das Großkreuz des Eisernen Kreuzes selbst anlegen zu wollen. Generalfeldmarschall von Hindenburg führte dabei aus, wie viel das Heer seinem obersten Kriegsherrn in dieser großen Zeit zu danken habe. Der Kaiser hat der Bitte des Feldmarschalls entsprochen. [3]

WAS HINDENBURG NICHT BEGREIFT

Dezember 1916

Nach Worten höchster Anerkennung für das, was der Generalfeldmarschall als »heroische Tapferkeit und Opferwilligkeit der Franzosen« bezeichnete, sagte er:

»Warum die Franzosen in ihrem rabiaten Fanatismus jeden Meter ihres eigenen Bodens mit eigenem Blut tränken, ist eines der Dinge, die über meinen Verstand gehen . . .« [15]

Berlin, 11. Dezember 1916

Das neue Schutzhaftgesetz und das Gesetz über den Belagerungszustand treten am 20. Dezember in Kraft. Zum Obermilitärbefehlshaber, der die Aufsicht und Beschwerdestelle gegenüber Anordnungen der Militärbefehlshaber in der Ausübung des Belagerungszustandes bildet, ist der preußische Kriegsminister Generalleutnant v. Stein ernannt worden. [3]

EINSCHRÄNKUNG DER BELEUCHTUNG

Berlin, 11. Dezember 1916

Die Bundesratsverordnung über die Beschränkung zum Zwecke der Kohlenersparnis, die den Ladenschluß um 7 Uhr und die Polizeistunde für 10 Uhr abends vorsieht, ist heute vom Bundesrat verabschiedet worden und wird voraussichtlich morgen im Reichsgesetzblatt zur Veröffentlichung kommen. Im Zusammenhang mit der neuen Bundesratsverordnung über früheren Ladenschluß wird auch eine Änderung im Schluß der Postämter eintreten, und zwar derart, daß die kleineren Postämter je nach dem örtlichen Bedürfnis früher als bisher geschlossen werden. Dagegen werden die großen Bahnhofspostämter eine Erweiterung ihres Dienstes über die bisherige Zeit hinaus erfahren. Vorläufig ist nicht beabsichtigt, eine Beschränkung des Verbrauchs an Licht und Kohle für die Privathaushaltungen anzuordnen, doch wird eine Einschränkung des Verbrauches in dieser Beziehung dringend gewünscht. [3]

DER REICHSTAGSABGEORDNETE IM ZUCHTHAUS

Karl Liebknecht, vom Kriegsgericht zu vier Jahren Zuchthaus verurteilt, an seine Frau:

Luckau, 11. Dezember 1916

Mein Transport ging sehr »diskret« von statten. 8 Uhr morgens vom Anhalter Bahnhof mit dem D-Zug bis Ukro, (Richtung Dresden), wenig über eine Stunde –, und in rund einer Viertelstunde in Luckau, wo die Strafanstalt etwa 10 Minuten vom Bahnhof in der Hauptstraße links gelegen ist (sofort erkennbares Gebäude). Diese Verbindung, mit der man bereits gegen 10 Uhr hier im Hause sein kann, werdet Ihr auch benutzen müssen bei Besuchen; nachmittags gegen 5 oder 6 Uhr kann man wieder in Berlin sein. Ich bin ganz wohl; keine Gedanken um mich! Zelle geräumig mit Kachelofen; großes Fenster, das ich selbst öffnen kann. Tisch. Waschbecken, sogar Teller und Messer, außer Gabel und Löffel. Nur eins fällt vorläufig schwer, das 11 bis 13 Stunden im Bett liegen. Aber ich werde es lernen und mich so daran gewöhnen, daß Du 1920 Deine Freude dran haben sollst. Ich bin der »Schuhfabrik« zugeteilt, arbeite aber in meiner Zelle – 14 Tage braucht nichts produziert zu werden, die nächsten zwei Wochen ein Drittel, die nächsten – zwei Drittel; dann nach sechs Wochen Lehrzeit volle Leistung. Jetzt bin ich also Schuhmacherlehrling im Keimzustand. In der Freizeit, (Sonntags; an den Werktagen in den Pausen) darf man lesen und schreiben. Die Anstaltsbibliothek scheint gute Sachen zu haben, wohl alle Klassiker. [56]

TAUGENICHTS

18. Dezember 1916

In der ›Neuen Rundschau‹ klagt Thomas Mann: »Der deutsche Mensch ist heute kein Taugenichts mehr – o nein.« Gott sei Dank, daß das endlich einer bemerkt und klagend bemerkt, als einen Verlust, eine Verminderung, Verkürzung, Verarmung der deutschen Art empfindet, als eine Gefahr, die den Deutschen an seiner Seele bedroht, deren mächtiger Ernst erschlafft, wenn ihr dieser leise Zug zum »Taugenichts« abhanden kommt, der Jean-Paul-Zug, der Eichendorff-Zug, der romantische Zug, der übrigens weit älter als alle Romantik ist, er lauert schon an den Lippen Herrn Walthers von der Vogelweide, der liebe Suso hat ihn auch, so oft ihm Gott wieder einmal »ein kleines Ruhlein« schenkt, und da zog kein Ritter ins gelobte Land, der sich nicht die Zeit nahm, zuweilen ein herzhafter Taugenichts zu sein – wir sind, hoch und niedrig, immer ein Volk von Taugenichtsen gewesen, bis wir unsere Unschuld verloren und jetzt auf einmal an irdischer »Tüchtigkeit« mit den Engländern wetteifern, gerade jetzt! Und Gott sei Dank, daß es Thomas Mann auszusprechen wagt, wahrhaftig kein spaßhafter Schriftsteller, kein Flaneur seiner Kunst, sondern selbst voll »Tüchtigkeit« in ihr, einer, der nichts leicht nimmt, der sich alles erarbeitet hat, den auch in der Anmut noch seine Würde, selbst wenn er zu scherzen scheint, Gemessenheit niemals verläßt und dessen vaterländischer Sinn seit seiner bis ins Mark preußischen, stockpreußischen, nur preußischen Schrift über ›Friedrich den Großen und die Koalition‹ doch hoffentlich unverdächtig ist! Aber auch ihm wird jetzt angst vor dieser zähnefletschenden neudeutschen »Tüchtigkeit«, offenbar eben aus Angst um den deutschen Ernst gerade, der ja jenen heimlichen Taugenichts nicht entbehren kann, denn die beiden sind im Grund dasselbe, einer braucht den anderen, der Taugenichts in jedem Deutschen ist nichts als unser deutscher Ernst von der anderen Seite. [43]

GUSTAV RADBRUCH IM SCHÜTZENGRABEN

Der Rechtsgelehrte Gustav Radbruch, später Reichsjustizminister, schreibt seiner kleinen Tochter Renate in einem Weihnachtsbrief aus dem Schützengraben:

Weihnachten 1916

Meine kleine Renate!
Glaub nicht, daß dir dein Vater in diesem Weihnachtsbriefe aus dem Schützengraben von Kampf und Tod, von Maschinengewehren, Minenwerfern und Handgranaten erzählen werde, von all den furchtbaren Dingen und Taten dieser Zeit, die zu dem Feste des Friedens so wenig wie zu deiner behüteten Kindheit passen. Nein, ich will dir gerade zeigen, daß es unmittelbar hinter der Linie, an welcher der Tod Wache hält, gar mancherlei gibt, daran auch kleine Mädchen wie du ihre Freude haben würden und Männer, die sich ein kindliches Herz bewahrt haben, oft wirklich ihre nachdenkliche Freude gehabt haben. Wie oft habe ich mir gewünscht, dich einmal an deiner kleinen Hand durch unsere unterirdische Welt zu führen – und deshalb will ich es wenigstens im Geiste jetzt tun, mir zum Troste in diesem einsamen Weihnachtsmond und dir einmal in Zukunft zur Freude. ... Die Menschheit ist mit einem erstaunlichen Hange zur Subordination ausgestattet. Auch drüben, bei dem »Franzmann«, hört man manchmal die ganze Nacht hindurch die Hunde kläffen. Auch geht die Sage, eine Katze sei einmal mit einem Zettel um den Hals aus dem feindlichen Graben zurückgekehrt. Für die Kreatur existiert die magische Linie nicht, die

wir, und noch unsere Stimme, nicht überschreiten dürfen –
bei Todesstrafe. Wir aber –

Wir aber liegen, Menschen diesseits und jenseits Menschen,
einander stumm, spähend und drohend gegenüber. Und zwischen uns liegt, unbekannter Gefahren voll, die Nacht und die
noch undurchdringlichere Nacht des Mißverständnisses und des
Mißtrauens. Zwei edle Menschenantlitze starren sich mit wim-
perlosen, niemals blinzelnden Augen ununterbrochen an, in
Angst und Haß und doch in tiefem, tiefem Gram über das
unerklärliche und unerbittliche Verhängnis, das zwischen ihnen
diesen Abgrund des Argwohns befestigte. Die dunkle, schwei-
gende, tränenlose Trauer der beiden Fronten ist aber für uns
linke Flügelmänner der Westfront so tragisch spürbar wie für
niemanden sonst, denn sichtbar und hörbar, nur durch eine
Linie, die Menschenwillkür zog, von uns geschieden, beginnt
unmittelbar neben uns eine andere Welt, eine Welt, in der es
noch lautes Gespräch und unbefangen frohes Lachen und hei-
matlich erleuchtete Fenster, in der es noch Furchtlosigkeit,
Vertrauen – Frieden gibt. Einmal brach die Sehnsucht nach
diesem greifbar nahen Frieden laut hervor: die Militärkapelle
der Schweizer spielte unmittelbar zwischen den beiden feindlichen Fronten, und da sprang, erst bei uns dann drüben, lauter
Beifall auf, und beide Fronten waren in *einem* Gefühl verbunden,
und für eine halbe Stunde wurden auch die Stumpfesten seltsam weich, und unversehens sprach alles von Heimat und Zukunft und Frieden. . . . Es gibt außer den unbekannten Ver-
fertigern des Wasserrades noch manchen andern, der sich an
allerlei Basteleien »verkünstelt«. Eine ganze Schützengraben-
industrie. Da werden aus Granatsplittern Brieföffner geschlif-
fen, aus Gewehrgeschossen kupferne Ringe gemacht, wie ich
dir einmal einen mitgebracht habe, Renate, und der ihn machte,
klügelt außerdem die schwierigsten Geduldspiele aus, Draht-
ringe, die sich nur mit langer Mühe und gründlichem Nach-
denken aus einem Gewirr von Drahtkreuzen und -schlingen
herauslösen lassen. Er sieht wie ein kleiner beweglicher Hexen-
meister aus und war einmal eine Zeitlang Kunstturner in einem
Zirkus.

Wirst du dich später einmal wundern, daß ich dir aus dieser
»großen Zeit« nichts Wesentlicheres zu erzählen wußte? Aber
es ist nun einmal deines Vaters Freude, gerade dem Unwesent-
lichen in nachdenklichem Spiele sein Lebensgeheimnis abzu-
fragen. Und ob nicht doch in dieser wie in jeglicher Zeit das

Unwesentliche, was sich in der einzelnen Menschenseele begibt, wesentlicher ist als alles noch so laute äußere Geschehen? Durch jene dunkle, enge Pforte zieht man ja nicht in Scharen, sondern ein jeder in schauerlicher Einsamkeit, und das letzte, ernste Gespräch über das geliehene Pfund führt der Ewige nicht mit Staaten und Nationen, sondern unter vier Augen mit dir ganz allein. Es gibt am letzten Ende nur Gott und die Seele. Dein Vater im Schützengraben. [116]

DAS KÖNIGREICH POLEN

Die ›Warschauer Zeitung‹ veröffentlicht eine Bekanntmachung des Deutschen Generalgouverneurs, in der es heißt:

Warschau, den 31. Dezember 1916

Die durch die Proklamation vom 5. November geschaffene politische Lage in Polen hat in weiten Kreisen des Volkes, besonders bei der Landbevölkerung, die Ansicht erweckt, als habe die deutsche Verwaltung nun nichts mehr zu befehlen, als sei Polen nun ein völlig unabhängiges Land, das gänzlich von den Lasten des Krieges, die heute jedes Volk Europas schwer trägt, befreit sein müsse. Die Ansicht ist irrig. Da die polnischen Behörden erst im Entstehen begriffen sind, so besteht überhaupt noch keine polnische Verwaltung. Aber auch sie würde Requisitionen und alle anderen Lasten des Krieges in gleicher Weise auferlegen müssen wie die vorläufig an ihrer Stelle stehenden deutschen Behörden. Polen werden keine schwereren Lasten auferlegt als Deutschland, das alles willig trägt. Wir kämpfen so gut für Euere Heimat wie für Deutschland, und was Ihr zu leisten habt, kommt Euerer Heimat ebenso zugute wie die Anstrengung Deutschlands. Euere Mitwirkung ist nötig für die glückliche Beendigung des Krieges, der Euere Heimat befreit hat. Je mehr ein jeder hilft, desto schneller wird der Krieg beendet sein und Euer Königreich sich unter den Segnungen des Friedens innerlich festigen und zu Macht und Ansehen erblühen. [3]

1916

Aus einer Broschüre des Sozialisten Eduard Bernstein:

Die Geschichte bleibt jedoch nicht stehen. Der Verkehr im Innern der Nationen wuchs sich aus dem Verkehr der Nationen miteinander, und neben das nationale Empfinden trat das internationale Bewußtsein. Wir sagen ausdrücklich neben das nationale Empfinden. Denn solange Nationen mit ihren Besonderheiten von Sprache, Sitte, ökonomischen Interessen usw. bestehen, wird auch das nationale Empfinden nicht aus der Welt verschwinden. Aber es wird und darf nicht Alleinherrscher sein. Soll die Menschheit nicht in ihrer Entwicklung zurückgehen, so muß, wie in ihrem wirtschaftlichen und allgemein kulturellen Verkehr, so auch in ihrem politischen Denken die Internationalität die Nationalität ergänzen bzw. das nationale zum internationalen Bewußtsein sich erweitern. [126]

EINZUG DER KRIEGSBLINDEN

Das Urbild der ›Lindenwirtin‹ (»Keinen Tropfen im Becher mehr ...«)
des Gedichts von Rudolf Baumbach und des Liedes von Franz Abt,
Aennchen Schumacher, beginnt das 23. Kapitel ihrer Biographie mit
›Einzug der Kriegsblinden‹, womit sie den Besuch ihrer Kneipe meint:

Aus Bonn zogen die Schwestern mit den erblindeten Feldgrauen
öfter nach Godesberg hin. Im Jagdzimmer, wo ein Klavier
stand, wurde eine lange Tafel gestellt. Den Ärmsten der Armen
habe ich versucht, etwas Freude zu bereiten. Die Schwestern
mußten den Soldaten die Texte aus dem kleinen Textliederbuch
vorlesen, und ich übte dann mit ihnen die Melodien ein. So
lernten sie die hübschen Lieder kennen und nahmen sie mit viel
Begeisterung an. Die Textbücher schenkte ich ihnen und zu
Hause mußten diese Texte gelernt werden, damit bei dem nächsten Besuch die Lieder ohne Mühe fehlerlos gesungen werden
konnten. Es waren Festtage für die blinden Feldgrauen, und
sie wurden traurig, wenn die schönen Stunden vorüber waren.
Für mich waren das ergreifende, unvergeßliche Stunden, da ich
das Bewußtsein hatte, in das ewige Dunkel der Ärmsten etwas
Sonne gebracht zu haben. Der Weg zum Bähnchen war abends
immer etwas gefährlich, und wir halfen den Schwestern, die
Feldgrauen zu begleiten. [127]

SÄNGER DES DEUTSCHEN KRIEGES

Heinrich Lersch, ein Kesselschmied, hat am ersten Mobilmachungstag
1914, vor seinem Einrücken ins Feld, ein Gedicht ›Soldatenabschied‹
geschrieben. Mit seinem Refrain: »Deutschland muß leben, und wenn
wir sterben müssen«, wird es bald volkstümlich, wie kaum ein anderes.
Nachdem ›Soldatenabschied‹ für eine Singstimme mit Klavierbeglei-
tung (komponiert von O. Breve) gesondert erschienen ist, und nachdem
das Sekretariat sozialer Studentenarbeit unter dem Titel ›Die heilige
Not‹ andere Kriegsgedichte von Lersch veröffentlicht hat, erscheint
jetzt, im angesehenen Verlag von Eugen Diederichs, Jena, der erste

richtiggehende Gedichtband: ›Herz! Aufglühe dein Blut‹. Und der
Kritiker und Literarhistoriker Julius Bab schreibt das Vorwort dazu:

Ich weiß wohl, daß es einigermaßen kühn ist, einen einzigen aus
der ungeheuren Schar der deutschen Kriegspoeten herauszu-
greifen und ihn mit überragenden Ehrentiteln zu nennen »den
Sänger des deutschen Krieges«. Aber gerade weil es das Schicksal gewollt hat, daß ich die Tausende und Millionen deutscher
Kriegsgedichte, die begabten und die unmöglichen, die dilettan-
tischen und die artistischen, die widerlichen und die liebens-
würdigen, die künstlerischen und die gewerblichen, in ihrer ganzen unermeßlichen Menge vollständiger sammeln und prüfen
mußte, als die meisten andern Zeitgenossen, gerade deshalb
wage ich es, und nenne diesen einen, Heinrich Lersch, und nur
ihn: den Sänger des deutschen Krieges! Das reinste und stärkste
Geschenk, das die singende Kraft der deutschen Volksseele auf
die ungeheure Ansprache des Krieges hergab. Gewiß, ein paar
von Deutschlands starken Dichtern, die wir schon vorher
ehrten, Dehmel, Dauthendey, Hesse und andere, haben jeder
von seiner besonderen Lebenssituation aus ein paar mächtige
Verse, auch liedhafte sind darunter, zum Kriege gegeben; ...
aber ich weiß nur einen, der als ein neuer Dichter, und zwar
nicht als Erzähler und Redner, sondern als Sänger im innersten
Sinn des Wortes und als Sänger mehr als eines Liedes uns vom
Kriege neu geschenkt worden ist, und das ist Heinrich Lersch.
[114]

UNSERE PROVINZ BELGIEN

1917

In den vom Alldeutschen Verband aufgestellten »Deutschen Kriegs-
zielen« heißt es über die Zukunft Belgiens:

Also: Belgien muß deutsch werden! In dieser Forderung war im
Herbst 1914 nahezu unsere gesamte Öffentlichkeit eines Sinnes;
inzwischen haben jene, die auch aus diesem Krieg nichts gelernt
haben und die sich in verschiedenen Lagern befinden, unter
Scheingründen des Selbstbestimmungsrechts der Völker, unter
Rücksicht auf England und wie die Gründe alle heißen, einen
Umschwung der öffentlichen Meinung herbeizuführen gesucht,
und diejenigen, die sich am realpolitischsten gebärden, wollen

sich mit »realen Garantien« begnügen, ohne freilich zu sagen, wie diese beschaffen sein könnten. Für die Sicherung der deutschen Zukunft gibt es – um diese Wendung zu gebrauchen – nur eine reale Garantie, und sie besteht darin, daß das ganze bisherige Staatsgebiet (d. h. soweit wir es bis zum Kriegsende in der Hand haben oder noch in die Hand bekommen) machtpolitisch fest in deutscher Hand behalten wird. Die ganze sogenannte »belgische Frage« ist überhaupt gar keine belgische Frage, sondern eine deutsche, und zwar die deutsche Schicksalsfrage, das müssen wir uns stets vor Augen halten und die daraus sich ergebenden Notwendigkeiten erfüllen. So ergibt sich die weitere Frage, was mit dem Lande und seiner Bevölkerung geschehen soll.

Nach dieser Richtung muß man sich darüber klarwerden, daß eine Angliederung oder Einverleibung in das Deutsche Reich oder ein Bundesstaat unter Verleihung gleicher politischer Rechte an die Bewohner ein Ding der Unmöglichkeit ist, daß sie ein Unrecht gegen die Bürger des Deutschen Reiches wäre ...

Das Land wird in zwei Teile zerlegt, die sich so genau wie möglich nach der Scheidung der Bevölkerung in Wallonen und Flamen richten: den Norden bildet die flämische Mark, den Süden die wallonische Mark – über beide werden allein dem Kaiser unterstellte Beamte gesetzt, denen außerordentliche Vollmachten erteilt werden. Die vorgeschlagene Zweiteilung wäre mit der Maßgabe auszuführen, daß der schmale Rand des wallonischen Sprachgebiets, der stark mit Flamen durchsetzt ist, dem flämischen Gebiete zugelegt würde; dies Verfahren empfiehlt sich, da man sicher sein kann, daß die dort sitzenden Wallonen in kurzer Zeit flämisch gemacht sein werden.

Beide Marken werden »diktatorisch« verwaltet und erhalten etwa die Stellung der »Provinzen« im römischen Reiche. Wie diese grundsätzliche Forderung im einzelnen durchzuführen wäre, braucht hier nicht dargelegt zu werden; wiederholt sei aber: die bisherigen Belgier dürfen vorläufig im Reiche keine politischen Rechte erhalten. Die jetzt schon bestehenden Einrichtungen der »permanenten Ausschüsse« und der »Provinzial-Landtage« genügen durchaus, um die inneren Verwaltungsangelegenheiten der Provinzen einschließlich ihrer Finanzgebarung im Gange und in Ordnung zu erhalten.

Dies ist hart, wird vielleicht der Teil unserer Mitbürger sagen, der trotz aller Erfahrungen der letzten Zeit noch »objektiv« geblieben ist und sich in die Seele, in die berühmte »Mentalität«

der Fremden »versetzt«. Aber wenn man bedenkt, wie zuchtlos dies belgische Volk unter einem Staate geworden ist, der eigentlich nie ein Staat war, wie niederträchtig-gemein ein allzu großer Teil seiner Bevölkerung sich gegen unsere Kämpfer benommen hat, so wird man auch die härtesten Maßnahmen selbstverständlich finden. [60]

DIE HEIMSTATT DES IDEALISMUS

1917

Die Monatsschrift ›Bühne und Welt‹ erscheint unter dem neuen Titel ›Deutsches Volkstum‹; ihr Herausgeber Wilhelm Kiefer schreibt zum Auftakt:

Die Völker, die um uns leben, kämpfen für nichts als die Gelüste entarteter Machthaber, und wollen sie nicht unmittelbar selbst das Gemeine, so stehen sie in seinem Banne. Deutschland aber verteidigt seine höchsten irdischen Güter: Heimat, Weib und Kind und kämpft für die ewigen Gesetze, für Gott, Freiheit und Sittlichkeit. Wollt ihr nicht, höre ich da hastig und erregt einwerfen, Landerwerb, ja fordert ihr nicht die Unterwerfung bisher selbständiger Nationen? Ist das auch ein Kampf um Freiheit und Sittlichkeit? Ja, ihr engbrüstigen Freunde der Menschheit, auch in diesen Forderungen liegt die Maxime des Sittlichen. Denn der Idealismus, der uns und die anderen Völker vor dem schließlichen Untergange bewahren soll, muß eine Heimstatt haben auf dieser Erde; das sittliche Wollen eines Volkes muß geschützt werden vor dem zerstörenden Willen verblendeter Gegner. [58]

BLOCKADE-KINDER WIEGEN SCHWERER

Januar 1917

Sanitätsrat Dr. Rabnow ist der Frage nachgegangen, ob die Hungerblockade den Kindern im Mutterleib geschadet hat; dabei machte er »tröstliche und erfreuliche« Beobachtungen. Nämlich: von 295 Kindern, die zwischen dem 31. März 1915 und dem 1. April 1916 geboren wurden, von ihren Müttern also durch die Blockadenot getragen worden waren, hatten die im Berliner Auguste-Viktoria-Krankenhaus auf die Welt gekommenen 153 Knaben ein Durchschnittsgewicht von 3327 Gramm (gegenüber 3308 Gramm, 1913) und die 142 Mädchen ein Durchschnittsgewicht von 3209 Gramm (gegenüber 3067 Gramm, 1913). [87]

DER GEGENWERT IN GELD

Wilna, Sonntag, 7. Januar 1917

Bei der gestrigen Besichtigung des Bataillons holte sich unsere Kompagnie drei erste Preise. Es erwarben sich:

eine Sturmgruppe beim Einbruch in die feindlichen Stellungen
40,– Mark
ein Unteroffizier beim Handgranatenweitwurf 7,– Mark
ein Musketier beim Handgranatenzielwurf 7,– Mark
[12]

MAL WIEDER AUF DEN BAUM KLETTERN KÖNNEN

27. Januar 1917

Der ›Allgemeine Wegweiser für jede Familie‹ (dieses Blatt bringt wöchentlich jedem neue, wertvolle Anregungen sowie Vorschläge für das geistige und praktische Leben der Familie) veröffentlicht in seiner heutigen Ausgabe das Ergebnis seines Kinder-Kriegspreisausschreibens. Drei Fragen waren zu beantworten:

1. Aus welchem Grunde vor allem freut ihr euch auf den Frieden?

2. Welche Tat eines Feldgrauen aus eurer Verwandtschaft oder Bekanntschaft erscheint euch besonders rühmenswert?

3. Was habt ihr im Krieg für euer künftiges Leben gelernt?

Zweitausend Knaben und Mädchen hatten sich beteiligt. Der Aufsatz von Ulrich Beilke vom Kgl. Dom-Gymnasium zu Kolberg, zehn Jahre alt, lautete:

Der Frieden
Wir freuen uns auf den Frieden, weil dann unsere tapferen Helden aus dem Kriege zurückkehren, und es mit dem Blutvergießen ein Ende hat und wir unsere guten Lehrer wieder bekommen. Daß es die Armen besser haben und nach den Lebensmitteln nicht so herumstehen müssen. Daß wir den Feinden gezeigt haben, was eine deutsche Faust leisten kann und daß sie siegen kann, zu Wasser und zu Lande. Daß wir nicht so lange

nach Milch und Butter stehen müssen, denn wir Jungens sind auch nicht dafür. Weil ich dann endlich mal wieder auf den Baum klettern kann, denn jetzt muß man immer auf seine Schuhe achten. Weil meine Mutter sich dann nicht mehr mit den vielen Marken den Kopf zerbrechen braucht. Auch kann man sich dann mit Ruhe ins Bett legen, weil man weiß, daß die lieben Feldgrauen alle wieder zu Hause sind. Vor allem aber, weil wir auf einen ehrenvollen Frieden hoffen, und weil es wunderschön sein wird, wenn die kühnen Truppen bekränzt und mit Musik in die Heimat zurückkehren, und ich mit der Pauke mitlaufen kann. [78]

ZWISCHEN ZWEI STÜHLEN

Februar 1917

In der Monatsschrift ›Der Türmer‹ wird Klage darüber geführt, daß der Mittelstand am Krieg zuwenig verdient:

Dem Mittelstande winken keine Kriegsgewinne, weder im Millionenregen noch in vier- bis fünffach gesteigerten Löhnen. Auf der einen Seite geben die Kriegsgewinne die Möglichkeit, die phantastischsten Preise zu zahlen, auf der andern wetteifern damit die Löhne, mit denen das Einkommen keines Beamten Schritt halten kann. Zwischen beiden Schichten sitzt der Mittelstand. Er trägt die Hauptlast dieses Hungerkrieges. Und er hat nicht gemurrt. Er ist nicht auf die Straße gegangen, trotzdem für ihn keine Hindenburgspende und keine Zulagen vorhanden sind. Der Mittelstand hat den größten Teil der Millionen geopfert, die auf den andern Seiten gewonnen sind. Man frage nur den Handwerker, dem der Krieg die Rohstoffe nahm, oder den Kleinkaufmann, dem Warenmengen und Preise auf das genaueste zugemessen werden, oder den Hausbesitzer, der große Mieteinbußen tragen muß. Der Mittelstand trägt diese Lasten, wenn nicht freudig, so doch ohne Murren. Aber er hofft, daß es einmal wieder anders wird. [5]

Februar 1917

In einer Propagandaschrift des Kriegsernährungsamtes heißt es:

Es muß in das Gehirn eines jeden Einzelnen eingemeißelt werden, daß es nicht um die Befriedigung des täglichen Ernährungsbedürfnisses, um das Essen und Trinken, nicht um das Geldverdienen, nicht um eine wenig mehr oder minder hohe Preisfestsetzung, geht, sondern darum, was aus unserem deutschen Vaterlande und Volke werden soll, darum, was jeder Einzelne zur Überwindung der sicherlich vorhandenen großen Schwierigkeiten in der heimischen Wirtschaft tun kann: jeder zu seinem Teil als bewußtes Glied des Volkes. Nur dann werden wir dauernd mit Erfolg einem Feind begegnen können, der durch schmählichen Aushungerungskrieg unser ganzes Volk vernichten, unsere so schnell und hochentwickelte Volkswirtschaft zugrunde richten, jede einzelne Familie in unserem Volksleben dem völligen Ruin zutreiben will. Diese Erkenntnis darf uns keinen Augenblick verlassen, sie wird uns zu den höchsten Leistungen in Selbstlosigkeit antreiben.

Daß in allen Ständen Torheit oder Böswilligkeit Einzelner trotz des Ernstes der Zeit sich immer wieder hervorwagen, kann berechtigte Entrüstung erregen. Diese muß aber immer gegen diese Einzelnen sich richten und darf niemals zu Verunglimpfungen des ganzen Standes ausgedehnt werden. [10]

EINE AMTLICHE FESTSTELLUNG

Februar 1917

Inmitten des Kohlrübenwinters stellt das Kriegsernährungsamt fest:

Trotz der erheblichen Einschränkungen und eingreifenden Änderungen unserer Ernährung im Kriege ist eine schädliche Rückwirkung auf die Volksgesundheit nicht wahrzunehmen. [10]

MUTTERPFLICHTEN

Februar 1917

Wichtig ist für die Säuglingsernährung das Stillen durch die Mutter. Wenn nun manche Frauen meinen, sie könnten bei der jetzigen Ernährungsweise nicht stillen, so ist das nicht stichhaltig. Die stillende Mutter erhält außer ihrer eigenen Brot-, Kartoffel-, Zuckerkarte auch noch die des Säuglings, außerdem 1 Liter Milch täglich und 1 Pfund Haferflocken, sowie eine Zusatzkarte für $\frac{1}{2}$ Pfund Zucker monatlich. Daraus und aus dem zugeteilten Mehl können nahrhafte Suppen bereitet werden. Verwendet die Frau die Nahrungsmittel wirklich für eigenen Gebrauch, so ist sie ausreichend ernährt, um ihr Kind zu stillen; die Beobachtung lehrt, daß die meisten ihr Gewicht beibehalten, manche sogar an Gewicht zunehmen; das trifft besonders zu für Mütter mit Erstgeborenen. Anders freilich sieht es oft bei Müttern aus, die eine ganze Kinderschar um sich herum nach Brot schreien hören. Da ist es begreiflich und rührend, wenn eine Mutter ihren Anteil den anderen Kindern abgibt, aber sie muß sich klarmachen, daß sie das auf Unkosten des Säuglings tut, den sie dann aus Nahrungsmangel vorzeitig abstillen muß. [10]

ERKLÄRUNG DES UNEINGESCHRÄNKTEN U-BOOT-KRIEGES

1. Februar 1917

Obgleich die leitenden Stellen im U-Boot die letzte Möglichkeit gesehen hatten, standen am 1. Februar nur 103 Boote bereit. Der Staatssekretär Capelle hatte den Bau verlangsamt, um Schlachtschiffe zu bauen. Um die Jahreswende waren 178 U-Boote im Dienst, 220 im Bau. Die Höhe der Versenkungszahlen übertraf alle Erwartungen, aber weder wurde England, von Amerika gehalten, dadurch friedenswillig, noch wurden amerikanische Truppentransporte verhindert. Nur einmal ist einem deutschen U-Boot geglückt, einen Transportdampfer zu versenken. Verlorengegangen sind im Kriege 199 U-Boote, davon 178 durch den Feind.

Versenkt haben die U-Boote insgesamt 16 Millionen Tonnen Schiffsraum. [5]

STECKRÜBENGERICHTE FÜR 4 PERSONEN

5. Februar 1917

Zwischen dem 5. und 18. Februar und zwischen dem 26. Februar und dem 1. April gab es für die Bevölkerung von Berlin-Neukölln überhaupt keine Kartoffeln, dafür dann bis zu 1000 g Gebäck oder zwischen 2 und

6 Pfund Kohlrüben. Was man alles aus diesem Kartoffelersatz machen konnte:

»Steckrübensuppe, Steckrüben mit Kartoffeln, braune Steckrüben, Steckrübenauflauf, Steckrübenpudding, Steckrübenfrikadellen, Steckrübenkoteletts, Grünkohl und Steckrüben, Rotkohl und Steckrüben, Steckrübenauflauf mit Weißkohl, Kohlrollen mit Steckrübenfüllung, Steckrübensalat, saure Steckrüben, Steckrüben mit Porree, Steckrüben mit Äpfeln, gefüllte Steckrüben, Steckrübenklöße, Steckrübenbrotaufstrich, Steckrübenmus, Steckrübenmarmelade.« [33]

DER BRUCH MIT DEN VEREINIGTEN STAATEN

Berlin, 5. Februar 1917

An welchem Tage der amerikanische Botschafter Gerard Berlin verlassen wird, steht noch nicht fest. Er hat die sich hier aufhaltenden amerikanischen Korrespondenten empfangen und ihnen geraten, abzureisen. Der Botschafter wird abreisen, wenn die dringendsten Geschäfte erledigt sind, und wird wahrscheinlich die Vertretung der amerikanischen Interessen an den spanischen, schon reichlich belasteten Botschafter übergeben. Die hiesige amerikanische Kolonie, die in Friedenszeiten durchschnittlich 5000 Köpfe zählte, hat sich während des Krieges schon vermindert, es dürften jetzt nur noch einige Hundert hier sein, Frauen und Kinder eingeschlossen. Es fehlen namentlich die so zahlreichen Studierenden beider Geschlechter, besonders die der Musik. Von diesen Amerikanern haben sich heute schon viele ihre Pässe geholt. Es herrschte auf der Botschaft ein lebhaftes Treiben, aber ohne jede Unruhe. Das Haus der Botschaft am Wilhelmsplatz wird nicht auffälliger als schon während des ganzen Krieges von einigen in der Nähe auf und ab patrouillierenden Schutzleuten bewacht. – Eine Anzahl amerikanischer Zeitungskorrespondenten bat gestern den Staatssekretär des Auswärtigen Amtes, Zimmermann, um eine Unterredung. Der Staatssekretär empfing die Herren und sagte ihnen etwa folgendes: »Wir sind noch nicht im Besitz einer offiziellen Mitteilung aus Washington. Die Entscheidung des Präsidenten Wilson hat uns erstaunt und enttäuscht. Seit der Ablehnung unseres Friedensangebotes durch die Entente blieb uns in der Verteidigung unserer Existenz kein anderer Schritt übrig als der unbeschränkte Tauchbootkrieg. In dem Kampf gegen die Völkerverletzungen der Entente haben uns die Vereinigten Staaten ihren Beistand versagt. Wir haben keine bedingungslosen Versprechungen gemacht, auf den unbeschränkten Tauchbootkrieg zu verzichten, und kein Versprechen gebrochen. Wir hoffen, daß Präsident Wilson die amerikanischen Schiffe vor den Gefahren des Sperrgebietes warnen wird. Im Kampfe um unsere Existenz gibt es für uns kein Zurück mehr!« [3]

DIE GESAMTKÜCHE

Februar 1917

Das Kriegsernährungsamt teilt mit: Sich der Speisung durch die Massenküche zu schämen, wäre durchaus falscher Stolz. Die Gemeindeküche ist keine Wohltätigkeits- sondern eine Zweckmäßigkeitsanstalt: jeder bezahlt und gibt seine Lebensmittelkarten ab. Anstelle der Einzelküche tritt nur die Gesamtküche vieler Haushalte. [10]

Bekanntmachung.

Auf Abschnitt 36 der Eierkarte kann vom 27. März bis 6. April

ein Ei

abgegeben und entnommen werden.

Berlin, den 23. März 1918.

Magistrat.
der Königlichen Haupt- und Residenzstadt.
Wermuth.

Berliner Tageszeitungen, März 1918

Wien, 14. Februar 1917

Kaiser Wilhelm empfing gestern den Schriftsteller Hans Müller, den Verfasser des Dramas ›Könige‹, in Audienz. Müller erzählt darüber in der ›Neuen Freien Presse‹:

Der Kaiser sprach zuerst über die Aufführung der ›Könige‹ in Berlin und verwies die Schriftsteller auf den unerschöpflichen Brunnen der deutschen Vergangenheit, in dem eine Fülle von Gold noch ungehoben liege. »Seit frühester Jugend«, sagte der Kaiser, »gehen mir ein paar Gestalten nach, die nach Vertiefung durch den Dichter verlangen. Das ist der Ostgotenkönig Theoderich, der im letzten Teil von Hebbels ›Nibelungen‹ ja nur Episodengestalt ist. Da ist aus späterer Zeit Friedrich II., einer der schöpferischsten und interessantesten Männer, der noch lange nicht in seiner Größe erkannt ist. Da ist vor allem Karl V. Denken Sie sich, daß er mit Martin Luther zusammenkäme. Ist das nicht einer jener ewigen Gegensätze, die auch auf der Bühne ewige Wirkungen erzeugen?« Und nach einem kleinen Schweigen fügt der Kaiser langsam und ruhig hinzu: »Wer weiß, wenn die beiden, Karl und Luther, wirklich zusammengekommen wären, wer weiß, wo heute das deutsche Volk stünde . . .« [3]

GEREIZTE STIMMUNG

17. Februar 1916

Eine der unerfreulichsten Folgen des Krieges ist daheim die gereizte Stimmung des einzelnen gegen die anderen. Als ob auch nur einer von uns Deutschen etwas dafür könnte, daß der grausige Krieg überhaupt begonnen, und vor allem, daß er noch immer nicht beendet sei. So berechtigt die Friedenssehnsucht ist, ihre Erfüllung läßt sich doch zurzeit nicht erzwingen, wie ja die Ereignisse seit dem großherzigen Angebot unseres Kaisers jedem Einsichtigen klar bewiesen. Es muß also weiter gekämpft und weiter durchgehalten werden. [78]

Berlin, 18. Februar 1917

*In der Sitzung des Deutschen Landwirtschaftsrates im Herrenhaus
hält der Staatssekretär des Innern Dr. Helfferich eine Rede, in der er
u. a. erklärt:*

»Die knappen Zufuhrmöglichkeiten Englands werden eine weitere Einschränkung, sie werden eine entscheidende Hemmung
erfahren durch die Sperre, die unsere Tauchboote Tag für Tag
wirksamer um das seegewaltige England legen. Wir haben ge-
wägt und haben gewagt. Wir sind des Erfolges sicher und werden uns den Erfolg nicht entwinden lassen, durch nichts und
von niemandem! Wie der deutsche Acker zum englischen steht,
dafür will ich Ihnen nur wenige schlagende Zahlen nennen. Auf
den Kopf der Bevölkerung gerechnet lieferte vor dem Krieg
eine normale Ernte an Brotgetreide in Deutschland etwa
230 Kg., in Großbritannien und Irland nur wenig mehr als
30 Kg., eine normale Ernte an Getreide insgesamt ergab in
Deutschland rund 400 Kg., in England nur rund 130 Kg. auf
den Kopf. An Kartoffeln ernteten wir mehr als 650 Kg., die
Engländer nur etwa 150 Kg. pro Kopf. Dazu kommt unser
Zuckerrübenbau, der in Friedensjahren fast ebensoviel für die
Ausfuhr frei ließ, wie unser gesamter heimischer Verbrauch aus-
machte; England hat uns auf diesem Feld überhaupt nichts
entgegenzustellen. Unser Bestand an Rindern betrug etwa 320
Stück auf 1000 Einwohner, in England nur etwa 260 Stück.
Unser Schweinebestand pro 1000 Einwohner war etwa 370
Stück gegen wenig mehr als 80 Stück in England. Nur an Scha-
fen und Ziegen war uns England stark überlegen. Die deutsche
Landwirtschaft wird den Kampf mit dem britischen Acker im
rechten Geist, in voller Tatkraft und im entschlossenen Opfer-
willen durchkämpfen, denn sie wird mit unserer Industrie,
mit unserem Heer, mit unserer Flotte das Letzte und Beste an
die große Entscheidung setzen. Wenn alle ihre volle Schuldigkeit tun – und der Deutsche tut seine Schuldigkeit – dann werden
wir das Jahr 1917 zur Weltenwende gestalten, dann wird das
Jahr 1917 die britische Seetyrannei zerbrechen und dem deutschen Volke die Tore einer freien und großen Zukunft auf-
machen.« [3]

Vom Kriegsernährungsamt wird mitgeteilt:

Die Versorgung mit Eiern ist unregelmäßig und außerordentlich knapp geblieben. Während früher der Absatz der Eier ungebunden war und infolgedessen nur der Bemittelte, der sehr hohe Preise zahlte, Eier erhielt, der Unbemittelte und selbst der Kranke leer ausging, ist jetzt die Abgabe von Eiern auf Eierkarten geregelt, so daß in den einzelnen Bedarfsgemeinden jeder, der nicht selbst Hühner hält, nur die gleiche Menge erhalten kann. Der allgemeine Mangel an Eiern hat freilich die Erfüllung aller Ansprüche auf Bezug von Eiern oft nicht gestattet. Er ist hervorgerufen hauptsächlich durch den Fortfall der Einfuhr, die im Frieden 166 750 Tonnen betrug (das sind 3 335 000 Zentner; auf einen Zentner gehen 600–800 Stück Eier), und auf die Minderung unseres einheimischen Geflügelbestandes, die durch den Mangel an Futtermitteln hervorgerufen ist. Die Schwierigkeit der Futterbeschaffung hat manchen Geflügelhalter zur vorzeitigen Abschlachtung seines Bestandes veranlaßt. Um einer zu weitgehenden Abschlachtung unserer Eierleger vorzubeugen, ist das Huhn in die Fleischkarte einbegriffen. Dem Geflügelhalter, der ein Huhn für sich schlachtet, dem Verbraucher, der ein Suppenhuhn kauft, wird es auf seine Fleischkarte angerechnet. Hierdurch ist der Genuß von Hühnerfleisch und damit das Abschlachten der Hühner eingeschränkt. [10]

17 GRAMM HAFERFLOCKEN

Februar 1917

Das Kriegsernährungsamt über Säuglingskost:

Wenn also auf dem Lande oder in Städten nach der Verordnung 1 Liter Milch täglich für Säuglinge gewährt wird, so ist das sogar mehr, als den Kindern frommt. Mag es anderen Familienmitgliedern zugute kommen! Sehr knapp ist dagegen der Zucker; der Säugling braucht zur Milchmischung mindestens 40 Gramm täglich (zirka 2 gehäufte Eßlöffel), das wären im Monat mehr als 2 Pfund. Neuestens erhalten Säuglinge eine Zuckerzusatzkarte von $^1/_2$ Pfund monatlich, so daß also ein Säugling auf 2 Pfund monatlich kommt. Der knapp bemessene Zucker kann durch Schleim ersetzt werden.

Jeder Säugling hat das Anrecht auf 1 Pfund Haferflocken im Monat, also zirka 17 Gramm im Tag, das ist gerade knapp ausreichend. Für Säuglinge im zweiten Lebenshalbjahr, die auch noch Brei bekommen sollen, langt der Hafer allerdings nicht. Vielleicht ist Grieß oder Graupen auf Lebensmittelkarten verteilt worden, oder man gibt Zwiebackbrei oder zur Not auch Kartoffelbrei; ja wenn alle diese Dinge knapp werden, darf man bei Kindern von $^1/_4$ bis 1 Jahr gelegentlich auch ein gewöhnliches Brötchen in Milch geweicht zu essen geben. [10]

WAS VERGESSEN WURDE

Februar 1917

Das Kriegsernährungsamt gibt eine der Ursachen der Hungersnot zu:

Der militärische Generalstab hatte für jeden Kriegsfall die Organisation der Wehrkraft bis ins kleinste durchdacht und vorbereitet. Ein wirtschaftlicher Mobilmachungsplan dagegen fehlte. [10]

ANKÜNDIGUNG NEUER STEUERN

23. Februar 1917

Der Schatzsekretär Graf Roedern hat im Reichstag neue 15 Milliarden Kriegskredite verlangt; sie werden mit gewaltiger Mehrheit bewilligt. Mit dem neuen Reichshaushalt kündigt er neue Steuern an.

... Man kann, so setzt der Schatzsekretär auseinander, drei Wege zur Deckung des Mehrbedarfs einschlagen: Man kann eine Defizitanlage aufnehmen, man kann die laufende Kriegsgewinnsteuer in den Etat einstellen, und man kann neue Steuern aufnehmen. Solide ist nur der letzte Weg. Als neue Kriegssteuern aber können nur solche in Frage kommen, die einfach zu erheben und doch ertragreich sind. Eine neue Kriegsgewinnsteuer wird später kommen, einstweilen genügt ein Zuschlag von 20 Prozent zur bisherigen. Für die Steuergesetzgebung scheiden für jetzt die Elektrizitäts- und Wasserkräfte aus; um so einfacher liegt die Sache bei der Kohle, wenn man von einem Bergbau-

monopol oder Großhandelsmonopol absieht. Wir haben die
niedersten Kohlenpreise in der Welt, und die Steuer ist einfach
zu erheben. Dasselbe gilt von der Verkehrssteuer, um deren
Einführung das Reich so wenig wie andere Staaten herum-
kommt. Wenn wir uns unsere Finanzgebarung solide gestalten,
so können wir trotz aller schweren Lasten der wirtschaftlichen
Zukunft doch mit Vertrauen entgegensehen. Der Staatssekretär hält nach wie vor daran fest, daß der kommende Friede uns
auch eine Kriegsentschädigung bringen werde, und vertraut im
übrigen auf unsere ungebrochene Kampfeslust, auf die gewaltigen technischen Fortschritte, die wir während des Krieges gemacht haben, und auf den festen Willen aller produktiven
Kräfte, nach dem Kriege wieder aufzubauen, was durch den
Krieg eingerissen worden ist. Er erklärte weiter: In der Kohle
schlummern noch gewaltige Entwicklungsmöglichkeiten. Die
künstliche Stickstoffgewinnung wird uns nach dem Kriege vom
Ausland unabhängig machen, ebenso wie die Gewinnung von
Aluminium mit seiner gesteigerten Verwendungsmöglichkeit
ein Ersatz für Kupfer und vieles ist. Das sind Ausblicke in die
Zukunft, die erhebend wirken und die Zuversicht in den guten
Ausgang des Krieges steigern.[3]

DER SIXTUS-BRIEF

Hinter dem Rücken seines Verbündeten – Nibelungentreue von der ande-
ren Seite – hat Kaiser Karl von Österreich Friedensfühler ausgestreckt.
Ihm schwebt ein Sonderfriede mit Frankreich vor, nachdem er über
seinen Mittelsmann erfahren hat, wie man in Paris über einen allge-
meinen Frieden denkt, nämlich: »Niemand ist willens, mit Deutsch-
land zu unterhandeln, ehe es geschlagen ist.« In dieser Lage schreibt
Kaiser Karl dem Mittelsmann (es ist sein Schwager, Prinz Sixtus von
Parma-Bourbon) den folgenden Brief. Die Ententemächte haben Karls
Vorschlag abgelehnt, nicht zuletzt, weil er von den Abtretungen, die
Italien von Österreich erwartete, kein Wort enthielt.

24. März 1917

Mein lieber Sixtus!
Das dritte Jahr dieses Krieges, welcher der Welt soviel Trauer
und Schmerzen gebracht hat, nähert sich dem Ende. Alle Völker meines Reiches sind mehr als je in dem gemeinsamen Willen
einig, die Unversehrtheit der Monarchie zu schützen, selbst um

den Preis der schwersten Opfer. Dank ihrer Einigkeit und dem großherzigen Zusammenwirken aller Nationalitäten meines Reiches hat die Monarchie seit fast drei Jahren den schwersten Angriffen Widerstand leisten können. Niemand wird die militärischen Erfolge leugnen können, welche meine Gruppen, insbesondere auf dem balkanischen Kriegsschauplatz, errungen haben.

Frankreich hat seinerseits eine große Widerstandskraft und einen prachtvollen Elan gezeigt. Wir alle bewundern rückhaltlos die herrliche, traditionelle Tapferkeit seiner Armee und den Geist der Aufopferung im ganzen französischen Volk. Daher ist es mir besonders angenehm, zu sehen, daß, obgleich wir derzeit Gegner sind, keine wirkliche Verschiedenheit in den Auffassungen und Bestrebungen mein Reich von Frankreich trennt und daß ich berechtigt bin zu hoffen, daß meine lebhaften Sympathien für Frankreich, vereinigt mit jenen, die in der ganzen Monarchie herrschen, für alle Zukunft die Wiederkehr des Kriegszustandes, für welchen mich keine Verantwortung treffen kann, verhüten werden.

Zu diesem Zweck und um die Wirklichkeit dieser Gefühle genau auszudrücken, bitte ich Dich, geheim und inoffiziell Herrn Poincaré, dem Präsidenten der französischen Republik, zur Kenntnis zu bringen, daß ich mit allen Mitteln und unter Anwendung meines ganzen persönlichen Einflusses bei meinen Verbündeten die gerechten Rückforderungsansprüche Frankreichs mit Bezug auf Elsaß-Lothringen unterstützen werde.

Was Belgien betrifft, so muß seine Souveränität wiederhergestellt werden; es muß seine gesamten afrikanischen Besitzungen behalten. Hiermit soll der Frage der Entschädigungen nicht vorgegriffen werden, die es für erlittene Verluste wird erhalten können.

Serbien wird in seiner Souveränität wiederhergestellt werden. Als Beweis für unsern guten Willen sind wir geneigt, ihm nach Billigkeit einen natürlichen Zugang zum Adriatischen Meere ebenso wie weitgehende wirtschaftliche Vorteile zuzusichern . . .

Die Ereignisse in Rußland zwingen mich, meine Gedanken hierüber bis zu dem Tage vorzubehalten, an welchem dort eine gesetzliche und definitive Regierung eingesetzt sein wird.

Nachdem ich Dir in dieser Weise meine Gedanken auseinandergesetzt habe, möchte ich Dich bitten, daß Du mir Deinerseits nach Rücksprache mit den beiden Mächten vorerst die Meinung Frankreichs und Englands mitteilst, um so das Terrain für ein

Einvernehmen vorzubereiten, auf dessen Grundlage offizielle Besprechungen eingeleitet und zur Befriedigung Aller geführt werden könnten.

Indem ich hoffe, daß wir so von beiden Seiten baldigst den Leiden von so vielen Millionen Menschen und so vielen in Trauer und Angst befindlichen Familien ein Ende setzen können, bitte ich Dich, an meine lebhafte und brüderliche Zuneigung zu glauben.

Karl [6]

KEINE VOLLMILCH, KEIN SCHNAPS

Frühjahr 1917

Das Kriegsernährungsamt teilt mit:

Vollmilch wird nur werdenden und stillenden Müttern, Kindern bis zu 6 Jahren und Kranken zugeführt. Die übrige Bevölkerung erhält keine Vollmilch; es wird erstrebt, sie mit Magermilch (entfetteter Milch, die aber sonst gleichen Nährgehalt hat wie Vollmilch) besser als bisher zu versorgen. Magermilch ist bei dem übergroßen Futtermittelmangel als Erhaltungs- und Mastfutter für Kälber und Schweine unbedingt erforderlich. Sie kann daher den Tierhaltern nicht völlig entzogen werden. Ein Teil der Magermilch wird auch unbedingt zur Käseherstellung gebraucht. Daher ist eine vollgenügende Belieferung der Städte mit Magermilch nicht möglich, zumal diese bei weiteren Transporten leicht verdirbt.

Immer wieder begegnet man der Meinung, daß jetzt noch Korn zur Schnapsherstellung verwendet wird. Das ist ein Irrtum. Es darf in diesem Jahre kein Korn, Roggen oder Gerste zur Herstellung von Kornschnaps, auch nicht für das Heer, verwendet werden. Es ist lediglich etwas Korn bereitgestellt worden, weil zum Einmaischen des für die Munitionsbereitung erforderlichen Kartoffelspiritus ein gewisser Zusatz von Malz (Gerste) notwendig ist; dabei handelt es sich aber um ganz verschwindende Mengen von Korn. [10]

Berlin, 30. März 1917

An die Kriegswirtschaftsämter ist folgende Anweisung ergangen:

Im Einvernehmen mit dem preußischen Staatskommissar für Volksernährung, Exzellenz Michaelis, ordne ich an, daß die Kriegswirtschaftsämter sich sofort mit den ihnen unterstellten Kriegswirtschaftsstellen in Verbindung setzen, um in weitesten Kreisen der Landbevölkerung in allen Teilen des Landes auf die außerordentlich schwierige Lage hinzuweisen, in der sich die städtische Bevölkerung und die Industrie, besonders die Rüstungsindustrie befindet. Die Kriegswirtschaftsstellen müssen durch ihre landwirtschaftlichen Mitglieder und andere geeignete Persönlichkeiten jedem Landwirt dies klar machen. Es nützt nichts, wenn schriftliche Anordnungen erlassen werden, auch größere Versammlungen allein haben keinen Zweck; nur das von Mund zu Mund gesprochene Wort kann hier helfen. Lehrer und Geistliche müssen herangezogen werden. Es muß jedem Landwirt zum Bewußtsein kommen, daß jedes Pfund Korn, das er über das unbedingt notwendige Maß in seiner Wirtschaft verbraucht, ein Unrecht gegen die Gesamtheit ist und unseren Feinden nützt. Jede Kartoffel und Kohlrübe, die noch irgend zur menschlichen Nahrung gebraucht werden kann, muß der städtischen Bevölkerung zugeführt werden. Können die Kohlrüben nicht voll sofort jetzt verwendet werden, so sind sie einer Trocknungsanstalt schleunigst zuzuführen, damit sie nicht verderben. Auf eine restlose Abführung von Molkereiprodukten ist immer wieder hinzuweisen. Kein gesunder Erwachsener sollte auf dem Lande Vollmilch trinken. Vollmilch ist nur für Kinder und Kranke und zur Bereitung von Butter. Es dürfen nur zur Zucht geeignete Kälber aufgezogen und diese nur in den ersten Wochen mit Vollmilch gefüttert werden. Es muß in diesen Besprechungen darauf hingewiesen werden, daß es keinen Zweck hat, sich über Maßnahmen, die bisher getroffen sind, zu unterhalten und sonstige rückwärtige Betrachtungen zu machen, sondern mit allem Nachdruck muß gefordert werden, daß alle Nahrungsmittel restlos den zuständigen Stellen zugeführt werden. Ich erwarte, daß die Kriegswirtschaftsämter und die Kriegswirtschaftsstellen sich des Ernstes der Lage bewußt werden, und daß die Leiter der Kriegswirtschaftsämter sich persönlich davon überzeugen, daß in allen Kreisen mit allem

Nachdruck darauf hingearbeitet wird, alle Lebensmittel den städtischen und Industriearbeitern zuzuführen.

Groener. [3]

VEREINFACHTES VERFAHREN

6. April 1917

Im Großen Hauptquartier erörtert man die elsaß-lothringische Frage. Der Vertreter der Reichsregierung ist nicht in der Lage, den militärischen Stellen Auskunft »hinsichtlich der Zukunft dieses Landes« zu geben. An seiner Stelle diktiert Ludendorff:

Elsaß-Lothringen muß ein deutsches Land werden, und in diesem Land sind deutsche Soldaten zu erziehen. [22]

WOCHENBREVIER EINER TAPFEREN HAUSFRAU

7. April 1917

Montag: $^3/_4$ Stunden Mehl gestanden – schadet nichts. Im Schützengraben stehen sie noch länger.

Dienstag: Keine Möglichkeit Kartoffeln zu bekommen – nun, dann koche ich Kohlrüben.

Mittwoch: Unleidlich hochnasig sind jetzt die Verkäuferinnen, wenn man in der Kundenliste festsitzt – unsere armen Gefangenen werden es auch nicht leicht haben.

Donnerstag: Keine Marmelade mehr gekriegt, nachdem man sich kalte Füße gestanden – ob das Wasser im Schützengraben da in Flandern wohl noch bis ans Knie reicht?

Freitag: Nicht ein Spürchen Fett, nun schon fünf Wochen nicht – wenn nur meine beiden Feldgrauen dort etwas haben, dann will ich's hier schon ertragen.

Sonnabend: Fast zwei Stunden Käse gestanden – immer besser, als daß der Feind im Lande steht! [78]

7. April 1917

Der › Allgemeine Wegweiser‹ zählt folgende Gründe auf, Kriegsanleihen zu zeichnen:

Man zeichnet:

aus dem natürlichen Gefühl heraus, daß es einfache Bürgerpflicht ist, die Mittel für den Schutz der Grenzen in geldwirtschaftlich richtigster Form aufzubringen;

weil die Krieger Anspruch darauf haben, daß die Zurückgebliebenen wenigstens wirtschaftliche Leistungen vollbringen, wenn sie mit ihrer Person nicht an der Verteidigung des Vaterlandes teilnehmen können;

weil die Nichtkämpfer ihre eigene Person, ihr eigenes Vermögen, ihr Haus, ihre Felder, ihre Hypotheken, Effektenanlagen, ihr Geschäft, kurz ihre wirtschaftliche Existenz und das eigene wie das Leben ihrer Angehörigen am besten schützen, wenn sie der Streitmacht die nötigen Geldmittel (auf die geldwirtschaftlich gesundeste Weise) verschaffen helfen;

weil im Ausland die trügerische Hoffnung restlos zerstört werden muß, daß das Wollen und Können in Deutschland irgendwann erlahmen werde;

weil es innere Befriedigung gewährt, für die Leistungen unserer herrlichen Armee und Flotte Dank und Gruß zu senden;

weil man sich vorahnend über den Jubel freut, den Kraft und Einsicht der Zurückgebliebenen in den Reihen der kämpfenden Brüder wieder auslösen werden;

weil eine bessere und höher verzinsliche Anlage bei gleicher unbedingter Sicherheit nicht zu finden ist;

weil es sich um eine Anlage von Spargeldern handelt, die man jederzeit wieder flüssig machen kann;

weil es mit den wirtschaftlichen Kräften der Gegner zu Ende geht und die Entscheidung zu unseren Gunsten also nicht mehr lange auf sich warten lassen kann;

zum andern, weil, wenn dem Einsatz aller Waffen (U-Boote!) der Einsatz aller Geldmittel entspricht, die Entscheidung erzwungen wird;

um gern und freudig dem einfachsten vaterländischen Gefühle zu folgen;

um nicht beschämt zu sein, wenn das Gespräch auf Beteiligung und Nichtbeteiligung kommt;

der Landwirt, weil Besitz und Arbeit unter einem siegreichen Deutschland am meisten gesegnet sind;

der Arbeiter, weil auch seine Lebensbedingungen aufs engste sich mit dem Wohlergehen des Vaterlandes verknüpfen;

der Industrielle, der des Schutzes der Heimat und zufriedener Arbeiter bedarf;

der Rentner, der seine Einkommensquelle vom siegreichen Vaterland beschirmt haben will;

das Alter, das am Ende seiner Tage sein Lebenswerk nicht bedroht sehen mag;

die Jugend, aus dem vorwärtsstrebenden Drange zu allem, was groß und edel ist;

sie Alle, nun, weil sie eben Herz und Verstand zugleich haben. [78]

HINDENBURGS VERTRAUEN

11. April 1917

Der Berliner Vertreter der spanischen Zeitung ›La Vanguardia‹ in Barcelona, Enrique Dominguez-Rodino, ist vom Generalfeldmarschall von Hindenburg am Ostermontag im Großen Hauptquartier empfangen worden und hat dem Wolff-Bureau den Wortlaut seiner Äußerungen überlassen.

Der Marschall sprach zuerst über den Eintritt Amerikas in den Krieg. Es ist klar, sagte er, daß ein so schwerwiegender Entschluß wie die Erklärung des uneingeschränkten U-Boot-Krieges nicht gefaßt wurde, ohne alle möglichen Wirkungen vorher genauestens zu überlegen, auch das Eingreifen Amerikas. Wenn der uneingeschränkte U-Boot-Krieg trotz der Möglichkeit amerikanischer Hilfe für die Entente beschlossen wurde, so wurde sie eben als zu leicht befunden. Ohne weiteres gebe ich zu, daß die finanzielle Hilfe als Plus auf seiten unserer Gegner zu buchen ist. Doch hat sich in diesem Krieg gezeigt, daß, im Widerspruch mit früheren Kriegserfahrungen, Geld nicht das Wichtigste ist, das zum Kriegführen gehört. So erwünscht England eine finanzielle Unterstützung durch die Vereinigten Staaten sein mag, so unerwünscht wird es die wachsende Verschuldung Amerika gegenüber empfinden. Amerikanische Blätter erklären, daß die bisherigen Kriegslieferungen an die Entente nicht verringert werden sollen. Diese Lieferungen haben bereits einen derartigen Umfang angenommen, daß eine weitere Steigerung nicht gut möglich erscheint. Gleichzeitig beabsichtigt man jetzt, ein Heer von einer halben bis zwei Millionen aufzustellen. Ein solches Heer auszurüsten und trotzdem die Lieferungen an die Entente in bisherigem Umfang durchzuführen, erscheint ausgeschlossen. Man muß dazu zunächst die amerikanische Volkswirtschaft weiter auf die Erfordernisse der Kriegsmittelerzeugung einstellen. Dazu braucht man Zeit. Die materielle Hilfe wird somit in absehbarer Zeit nicht groß sein können. Sie dauernd zu verringern, ist die Aufgabe unserer U-Boote. Eine Beeinträchtigung der deutschen Seesperre durch das Eingreifen der amerikanischen Flotte ist ausgeschlossen. Wenn bisher die englische Flotte mit Hilfe der französischen, italienischen, russischen und japanischen der Unterseebootgefahr nicht Herr werden konnte, so wird das auch die amerikanische nicht vermögen. Die Entente verfügt über keine Waffe gegenüber den U-Booten. Die Seesperre geht mit wachsender Wirksamkeit weiter. Bei jedem neuen Transport müssen die Amerikaner das wachsende Risiko in Kauf nehmen. Je mehr Schiffe auf dem Ozean schwimmen, desto größer wird die U-Boot-Beute. Was aber die Frage des Eingreifens amerikanischer Truppen in Europa betrifft, so ist selbst bei intensivster Arbeit und größter Unterstützung durch die Ententestaaten durch Entsendung von Instruktionsoffizieren usw. nicht damit zu rechnen, daß bestenfalls vor Jahresfrist ein amerikanisches Expeditionskorps von einigermaßen erheblicher Stärke zur Einschiffung nach Europa bereit ist. . .

Der Berichterstatter fragte sodann, ob der Marschall meine, daß die Amerikaner, sobald sie zum Eingreifen in Europa bereit seien, vor einer Sachlage stehen würden, die ganz anders sei, als sie sie heute erwarteten, und wie sie sich dann mit der veränderten Sachlage abfinden würden. Darauf antwortete der Marschall: Diese Frage kann ich Ihnen nicht beantworten, es ist nicht meine Aufgabe und ich habe auch anderes zu tun gehabt, als die Stimmungen und Strömungen zu verfolgen, die zum Abbruch der Beziehungen und zum Kriege mit Amerika geführt haben. Allein ich kann mir nicht denken, daß das amerikanische Volk in seiner Gesamtheit von der Notwendigkeit und Zweckmäßigkeit eines Krieges mit uns überzeugt ist. Wilsons Beweggründe und die seiner Freunde sind mir klar. Die amerikanischen regierenden und Finanzkreise haben sich aber auf ein faules Geschäft eingelassen. Wollen sie das investierte Kapital

nicht opfern, so bleibt ihnen nichts übrig, als dem schwanken-
den Unternehmen mit ihrem gesamten Vermögen beizusprin-
gen. Die Frage ist nur, ob sie damit das Unternehmen retten
und ob das amerikanische Volk in seiner Gesamtheit da auf die
Dauer mitmacht. Keinen Augenblick unterschätzen wir den
Ernst der Stunde. Aber der Eintritt Amerikas in den Kreis
unserer Feinde hat alle Ungewißheit von uns genommen. Wir
stehen mit unseren Verbündeten geschlossen, einsam in der
Welt, klar und kalt. Wir haben alle Möglichkeiten erwogen und
nach bestem menschlichem Wissen und Gewissen die gewählt,
die zum Siege und zum Frieden führen. Ich sagte zu Anfang des
Krieges, daß es die Nerven sind, die den Krieg entscheiden.
Dies Wort gilt mehr denn je. Im Vertrauen auf die Nerven des
deutschen Volkes stehe ich auf meinem Posten und sehe dem
letzten entscheidenden Kampf ohne Schwanken entgegen. Ich
weiß, das deutsche Volk wird seinen Kaiser und seine Führer
nicht im Stich lassen! [3]

SCHLUSS UM JEDEN PREIS

13. April 1917

*Graf Ledochowsky, Flügeladjudant Kaiser Karls von Österreich, über-
reicht dem Kaiser im Großen Hauptquartier, Bad Kreuznach, eine
vom 12. April datierte Denkschrift des österreichischen Außenmini-
sters Graf Czernin. »So pessimistisch hatte bisher noch kein Staatsmann der Mittelmächte die Lage angesehen«:*

Es ist vollständig klar, daß unsere militärische Kraft ihrem Ende
entgegengeht. Diesbezüglich erst lange Details zu entwickeln,
hieße die Zeit Eurer Majestät mißbrauchen ... Wenn ich auch
hoffe, daß es uns gelingen wird, noch in den allernächsten
Monaten durchzuhalten, so bin ich doch vollständig klar darüber, daß eine weitere Winterkampagne vollständig ausgeschlossen ist, mit anderen Worten: daß im Spätsommer oder
Herbst um jeden Preis Schluß gemacht werden muß ...
    Ich habe die feste Überzeugung, daß auch Deutschland, genau
ebenso wie wir, am Ende seiner Kraft angelangt ist ... Man
setzt in Deutschland große Hoffnungen auf den U-Boot-Krieg.
Ich halte diese Hoffnungen für trügerisch ... Wenn die Mon-
archen der Zentralmächte nicht imstande sind, in den nächsten
Monaten den Frieden zu schließen, dann werden es die Völker

über ihre Köpfe hinüber machen und dann werden die Wogen der revolutionären Vorgänge alles das hinwegschwemmen, wofür unsere Brüder und Söhne heute noch kämpfen und sterben . . .

Wir können noch einige Wochen warten und versuchen, ob sich Möglichkeiten ergeben, mit Paris oder Petersburg zu sprechen. Gelingt dies nicht, dann müssen wir – noch rechtzeitig – unsere letzte Karte ausspielen und jene äußersten Propositionen machen, die ich im früheren angedeutet habe. [6]

DIE MITWIRKUNG DER ARBEITER

13. April 1917

Der Chef des Kriegsamtes, General Groener, hat an die einzelnen Bundesregierungen die Anordnung ergehen lassen, daß grundsätzlich in alle Verteilungsstellen für Ernährungsprodukte in Stadt und Land zwei Vertreter der Arbeiterschaft abzuordnen sind, damit diese aus persönlicher Mitarbeiterschaft an dem großen Werke der Volksernährung sich die Überzeugung verschaffen können, daß die vorhandenen Lebensmittel tatsächlich richtig erfaßt und verteilt werden. Der preußische Kommissar für Ernährungsfragen, Unterstaatssekretär Michaelis, hat für Preußen die Anordnung getroffen, daß der Anregung des Generals Groener Folge zu geben ist. [3]

SOLL GOETHE RECHT BEHALTEN?

14. April 1917

»Ich habe der Deutschen Juni gesungen, das hält nicht bis Oktober«, klagte Goethe, da die Stimmung von 1813, von der er den Epimenides empfangen hatte, schier schneller getrocknet war als sein Manuskript. Soll er noch einmal recht behalten? Auch jetzt wieder?

Das Deutschland vom August 1914, wohin ist es? Nicht einen Zug mehr hat das heutige mit ihm gemein. Wir sind solche Schnellkünstler im Umlernen geworden, daß, während man eben das neueste A sagt, schon wieder ein noch neueres B dazwischen springt. Dies aber als ein Zeichen von Schwäche zu deuten, scheint mir falsch. Wenn, was gestern noch gepriesen wurde, heute verleugnet und 1917 den »Ideen von 1914« schon wieder abgesagt wird, so geschieht es nicht etwa, weil die Kraft zum »Durchhalten« nachläßt, sondern gerade, weil man durchzuhalten entschlossen ist, durchzuhalten nicht bloß diesen Krieg, sondern auch den Frieden, und weil man dazu festen Grund will, denn jetzt soll aufgebaut werden für hundert Jahre. Das Mißtrauen des deutschen Geistes gegen jeden Versuch, ihn zu beschwichtigen, sein Widerstand, sich ruhig auf bequeme Formeln niederzulassen, die Ungeduld, mit der er immer gleich wieder weitereilt, beweisen, wie stark er sich weiß. Die Stimmung vom August 1914 wird ihm unvergeßlich bleiben. Aber um einer schönen Stimmung nicht untreu zu werden, sich deswegen nun jeder neuen Gefahr zu verschließen, ist er nicht gewillt. Und er kennt die Gefahr des Schlagwortes. Die Wahrheit selber ist zum Schlagwort geworden, entartet. Ist es wirklich wahr, das Wahre?, ist es wirklich groß, das Große? hat der alte Ibsen gefragt. Es wird Zeit, daß Deutschland wieder so fragt. [43]

DER UNERMESSLICHE WERT

14. April 1917

In der Rubrik ›Küche‹ des ›Allgemeinen Wegweisers‹ wird über die Zuteilung eines Eies triumphiert:

Muscheln und Rüben der verschiedensten Art beherrschen zwar immer noch den Speisezettel, aber sie verblassen doch neben dem »einen Ei«. Was erstehen uns für Aussichten, wie freudig sehen wir da in die Zukunft. Ein Ei. Ahnt die junge Hausfrau, die Anfängerin, welchen unermeßlichen Wert dieses eine Ei in sich birgt? Gerichte, die wir uns im Winter haben versagen müssen, wenngleich alle anderen Bestandteile zu haben waren, können wir uns jetzt dank diesem einen Ei zubereiten. [78]

VERKÜRZUNG DER BROTMENGE

Berlin, 16. April 1917

Aus amtlicher Quelle verlautet:

Die von den Berliner Metallarbeitern beschlossene Arbeitsniederlegung in Groß-Berlin kam nur zum Teil zur Durchführung und blieb wohl erheblich hinter den Erwartungen der Veranstalter zurück. Es nahmen daran nur ungefähr 125 000 Arbeiter, viele von ihnen sogar erst nach Ableistung der Frühschicht, teil. Die im Laufe des Vormittags abgehaltenen Werkstättenversammlungen zeigten im Verhältnis zu der Zahl der Ausständigen eine recht geringe Beteiligung. Dasselbe gilt im allgemeinen auch von den Straßenumzügen, die sich im Anschluß daran bildeten und durchweg bald in Auflösung kamen, so daß das Straßenbild namentlich der inneren Stadt fast gar keine Veränderung erlitt. Die bei solchen Anlässen sich immer »radikal« gebärdenden jugendlichen Arbeiter und Arbeiterinnen versuchten vergeblich, durch an sich unbedeutende Ausschreitungen die öffentliche Ordnung zu gefährden. Trotz dieses harmlosen Verlaufes der Kundgebung bleibt es immer noch zu bedauern, daß sie überhaupt stattfand. Schon die Rücksicht auf die zu erwartenden übertreibenden Darstellungen der ausländischen Presse und die Tatsache, daß zur Zeit jede verlorene Arbeitsstunde nur unseren Gegnern zugute kommt, hätten die Veranstalter bestimmen sollen, von ihrem Vorhaben zurückzutreten, zumal da ja über die mit dem Arbeitsverhältnis selbst nicht in Verbindung stehenden Beschwerdegründe, die Verkürzung der Brotmenge, von den zuständigen Behörden unter der Betonung der unbedingten Notwendigkeit dieser Verkürzung rechtzeitig öffentlich in erschöpfender Weise Auskunft gegeben worden war. [3]

NATURGESCHICHTE EINES AUFSTANDES 8

Linienschiff »Helgoland«, 14. Mai 1917

An der Kantine ist ein Zettel angeschlagen, auf welchem zu lesen ist, daß Elemente an der Arbeit sind, die im deutschen Volke Mißtrauen und Zwietracht verbreiten. Pflicht jedes guten Deutschen sei es, an der Entlarvung solcher Verräter mitzuwirken. Wer einen dieser Rädelsführer so zur Anzeige bringt, daß er gerichtlich bestraft werden kann, erhält eine Belohnung von 3000 Mark. So ist es immer gewesen, der verfolgte Spitzbube schreit: Haltet den Dieb! Diese schlechten Kerle, die uns durch ihre Protzigkeit die Vaterlandsliebe vergällen und durch ihre Überhebung und Ungerechtigkeit halb zur Verzweiflung bringen, suchen Rädelsführer ... Es sind wahrscheinlich keine dunklen Mächte aus dem Ausland mehr nötig, um das geduldigste und diszipliniertste Volk der Welt aufs Stänglein zu treiben. Oft habe ich schon gewünscht, daß es die Offiziere noch toller treiben möchten, damit die dünne Rinde, welche unser Aufkommen hindert, zersprengt werde. Bis jetzt aber war man von oben her immer klug genug, den Überdruck rechtzeitig abblasen zu lassen. Er konnte sich bis jetzt noch an keiner Stelle konzentrieren und sich zu einer befreienden Explosion entladen. Ob es während dieses Krieges soweit kommen wird? Nein. Eine unvergleichliche Gelegenheit, sich der durch die Welt flutenden demokratischen Welle anzuschließen, ist unwiderbringlich verloren. Nicht Rußland, sondern Deutschland hätte sich an die Spitze stellen müssen, und ich glaube, daß der Kaiser in einer monarchischen Demokratie mehr Gewalt in der Hand gehabt hätte als heute. Zur Zeit herrscht er, dann aber hätte er regieren können, und zwar im Einverständnis mit seinem Volke. [21]

DIE SORGEN DER ETAPPE

E. H. O., den 21. Mai 1917

Verordnung.
Trotz des nach belgischem Gesetz bereits bestehenden Verbots der Hahnenkämpfe finden solche Kämpfe noch öfters statt. Es wird daher folgendes verordnet:
  1. Die Hahnenkämpfe sind im Etappengebiet verboten.
  2. Die Kampfhähne sind innerhalb acht Tagen nach dem Bekanntwerden dieser Verordnung bei den Etappenkommandanturen abzuliefern.
  Die Etappen-Kommandanturen haben für die Verwertung oder Vernichtung der Kampfhähne zu sorgen.
  3. Zuwiderhandlungen werden mit Geldstrafe bis zu zweitausend Mark oder mit Gefängnis bis zu einem Jahr bestraft. Zuständig sind die deutschen Militärgerichte und Militärbehörden.
Der Etappen-Inspekteur: von Schickfus,
General der Infanterie. [13]

Walther Rathenau an den Nationalökonomen Prof. Gustav v. Schmoller:

Berlin, 12. Mai 1917

Das Volk büßt für seine Führer: das ist, wie ich glaube, der Sinn des Krieges. Und diese Buße ist gerecht, denn es hat seine Führung hingenommen, wie sie kam. [69]

DAS ERGEBNIS SCHWANKENDER POLITIK

Mai 1917

Maximilian Harden wehrt sich in seiner wieder zugelassenen ›Zukunft‹ gegen den Vorwurf, den Krieg gewollt zu haben: er hat nur recht gehabt:

In den Ruf, den Krieg gewollt zu haben, bin ich von Unverstand und Bosheit gebracht worden, weil ich laut, gegen gefährlichen Zweifel, stets die deutsche Botschaft betonte, einen mit Anstand und Nutzen nicht vermeidbaren Krieg zu führen. Nur ein Rindvieh hätte dieses Mittel gewählt, um Krieg zu erwirken; den durch spottschlechte, zwischen grimmem Gefuchtel und Zagheit, dröhnender Rede und Gelispel schwankende Politik wahrscheinlich gewordenen sollte mein Mittel dadurch hinausschieben oder ganz verhindern, daß es die Gegner vor dem Wahn warnte, Deutschland werde die härteste Zumutung, hinter der eine starke Koalition stehe, wehrlos hinnehmen. Daß dieser Glaube, weil ihn nur Einer bekämpfte, weiter wucherte, war eine der Hauptursachen des Krieges. [50]

PROPHETISCHE WORTE

17. Juli 1917

Max Weber beurteilt den Vorstoß des Zentrumsabgeordneten Erzberger im Hauptausschuß des Reichstags, der zu einer gemeinsamen Friedensresolution der Reichstagsmehrheit führte, kritisch und skeptisch. Am 7. Juli hatte er an Conrad Haußmann geschrieben: »Dieser Erzberger ist ein Esel... Die Demokratisierung muß verlangt und durchgesetzt werden. Aber man schädigt sie, wenn man sie mit dem Frieden verquickt.« Heute schreibt er an den Arbeitersekretär Thomas:

Wir müssen zu verhüten trachten, daß wir später jahrzehntelang von den Reaktionären den Vorwurf hören: ihr habt dazu geholfen, daß das Ausland der Nation die Verfassung auferlegte, die ihm – dem Ausland – paßte. Man kann nicht voraussehen, wie stark das, wenn der Friede einmal da ist, auf die Wähler wirkt. [23]

EIN DEUTSCHER IM EXIL SCHREIBT:

Zürich, 18. Juni 1917

Was müßte sich ändern, ehe man wieder Patriot sein dürfte? Was könnten wir der Menschheit als Geschenk anbieten, um sie zugleich zu versöhnen und wieder zur Dankbarkeit, ja zur Liebe zu stimmen? Diese Frage enthält das deutsche Ideal der Zukunft und das Ideal, dem ich alle meine Kräfte, meine beste Einsicht widmen will. [85]

DER ZWECK DER KIRCHEN

Juni 1917

Als Antwort auf die Agitation der ›Kölnischen Volkszeitung‹ für einen »Hindenburg-Frieden« schreibt Friedrich Wilhelm Foerster einen Artikel ›Deutscher Friede und christlicher Friede‹. Dort zitiert er den folgenden Satz aus dem soeben erschienenen Buche des Soziologen Leopold v. Wiese ›Der Liberalismus‹:

Gegenwärtig machen alle Kirchen in Europa den Eindruck von reinen Staatsanstalten, die mit ihren geistlichen Mitteln die Aufgabe haben, politisch-kriegerische Zwecke zu fördern. [76]

DIE ENTDECKUNG DES KINOS

Spät, allzuspät hatte man den Propagandawert des neuen Massenmediums Film erkannt. Ludendorff sucht zu retten, was zu retten ist. Man hat diesen Brief die »eigentliche Gründungsursache der Ufa« genannt, denn tatsächlich haben seine Vorschläge zur Gründung der Ufa – am 18. Dezember 1917 – geführt.

Chef des Generalstabes des Feldheeres
M. J. Nr. 20851 P.
An das Königliche Kriegsministerium Berlin
Der Krieg hat die überragende Macht des Bildes und Films als Aufklärungs- und Beeinflussungsmittel gezeigt. Leider haben unsere Feinde den Vorsprung auf diesem Gebiet so gründlich ausgenutzt, daß schwerer Schaden für uns entstanden ist. Auch für die fernere Kriegsdauer wird der Film seine gewaltige Bedeutung als politisches und militärisches Beeinflussungsmittel nicht verlieren. Gerade aus diesem Grunde ist es für einen glücklichen Abschluß des Krieges unbedingt erforderlich, daß der Film überall da, wo die deutsche Einwirkung noch möglich ist, mit dem höchsten Nachdruck wirkt.

Es wird deshalb zu untersuchen sein, wie dieser Einfluß erzielt werden kann und welche Mittel anzuwenden sind.

1. Die Stärkung der deutschen Werbemöglichkeiten hat sich im Film auf die Einwirkung der Filmversorgung im neutralen Ausland und auf eine Vereinheitlichung der deutschen Filmindustrie zu erstrecken, um nach einheitlichen großen Gesichtspunkten eine nachdrückliche Beeinflussung der großen Massen im staatlichen Interesse zu erzielen.

Außer der feindlichen Filmindustrie besitzt in den neutralen Ländern die Nordische Gesellschaft besonderen Einfluß. Diese Gesellschaft hat sowohl in Skandinavien als auch in Deutschland und der Schweiz zahlreiche erstklassige Kinotheater. Die Nordische Gesellschaft ist somit für die deutsche Propaganda eine Macht, die schon dadurch großen Schaden anzurichten vermag, daß sie in ihrem Verhalten Deutschland gegenüber feindselig auftreten kann. Hinzu kommt noch, daß die Nordische Gesellschaft zur Zeit in der Lage ist, Filme nach Rußland zu bringen. Was dieser Einfluß, sofern er in deutschfreundlichem Sinne durchgeführt wird, bedeuten kann, läßt sich bei der leichtbeweglichen Volksstimmung in Rußland kaum abwägen. Zu bedenken ist ferner, daß aller Wahrscheinlichkeit nach Skandinavien den Schauplatz für die künftigen Friedensverhandlungen abgeben wird. Gerade zu dieser Zeit bedarf es der besonderen Anstrengungen der deutschen Propaganda, um eine wirkungsvolle Aufklärung zu erzielen. Aus diesem Grunde ist es zur Durchführung der Kriegsaufgaben eine Notwendigkeit, schnellstens unmittelbaren Einfluß auf die Nordische Gesellschaft zu

Ein neuer Ompteda

Ostfront
Sachsen im Felde
RITTMEISTER GEORG FREIH. V. OMPTEDA
Verlag August Scherl GmbH Berlin
Preis **1** Mark

›Allgemeiner Wegweiser‹, 10. Februar 1917

suchen. Das einfachste und beste Mittel besteht darin, daß die Hauptanteile der Nordischen Gesellschaft käuflich übernommen werden. Gelingt das nicht, so muß eine andere Form des Anschlusses gesucht werden, die darin besteht, daß das Interesse der Nordischen Gesellschaft am deutschen Filmmarkt in höherem Maße ausgenutzt wird. Möglich ist eine derartige Vereinbarung nur, wenn es gelingt, die deutsche Filmfabrikation so zu vereinheitlichen, daß sie der Nordischen als eine geschlossene Vertragsmacht entgegentritt.

Abgesehen von der Erzielung eines vertraglichen Verhältnisses zur Nordischen Gesellschaft gibt es aber noch andere

Gründe, die es erfordern, daß die deutsche Filmindustrie zu einem einheitlichen Ganzen zusammengeschlossen wird. Je länger der Krieg dauert, desto notwendiger wird die planmäßige Beeinflussung der Massen im Inland. Es müssen deshalb alle in Betracht kommenden Werbemittel systematisch zur Erreichung des Erfolges benutzt werden. Beim Film hat bisher nur eine gelegentliche Beeinflussung der Volksstimmung stattgefunden. Hinzu tritt das Bestreben mancher Kreise, den Film für ihre Sonderzwecke zu verwenden. So haben die Schwerindustrie in der Deutschen Lichtbildgesellschaft und die Alldeutschen in der Gesellschaft für künstlerische Lichtspiele »Deutsche Kunst« eine Stelle geschaffen, die zu einer Zersplitterung in der Beeinflussung durch den Film führen muß. Ferner kommt noch in Betracht der sehr tätige Ausschuß für Lichtspielreform in Stettin, der bereits eine Kulturfilmgesellschaft gegründet hat. Jede dieser Gruppen sucht, die Filmindustrie durch große Aufträge an sich zu reißen, so daß die Durchführung der Kriegsaufgaben des Bufa [Staatliches Bild- und Film-Amt] gefährdet ist.

2. Welche Mittel sind aufzuwenden? Da faktisch zur Beeinflussung einer Gesellschaft nur die absolute Majorität erforderlich ist, bedarf es nicht immer des Ankaufes sämtlicher Anteile. Bekannt werden darf aber nicht, daß der Staat der Käufer ist. Die gesamte finanzielle Transaktion muß durch eine sachkundige, einflußreiche, zuverlässige und der Regierung unbedingt ergebene private Hand (Bankhaus) erfolgen. Die Unterhändler dürfen in keiner Form wissen, wer der wirkliche Auftraggeber des Beauftragten ist. Bei einer Beteiligung von etwa 55% des Gesellschaftskapitals würden für die Nordische Gesellschaft in Kopenhagen etwa 20 Millionen Mark und für die deutschen Filmfabriken etwa 8 Millionen Mark aufzuwenden sein. An deutschen Filmfabriken kommen insbesondere in Betracht:

Deutsche Bioscop-Gesellschaft,
Messter-Film GmbH.,
Eiko-Film GmbH.,
Projektions-AG. »Union«,
Deutsche Mutoskop- und Biograph GmbH.,
National-Film GmbH., u. a.

Wenn man beachtet, welche Summen das Ausland für Filmpropaganda ausgibt, so erscheint die vorstehende Forderung gering. Es darf nur daran erinnert werden, daß im Lauf des letzten Vierteljahres seitens der Entente außerordentlich hohe Summen, über 100 Millionen Mark, für Propagandazwecke bewilligt wurden, von denen der größte Teil für die Filmwerbung Verwendung findet.

Die Verwirklichung der vorstehenden Ausführungen betrachte ich als dringende Kriegsnotwendigkeit und ersuche um baldige Durchführung durch das Bufa. Ich wäre dankbar, wenn ich über das dort Veranlaßte in geeigneter Form unterrichtet werden könnte. Ich füge hinzu, daß es sich um werbende Ausgaben handelt.

gez. Ludendorff [75]

WIE MAN KANZLER WIRD

14. Juli 1917

In seinem Buch ›Weltgewitter‹ berichtet Hans-Heinrich Welchert näheres über die Art und Weise, wie man einen »starken Mann« als Reichskanzler suchte – und fand:

Als der Kaiser sich in der Julikrise des Jahres 1917 von seinem Kanzler Bethmann-Hollweg trennen wollte, hielt er Ausschau nach einem Nachfolger, der ebenso der Obersten Heeresleitung als »starker Mann« wie der Mehrheit des Reichstages als Befürworter der Friedensresolution genehm sein konnte.

Ludendorff schlug als »einzig mögliche Nachfolger« den Großadmiral von Tirpitz und den einstigen Reichskanzler von Bülow vor; von beiden wollte Wilhelm II. nichts wissen, da er sich mit ihnen überworfen und noch nicht wieder ausgesöhnt hatte. Der stürzende Bethmann befürwortete die Kandidatur des bayerischen Ministerpräsidenten und ehemaligen Zentrumsführers Grafen Hertling; hiermit wäre der Kaiser einverstanden gewesen, aber nun versagte der Kandidat sich. Er fühle sich nicht stark genug, so erklärte Graf Hertling dem Chef des kaiserlichen Zivilkabinetts, um den Kampf gegen die Oberste Heeresleitung, id est Ludendorff, durchzuführen.

In diesem Dilemma wurde »der erste Bürgerliche« Kanzler des Reiches: der Staatssekratär für Volksernährung und Leiter der Reichsgetreidestelle, Georg Michaelis.

Über die Umstände, welche der Berufung des Kanzlers Michaelis vorangegangen sein sollen, hat ein Herr aus der Umgebung des Kaisers dem Reichskanzler a. D. Bülow nach dessen Bericht erzählt:

»Wir Flügeladjutanten unterhielten uns im Marmorsaal über die Frage, wer wohl Nachfolger des unmöglich gewordenen

Bethmann werden könnte. Es wurde hin und her geraten, da riß der Generaladjutant von Plessen die Tür auf und rief in den Saal: »Ich habe einen Reichskanzler! Wie er heißt, habe ich vergessen. Michel oder ähnlich. Er macht in Brotlieferungen und hat neulich eine famose Rede gehalten, in der er sagte, er renne jedem den Degen durch den Leib, der ihm in den Weg trete.« Da erhob sich im Hintergrund der Kabinettsrat Valentini, der bis dahin geschwiegen hatte: »Der Mann heißt zwar nicht Michel, sondern Michaelis; er treibt auch kein Brotgeschäft, sondern ist Staatssekretär für das Ernährungswesen in Preußen. Er hat auch nicht gesagt, daß er jedem den Degen in den Bauch stoßen wolle, sondern er betonte, er halte die Waffe des Gesetzes in der Hand und werde sie rücksichtslos anwenden. Den zum Reichskanzler zu machen, wäre gar kein so übler Einfall. Ich fahre sofort zu Seiner Majestät nach dem Schloß Bellevue. Der Kaiser wird froh sein, wenn ich ihn um die Rückberufung des Fürsten Bülow herumbringe.«

KEIN KRIEG FÜR DIE HOHENZOLLERN

16. Juli 1917

Über die Form, in welcher Bethmann-Hollweg durch Ludendorff gestürzt wurde, »aufs äußerste aufgebracht«, schreibt Max Weber:

Keinen Schuß Pulver würde ich tun und keinen Pfennig Kriegsanleihe zeichnen, wenn dieser Krieg ein anderer als ein nationaler wäre, wenn er die Staatsform beträfe, womöglich ein Krieg dafür, daß wir diese unfähige Dynastie ... behalten. [23]

DIE FRIEDENSRESOLUTION

19. Juli 1917

Am 14. Juli einigen sich die Mehrheitsparteien des Reichstags, Sozialdemokratie, Zentrum und Fortschrittliche Volkspartei, auf den Wortlaut einer ›Kriegsziel-Erklärung‹. Diese wurde in der Reichstagssitzung vom 19. Juli vom Abgeordneten Fehrenbach (Zentrum) vorgetragen und vom Reichstag angenommen:

Wie am 4. August 1914 gilt für das deutsche Volk auch an der Schwelle des vierten Kriegsjahres das Wort der Thronrede: »Uns treibt nicht Eroberungssucht.« Zur Verteidigung seiner

Freiheit und Selbständigkeit, für die Unversehrtheit seines territorialen Besitzstandes hat Deutschland die Waffen ergriffen. Der Reichstag erstrebt einen Frieden der Verständigung und der dauernden Versöhnung der Völker. Mit einem solchen Frieden sind erzwungene Gebietserwerbungen und politische, wirtschaftliche oder finanzielle Vergewaltigungen unvereinbar. Der Reichstag weist auch alle Pläne zurück, die auf eine wirtschaftliche Absperrung und Verfeindung der Völker nach dem Kriege ausgehen. Die Freiheit der Meere muß sichergestellt werden. Nur der wirtschaftliche Friede wird einem freundschaftlichen Zusammenleben der Völker den Boden bereiten. Der Reichstag wird die Schaffung internationaler Rechtsorganisationen tatkräftig fördern. Solange jedoch die feindlichen Regierungen auf einen solchen Frieden nicht eingehen, solange sie Deutschland und seine Verbündeten mit Eroberung und Vergewaltigung bedrohen, wird das deutsche Volk wie ein Mann zusammenstehen, unerschütterlich ausharren und kämpfen, bis sein und seiner Verbündeten Recht auf Leben und Entwicklung gesichert ist. In seiner Einigkeit ist das deutsche Volk unüberwindbar. Der Reichstag weiß sich darin eins mit den Männern, die in heldenhaftem Kampf das Vaterland schützen. Der unvergängliche Dank des ganzen Volkes ist ihnen sicher. [3]

PRO MONAT EINE ILLUSION

Walther Rathenau an einen Freund:

Berlin, 20. Juli 1917

. . . Sie brauchen um mich nicht bange zu sein, denn ich verderbe niemand seine Illusionen. Wenn man aber in 36 Monaten 36 große Illusionen unberührt an sich hat vorübergehen sehen, die nicht nur vom Volk, sondern bis zu den höchsten Spitzen hinauf geteilt wurden, so bleibt man von den nächsten 36 unberührt. Lassen Sie jeden von uns an seiner Stelle und in seinem Kreise an der Verteidigung des Landes weiterarbeiten; das Land wird nicht zugrunde gehen. Aber lassen Sie uns nicht Illusionen als Tugend und kühle Beurteilung als Laster verschreien. [69]

28. Juli 1917

Der tägliche Hunger rückt immer stärker in den Mittelpunkt allen Denkens in der Heimat.

Daß der Druck dieses langen Krieges eine schwere Belastung für das Gemüt mit sich bringt, ist eine unbestreitbare Selbstverständlichkeit. Es kommt nur darauf an, wie wir diese Last tragen, in welcher Art wir uns an sie gewöhnen und ihre Schwere zu mildern suchen.

Viele Menschen, und ganz besonders viele Hausfrauen, denen ja gegenwärtig die wahrhaft nicht leichte Arbeit der Beschaffung der Nahrungsmittel für die Familie obliegt, spüren die Last am meisten, dermaßen, daß sie ihr geradezu zu erliegen scheinen. Sie befinden sich immer in einem Zustand der Unruhe, in einer gereizten Nervosität, die sie alles im schwärzesten Lichte sehen läßt. Und da es unter uns leider nicht an schwarzgalligen Pessimisten fehlt, die stets bemüht sind, jeden freundlichen Gedanken niederzuschlagen und die düsteren Bilder aus Gegenwart und Zukunft wie böse Teufel an die Wand malen, so haben sie gerade bei diesen sorgenbeschwerten und ihrer nervösen Stimmung nachgebenden Frauen den meisten Erfolg. So kommt es oft, daß kleine Sorgen zu großen Sorgen werden, daß ein unbedeutender Ärger zu starker Verbitterung ausartet und daß jede neue notwendige Anordnung der Behörden, jede Bestimmung bezüglich der Verteilung der Nahrungsmittel für Woche und Monat endlose Klagen und düstere Prophezeiungen veranlaßt.

Das sind alles Auswüchse einer überreizten Stimmung eines krankhaften Zustandes. Nein, wir schwelgen durchaus nicht im Überfluß, wir müssen viel entbehren und uns nach der stark verkürzten »Decke strecken«, die uns der Krieg bereitet. Aber das wichtigste Gesetz der Notwendigkeit und der Lebenskunst besteht eben darin, daß wir uns nach der »Decke strecken« und ins Unvermeidliche fügen. Nervosität, Klagen, Ärger und aufreizende Verbitterung machen die Dinge nicht besser und ändern nichts an der Lage der Umstände. [78]

Linienschiff »Helgoland«, Sonntag, 2. August 1917

Soviel mir bis jetzt sicher bekannt ist, war der Aufstand auf den Schiffen der »Kaiser«-Klasse am heftigsten, besonders auf »Prinzregent Luitpold« und »König Albert«. Auf letzterem Schiffe scheint die Hauptschuld beim Kommandanten zu liegen. Er ließ einen Heizer in Untersuchungshaft bringen, weil er Abonnenten für den ›Vorwärts‹ gesammelt hatte. Infolge des einmütigen Verlangens zweier Heizerwachen mußte er ihn jedoch freigeben. Am nächsten Morgen wurde der Kommandant vermißt, und später fand man seine Leiche bei der Netzsperre treibend... Niemand weiß, was geschehen, ob Mord, Selbstmord oder Unglücksfall. Jedenfalls ein Menetekel für alle anderen. Am Freitag früh war Kommandantensitzung auf der »Posen«. In dieser wurden die unangenehmen Vorfälle besprochen. Nachher ließ uns der Kommandant auf der Schanze antreten und gab uns einige Aufklärungen.

»Es sind da«, begann er, »auf einem Schiffe, dem ›Prinzregent Luitpold‹, Dinge vorgekommen, die höchst bedauerlich sind. Dort sollte vor drei Tagen eine Wache ins Theater geführt werden. Jedoch konnte die Aufführung aus irgendeinem Grunde nicht stattfinden. Dann wurde ein Kino bestellt. Aber hier war der Apparat unklar, als man anfangen wollte. Da nun nichts mehr anzufangen war, sollte das Programm dieses Tages mit dem folgenden vertauscht werden. Es wurde zum großen Exerzierplatz marschiert, um dortselbst eine ›militärische Übung‹ vorzunehmen. Ein großer Teil der Leute weigerte sich und entfernte sich eigenmächtig von dort. Im Laufe des Tages wurden dann beim Fort Schaar etwa 350 Mann gefunden. Sie hatten dort gelagert, waren hungrig und kehrten an Bord zurück. Wir haben Beweise, daß ausländische Agenten [höhnisches Gemurmel] dabei am Werke sind. Es ist höchst traurig, daß ihr euch in einer Zeit dazu hergebt, wo eure Brüder in Flandern zu Tausenden fürs Vaterland sterben und unten in Galizien dabei sind, den letzten Russen aus dem Land zu jagen. Das ist es ja, was unsere Feinde wollen, was ihnen auf dem ehrlichen Schlachtfeld nicht gelingt, soll der innere Zwist und Hader schaffen. Einesteils können mir die bedauernswerten verführten Leute leid tun, sie wird jetzt die ganze Strenge des Gesetzes treffen. Wegtreten!« –
[21]

Lebensmittelwochenübersicht

vom 13. bis 19. August 1917.

Es gelangen zur Ausgabe:

Fleisch 250 Gramm, Abschnitt 48a—k der Reichsfleischkarte (Kundenliste).

Kartoffeln 5 Pfund, Abschnitt 68 a, b, c, d und e der Kartoffelkarte (Kundenliste).

Zucker ¾ Pfund auf die Zuckerkarte vom 1.—31. August.

Rote Nahrungsmittelkarte.

Teigwaren 100 Gramm, Abschn. 118 vom 9. bis 18. August. Serie I zum Pfundpreise von 72 Pfg., oder Serie II zum Pfundpreise von 51 Pfg. je nach Vorrat.

Suppen 100 Gramm auf Abschnitt 119 vom 9. bis 18. August. 100 Gramm (lose) z. Preise v. 13 Pf. oder 2 Suppenwürfel bzw. Beutel.

Serie I zum Preise von 10 Pfg., Serie II zum Preise von 15 Pfg. für den Würfel bzw. Beutel.

Graupen bzw. **Gerstengrütze** 125 Gramm, Abschnitt 120, vom 18. bis 25. August 1917 zum Pfundpreise von 30 Pfg.

Butter und **Eier** } wie besonders bekannt gemacht.

Nährmittelzusatzkarte für Jugendliche.

Buchweizengrütze 125 Gramm, Abschnitt 18, vom 13. bis 19. August, zum Pfundpreise von 70 Pfg. oder 125 Gramm, Buchweizenmehl zum Pfundpreise von 62 Pfg.

Lebensmittelausweiskarte.

Kriegsmus bis zu 2 Pfund pro Kopf in den zuständigen Kolonialwarengeschäften, soweit der Vorrat reicht.

Sirup bis zu 2 Pfund pro Familie auf Familienausweiskarte in den zuständigen Kolonialwarengeschäften soweit der Vorrat reicht.

Steinpilze getrocknete bis zu 1 Pfund für jede Haushaltung in den bekanntgegebenen und durch Aushang kenntlich gemachten Geschäften.

Frische Fische u. Fischräucherwaren zu den billigsten Tagespreisen in den einschlägigen Geschäften.

Haushaltsbezugsmarke J.

Bienenhonig, ausländischen

1 Pfundglas für kleine Haushaltungen bis zu 3 Personen. 2 Pfundgläser für grosse Haushaltungen über 3 Personen zum Preise von 8,75 M. pro Glas in den Geschäften, in dem der Haushalt in die Kundenliste für Griess usw. eingetragen ist, vom 19. Juli ab bis auf weiteres.

Für Kantinen, Pensionen, Sanatorien, Kliniken, Gastwirtschaften, Konditoreien und sonstige grössere Betriebe stehen besondere Mengen Auslands-Marmelade zur Verfügung. Bezugsscheine hierauf können gegen sofortige Bezahlung in der Stadthauptkasse bis auf weiteres im Rathause Zimmer 43a empfangen werden.

Charlottenburg, den 11. August 1917. **Der Magistrat**

DIE BEDINGUNG

3. August 1917

Anzeige im ›Berliner Tageblatt‹:

Bankfachmann, erste Kraft, dreiunddreißig Jahre alt, sucht geeignete Tätigkeit in Bank oder Kriegsindustrie. Reklamation Bedingung. [5]

DÜNNE SUPPEN

Im Tivulsumpf, 8. August 1917

Beim Empfang von Lebensmitteln wird die Menge immer geringer. Hülsenfrüchte hat es schon lange nicht mehr gegeben. Es stehen mir zur Bereitung eines Mittagessens für jeden Kopf zu Verfügung:

Für Mittwoch	Graupen	= 115	Gramm
Für Donnerstag	Grieß	= 92	Gramm
Für Freitag	Grütze	= 92	Gramm
Für Samstag	Dörrgemüse	= 48	Gramm
Für Sonntag	Reis	= 57,5	Gramm

Damit läßt sich nur eine dünne Suppe kochen. Die 18 jungen Leute unserer Kompagnie unter 23 Jahren erhalten jeden sechsten Tag 200 g Zusatzbrot. [12]

DAS ESSEN IN DER SOLDATENSPRACHE

1917

Graupen: Blauer Heinrich
Kommißbrot: Karo
Kommißbrot ohne Zutat: Karo einfach aus der Hand
Marmelade: Armeefett, Hindenburg-Creme, Infanteriestoßkraft, Kaiser-Wilhelm-Gedächtnisbutter, Offensivkraftschmiere
Schnaps: Heldenwasser, Offensivspiritus
Dörrgemüse: Drahtverhau
Kohlrüben: Preußische Ananas
Büchsenfleisch: Gehackter Hund. [5]

Georg Michaelis, jetzt Reichskanzler, schreibt an den österreich-unga-rischen Minister des Äußeren, Graf Czernin, der auf Abgabe eines Friedensangebots drängte und vorgeschlagen hatte, Deutschland sollte Teile von Elsaß-Lothringen opfern, während Österreich auf Galizien verzichten wollte:

Berlin, 17. August 1917

Daß die Situation im vierten Kriegsjahr im allgemeinen als eine schwerere wird angesprochen werden müssen als die des dritten, ist ohne weiteres zuzugeben; unser ernstes Bestreben wird infolgedessen auch fernerhin darauf gerichtet sein, den Frieden tunlichst bald herbeizuführen. Unser aufrichtigster Friedenswunsch darf uns indessen nicht dazu verleiten, mit einem neuen Friedensangebot hervorzutreten. Es wäre dies m. E. ein schwerer taktischer Fehler. Unsere Friedensdemarche vom Dezember v. J. hat bei den neutralen Staaten ein sympathisches Echo gefunden, sie ist aber von unseren Gegnern mit gesteigerten Forderungen beantwortet worden. Ein erneuter gleichartiger Schritt würde uns als Schwäche ausgelegt werden und den Krieg verlängern; die Friedensanregung muß demnach jetzt von den Feinden ausgehen.

Deutschland erstrebt keine gewaltsame Verschiebung der Machtverhältnisse nach dem Krieg und ist zu Verhandlungen bereit, soweit vom Feinde nicht die Herausgabe von deutschem Reichsgebiet gefordert wird; bei einer in dieser Richtung sich bewegenden Auffassung der »Wiederherstellung des Status quo« könnte diese Formel durchaus die Grundlage für Verhandlungen bilden. Hierdurch würde nicht die uns erwünschte Möglichkeit ausgeschlossen, auch bei Einhaltung der jetzigen Reichsgrenzen bisher feindliche Wirtschaftsgebiete durch Verhandlungen in nahen wirtschaftlichen und militärischen Zusammenhang mit Deutschland zu bringen – es würde sich hierbei um Kurland, Litauen und Polen handeln.

Deutschland ist bereit, die besetzten französischen Gebiete zu räumen, muß es sich aber vorbehalten, durch die Friedensverhandlungen das Gebiet Longwy und Briey wirtschaftlich für sich nutzbar zu machen, wenn auch nicht durch direkte Einverleibung, so doch durch rechtliche Sicherung der Nutzung. Nennenswerte Gebiete von Elsaß-Lothringen an Frankreich abzutreten, sind wir nicht in der Lage. (Bem. d. Verf.: Es handelte sich hierbei um unerhebliche Grenzregulierungen, die Bethmann erwogen hatte.)

Ich möchte für die Verhandlungen freie Bahn dafür behalten, daß Belgien mit Deutschland militärisch und wirtschaftlich verbunden wird. Die von mir aus einer Aufzeichnung über die Kreuznacher Verhandlungen vorgelesenen Bedingungen – militärische Kontrolle Belgiens bis zum Abschluß eines Schutz- und Trutzbündnisses mit Deutschland oder langfristige Pachtung von Lüttich und der flandrischen Küste – sind die Maximalforderungen der Obersten Heeresleitung und der Marine. Die Oberste Heeresleitung ist sich mit mir darüber klar, daß diese Bedingungen oder wesentlich angenäherte nur zu erreichen sind, wenn England der Friede aufgezwungen werden kann. Aber wir sind der Meinung, daß ein weitgehendes Maß von wirtschaftlichem und militärischem Einfluß auf Belgien im Wege der Verhandlungen erreicht werden muß und vielleicht auch nicht gegen zu starken Widerstand erreicht werden kann, weil Belgien durch wirtschaftliche Notwendigkeiten zur Einsicht kommen wird, daß in seinem Anschluß an Deutschland die beste Gewähr für eine verheißungsvolle Zukunft liegt.

Was Polen betrifft, so habe ich davon Kenntnis genommen, daß die vertrauliche Anregung Euer Exzellenz, auf Galizien zu verzichten und das Land dem neuen polnischen Reich zuzuschlagen, dadurch hinfällig geworden ist, daß ich die Abtretung elsaß-lothringischer Landesteile an Frankreich, die gewissermaßen als Gegenopfer gedacht war, als ausgeschlossen bezeichnen mußte. Die Entwicklung Polens zum selbständigen Reich muß sich im Rahmen der Proklamation vom 5. November 1916 vollziehen. Ob diese Entwicklung sich zu einem wirklichen Vorteil für Deutschland gestalten wird oder sich zu einer großen Gefahr für die Zukunft auswachsen kann, wofür bereits mehrfache Anzeichen vorliegen, und was besonders für den Fall zu befürchten ist, daß uns die österreichisch-ungarische Regierung nicht schon alsbald, während des Krieges, ihre volle Uninteressiertheit an Polen aussprechen und uns freie Hand in der Verwaltung ganz Polens lassen kann, darf der weiteren Prüfung vorbehalten bleiben.

Diese Prüfung würde sich auch darauf zu erstrecken haben, ob bei der Gefahr, die ein nur widerwillig angeschlossenes Polen für Deutschland und auch für das Verhältnis zwischen Deutschland und Österreich-Ungarn bieten würde, es politisch nicht zweckmäßiger wäre, daß Deutschland Polen unter Zurückhaltung der Grenzgebiete, die alsdann zum Zwecke des militärischen Grenzschutzes erforderlich erscheinen, seinem vollen Selbstbestimmungsrecht, auch mit Möglichkeit des Anschlusses an Rußland, überläßt. [109]

Sommer 1917

Ersatz-Ersatz steigerte, beherrschte den Lebensmittelmarkt. Man mache sich klar, daß es 837 amtlich genehmigte Präparate für Wurstersatz, über 1000 für Suppenwürfelersatz, 511 für Kaffee-Ersatz gab. Weit an der Spitze aber lag die Kunstlimonadenindustrie. Rechnet man alles zusammen, was es an künstlichen Limonaden und Fruchtsäften, an künstlichen Punschen, Bierersatz, Weinersatz gab, so kommt man nahe an die 6000! [33]

WERTPAKETE

Sommer 1917

Die deutsche Innerlichkeit, wie sie von Johannes Müller, derzeit Reisender in patriotischer Aufmunterung, geliefert wird, selbst sie kommt nicht ohne Brotaufstrich aus. Deshalb erhalten die Anhänger, welche sich für Schloß Elmau anmelden, eine Mitteilung (zitiert nach einem vorliegenden Original):

Zur gefälligen Beachtung!
Da wir wie alle Pensionen und Hotels vom Kommunalverband außer Brot und Fleisch nichts für unsere Gäste geliefert bekommen, und uns sonst nur Gemüse und Milch zur Verfügung stehen, können wir leider nur solche Gäste aufnehmen, die alle anderen Lebensmittel wie: Butter, Fett, Käse, Eier, Zucker, Mehl, Kartoffeln, Hülsenfrüchte, Teigwaren, Getreidenährmittel usw., womöglich auch Kaffee und Tee, mindestens in dem Maße, als ihnen für die Zeit ihres Aufenthaltes hier an ihrem Wohnorte zugewiesen werden, mitbringen, beziehentlich sie sich von daheim wöchentlich in Wertpaketen nachschicken lassen. Daß sich die Gäste Brotaufstrich und Zucker für Kaffee, Tee und Limonaden zu eigenem Gebrauch mitbringen müssen, versteht sich von selbst.
  Unsere Gäste dürfen sich also zu Hause nicht abmelden, sondern müssen ihre Brotkarten in Reichsbrotmarken umtauschen

und ihre Reichsfleischmarken mitbringen, die ihnen zukommen-
den Lebensmittel aber von Bekannten weiter für sich erheben
und hierher schicken lassen. Je mehr uns Selbstversorger oder
Inhaber von Vorräten zukommen lassen, um so reichlicher wird
sich die Ernährung gestalten lassen. Selbstverständlich werden
den Gästen alle Lebensmittel, die sie abliefern, zu den Höchst-
preisen gutgeschrieben. Ausnahmen können leider nicht gemacht werden, weil sonst die anderen Gäste darunter leiden
würden. Unter diesen Voraussetzungen rechnen wir aber bestimmt damit, daß sich die Ernährung in diesem Jahre so günstig gestalten wird wie im vergangenen.

Nach den vorläufigen ministeriellen Bestimmungen dürfen
sich Fremde in Oberbayern nur aufhalten auf Grund eines amts-
ärztlichen Zeugnisses und einer demzufolge möglichen besonderen Erlaubnis vom Bezirksamt in Garmisch.

Schloßverwaltung Elmau

ANTWORT AN MAX SCHELER

›*Die Ursachen des Deutschenhasses*‹, *eine nationalpädagogische Erörte-*
rung des Philosophen Max Scheler, war erschienen. Hermann Bahr
schreibt darüber dem Verfasser:

18. August 1917

Heute kam Ihr Buch, ich las es ungeduldig gleich und las und las,
mit welcher Erwartung, mit welcher Enttäuschung; ich traute
ja meinen eigenen Augen nicht, es macht mich unsäglich traurig! Denn wenn auch Sie, selbst Sie nicht mehr an Europa glauben, wenn auch Sie sich ins Getto des Nationalismus flüchten,
wenn selbst Sie dem Wahne der deutschen Auserwähltheit erliegen, auf wen soll man dann noch hoffen dürfen?...

Sie kommen zu spät, mein armer Max Scheler, die Zeit ist weiter! Die nationale Selbstüberhebung, die aus Ihrem Buch spricht,
eine Selbstüberhebung, die, wenn sie schon doch einmal am
eigenen Volke doch den Schatten eines Fehlers zögernd einzugestehen genötigt ist, selbst diesen noch zärtlich hegt, sich nicht
von ihm trennen kann und auch in ihm noch eine heimliche Tugend entdeckt, diese furchtbare Geisteskrankheit, die in den
neunziger Jahren über Deutschland hereinbrach und den deutschen Bürger, der in ›Hermann und Dorothea‹ so herzhaft fromm
und recht, ja fast noch mit einem Hauch Hans Sachsens, und selbst
in Freytags ›Soll und Haben‹ noch voll Biederkeit vor uns steht,

zu dem entsetzlichen Bourgeois Sternheims und Heinrich Manns entartet und verpöbelt hat, ist verlöschend, des Krieges rauher Atem bläst sie weg. Und eben in diesem Augenblick des Erwachens aus der neudeutschen Raserei, dem Augenblick, der vielleicht für Jahrhunderte das Schicksal des deutschen Geistes entscheidet, dem Augenblick, wo jetzt alles darauf ankommt, daß das deutsche Volk einmal die Wahrheit, die ganze Wahrheit hört, um zurückzuschaudern vor dem Abgrund, an den Selbstsucht, Machtsucht, Herrschsucht und der trügerische Glanz des Geldgewinnes es getrieben haben, da verlieren Sie die Sprache der Entschiedenheit, zaudern und – paktieren? nein, das ist das rechte Wort nicht, es ist noch ärger, Sie paktieren nicht mit der deutschen Verblendung, Sie schonen sie, Sie schmeicheln ihr. Sie rechnen auf sie, Sie fürchten sie, Sie wagen sich gegen sie nicht heraus! ... Sie, gerade Sie mit Ihrer tiefen Einsicht in die Gefahren der »Anpassung« an den kapitalistischen Geist, Sie, der wie kaum ein anderer die Sendung hätte, den Glauben an das alte, das echte, mit selbstentsagender Liebe die Welt anerkennende, verstehende, umfassende Deutschland zu verkünden, das nach Auferstehung in unserem edlen Volk ringt, Sie durften, ja konnten auf die Frage nach den Ursachen des Deutschenhasses nur antworten: Gehaßt wird an uns der Bourgeois in seiner entsetzlichsten Gestalt, in der neudeutschen Aufmachung, der Bourgeois im Stechschritt, der Händler als Held, der Geschäftsreisende mit dem Feldwebelton, der Jobber und Schnorrer mit den Gebärden Wotans, der wird gehaßt und vor diesem Hasse ist nur eine Rettung, nämlich die, daß wir ihn mithassen, mithassen mit aller Gewalt unserer Liebe, denn an diesem friederizianisch grimassierenden Bourgeois leidet die ganze Welt, am meisten aber und am tiefsten wir selbst, er hat unsere besten Tugenden, unsere höchste Seelenkraft und allen Glanz unserer alten Würde gebleicht! [43]

NATURGESCHICHTE EINES AUFSTANDES 10

Linienschiff »Helgoland«, 19. August 1917

Vor wenigen Tagen fand auf dem Feldstandgericht in der Königsstraße die Verhandlung gegen die beiden von einem Kriminalschutzmann als »Redner« bezeichneten Kameraden statt. Wir alle rechneten mit einem Freispruch oder höchstens mit einer Disziplinarstrafe. Kein einziger der zahlreichen Zeugen vermochte etwas Belastendes auszusagen. Und trotz alledem wurden beide zu zehn Jahren Zuchthaus, fünf Jahren Ehrverlust und Ausstoßung aus der Marine verurteilt. Ich greife mir immer noch an den Kopf, ob ich noch da bin. Charakteristisch für die ganze Komödie ist der Ausspruch des Richters: »Auf die Vernehmung dieser Zeugen kann ich verzichten, da sie doch nichts Belastendes (!) aussagen werden.« Diese Äußerung beweist mir mehr, als dicke Bände tun könnten. Dem Gericht war es darum zu tun, auf jeden Fall ein abschreckendes Exempel zu statuieren. Es mag vielleicht richtig sein, daß eine auf direkte Aktion hinauszielende Friedensaktion innerhalb der Marine existiert. Aber sicherlich unrecht ist es, wenn jene harmlose Zusammenkunft im »Banter Schlüssel« damit in Verbindung gebracht wird. Keiner von all denen, die dabei waren, dachte, etwas zu tun, was man mit dem Worte Kriegsverrat bezeichnen könnte. Und was die »Redner« anbelangt, so handelt es sich hier um eine kleine Probe menschlichen Ehrgeizes, die sehr erklärlich ist. Ein Deutsches Feldstandgericht aber stolpert über solche Zwirnfäden nicht. Ich glaube, daß, wenn der Erzengel Michael für die Unschuld dieser Leute gezeugt hätte, es ihm der Staatsanwalt nicht geglaubt hätte. Eben weil er nichts »Belastendes« auszusagen vermocht hätte. Nicht nur die Zuchthausstrafen, sondern auch die Todesurteile waren fertig, bevor das Gericht zusammentrat. Recht schön ist auch der Ausspruch eines Gerichtsrats, der den Kameraden Belz verhörte: »Nehmen Sie sich in acht und sprechen Sie die Wahrheit, auf einen mehr oder weniger kommt es nicht an!« Eine spätere Zeit wird es als Kuriosum bezeichnen, daß im Jahre 1917 ein Soldat zum Tode verurteilt wurde, weil er zu einem anderen gesagt hatte: »Na, willst du nicht auch mitkommen?« (Aufforderung zu gemeinschaftlicher Meuterei. Vom »Prinzregent Luitpold«) Ich bin gespannt, ob die fünf Todesurteile auch wirklich vollstreckt werden. Mit ewiger Schande ist die Marine befleckt, wenn sie eine Korporalschaft findet, die sich dazu hergibt. [21]

DIE RECHNUNG OHNE AMERIKA

21. August 1917

Hindenburg an den Reichskanzler: Ein Blick auf alle Fronten ergibt, daß wir militärisch am Beginn des vierten Kriegsjahres so günstig stehen, wie nie zuvor. [15]

24. August 1917

Über die Erfahrungen mit dem neuen Reichskanzler Michaelis läßt sich Prinz Max von Baden aus Berlin berichten:

Dieser Mann hat sich und das Ansehen des Deutschen Reiches blamiert, und nichts, was er künftig tut, kann das Vertrauen in seine Geeignetheit bringen. Der Abgeordnete Junck rief: »Theobald, komme zurück!« Und David sagte unter großer Heiterkeit: »Wenn man einen von uns vor sechs Wochen gefragt hätte, ob er Reichskanzler werden wolle, so hätte jeder in erfreulicher Bescheidenheit sich sehr besonnen. Wenn man aber hinzugesetzt hätte, sonst würde es Unterstaatssekretär Michaelis, dann hätte jeder gesagt: Nun, da will ich es auch einmal probieren!« [83]

DER STICKSTOFF AUS DER LUFT

Der badische Schriftsteller Anton Fendrich veröffentlicht eine im Kalenderstil seines Landsmannes Johann Peter Hebel gehaltene Durchhalte-Schrift: ›Wir‹. Dort erzählt er von den Leistungen unserer Chemie im Kapitel ›Sesam, öffne dich‹:

Aber die Geschichte ist gerade umgekehrt, wie in dem Märchen von Tausendundeiner Nacht. Die vierzig Räuber geleiteten den guten Ali Baba nicht in die Wunderhöhle voller Schätze und Reichtümer, sondern sie setzten ihn einsam auf sein eigenes kleines Land, schnitten ihm alle Wege zu den fruchtbaren Gärten der Welt ab und sagten: »Nun hungere und stirb!« Aber den Gefallen tat er ihnen nun nicht, sondern aß und trank, lebte und reckte seine Arme, daß es den Räubern ringsum immer banger wurde. Ali Baba, das ist Deutschland, das Land der Denker und Dichter und Schaffer.

Da kam der Krieg und Ali Baba mußte für sein Volk sorgen. Es wollte essen und trinken, und die Soldaten brauchten Pulver und Granaten.

Da ging er mitten auf den Markt. Denn er wußte mehr, als er bisher verraten hatte. Und er rief in die Tiefen und in die Höhen, hinab zur deutschen Erde und hinauf in die Lüfte über allen deutschen Gauen, in die Heiden und Wälder mit lauter Stimme:

»Sesam, tue dich auf!« Weniger geheimnisvoll ausgedrückt: Es gibt einen deutschen Professor der Chemie. Der führt den schönen Namen Haber.

Solange das deutsche Kriegsroß Haber hat, wird es auch Feuer haben. In allem Ernst wird es sich nachher erweisen, daß das mehr ist, als ein müßiges Wortspiel. Den vertrauten Titel hat der Professor in der schlichten Hauptmannsuniform erhalten in Anbetracht seiner Tätigkeit als besonderer Sachverständiger für Gasgranaten. Aber das ist nur eine Nebenbeschäftigung dieses deutschen Suchers und Finders, die unseren Feinden schon erheblich in die Nase gestochen hat. Er hat Größeres getan, als das. Er hat einen der tiefst gemauerten Glaubenssätze des sogenannten gesunden Menschenverstandes umgeworfen, nämlich, daß man nicht von der Luft leben könne. Wir leben jetzt von der Luft. Er hat die Luft erobert, so wie Graf Zeppelin, nur auf eine andere Art. Die Atmosphäre, die wir alle atmen, besteht zu vier Fünfteln aus Stickstoff und zu einem Fünftel aus Sauerstoff. Wie diese vier Fünftel von Professor Haber zu Düngezwecken eingefangen wurden; wie während des Krieges in wenigen Monaten gewaltige Fabriken aus der Erde schossen, die uns für alle Zeiten unabhängig machen von Chile; wie aber auch mitten im Krieg dem deutschen Hauptmann die Herstellung des »synthetischen Ammoniaks« aus Luftstickstoff gelang; und wie er dadurch von einem Professor des Lebens für uns auch zu einem Professor des Todes für die Feinde wurde, davon verstehe ich selbst nicht übermäßig viel. Ich weiß nur, daß wir beides haben: Leben und Tod aus der Luft! Denn Granaten füllen kann man nicht ohne Salpetersäure. Diese entsteht aus synthetischem Luftammoniak. Und den verdanken wir ebenso wie zum Glück unsere Feinde dem Professor Haber...

Vor dem Krieg brauchten wir elftausend Tonnen Rohgummi für einhundertzehn Millionen Mark im Jahr. Der Professor Harries in Kiel hat gezeigt, daß es auch anders geht. Sein synthetischer Kautschuk ist zwar ein mäßiger Ersatz. Nun aber ist erst in der allerletzten Zeit auch die Wiederbelebung von altem Gummi zu neuer Widerstandskraft gelungen. Meinst du, verehrter Leser, die hohe Polizei nehme dir umsonst deine Fahrradreifen ab? Beides, alter Gummi und neuer künstlicher Kautschuk, geben zusammen ein Material, das unseren Kraftwagenführern in Bälde das Fluchen abgewöhnen wird.

Auch die Baumwolle blieb aus. Die andern dachten, wir müßten ohne Schießbaumwolle unsere Kanonen und Haubitzen ein-

›*Erfindergeist*‹, *1917*

salzen. Aber: »Wer hat dich, du schöner Wald, aufgebaut so hoch
da droben?« Ich habe es Hunderte von Malen im Sturm meiner
Jugendzeit gesungen, das Eichendorffsche Lied, ohne daran zu
denken, daß die stolzen Tannen einst fallen müßten fürs Vaterland. Denn wir schießen jetzt mit Zellulose.

Wenn von einem Jahr aufs andere fast eine Million Doppel-
zentner ausländischer Harze, die wir zu Papierleim, Wagenfet-
ten, Lacken usw. brauchten, plötzlich fehlen, so geraten in den
Fabriken die Maschinen und die Gemüter in Unordnung. Wir
haben die Stämme in unseren Kieferwäldern angerissen, und aus
den Baumwunden blutet deutsches Kolophonium. Was sie nicht
geben wollten, das erzwangen wir aus Steinkohlenteer. Was haben Deutschlands Chemiker nicht allein aus der Kohle heraus-
gezaubert! Triebkraft für die großen Schwungräder, Schmieröl
für die U-Boote, Farben für Buntdrucke, alles geben die einst
versunkenen deutschen Urwälder her.

Was haben wir nicht für Geld ausgegeben für Jute aus Indien, Ramie und Seide. Ach, toter Freund, Dichter und Forscher Emil Gött! Wie haben sie dich ausgelacht, die Herren an den grünen Tischen, als du ihnen jetzt vor bald einem vollen Jahrzehnt das erste Bündel schneeweißer Fasern von den goldgelben Ginsterfeldern hinter deinem Haus vorlegtest! Und jetzt schützen sich unsere Feldgrauen hinter Sandsäcken aus Papiergewebe und Ginsterfaser!

Eines ist schmerzhaft nach den Besuchen bei unseren Männern von der Naturwissenschaft. Das Beste darf man nicht sagen!

Während in Feindesland militärische »Erfindungsbüros« mit großem Tamtam und lockenden Preisausschreiben die Gehirne anzureizen versuchen, haben schon bei Kriegsanfang viele unserer Militärbehörden Zettel an die Türe heften müssen: »Besuche von Erfindern verboten«. Sesam ist den Räubern und Wegelagerern verschlossen. [86]

FÜR EINEN HINDENBURG[SIEG]-FRIEDEN

Königsberg i. Pr., im Yorcksaal der Ostpreußischen Landschaft, am Tage von Sedan [2. Sept.] 1917

Reichstreue Männer haben sich hier zusammengetan, um für die Rettung des Vaterlandes zu wirken. Sie gründen eine Deutsche Vaterlandspartei und erlassen den folgenden Aufruf: Weite Kreise des deutschen Volkes stimmen mit der Stellungnahme der gegenwärtigen Reichstagsmehrheit zu den wichtigsten Lebensfragen des Vaterlandes nicht überein. Sie erblicken in dem Versuch, gerade jetzt, wo des Reiches Schicksal auf dem Spiele steht, Kämpfe um Verfassungsfragen hervorzurufen und in den Vordergrund zu stellen, eine Gefährdung des Vaterlandes und eine wenn auch nicht gewollte Förderung unserer Feinde. Sie sind der Ansicht, daß der vor dem Kriege gewählte Reichstag tatsächlich nicht mehr die Vertretung des deutschen Volkswillens darstellt.

Wen gäbe es, der nicht mit heißem Herzen den Frieden ersehnte! Nervenschwache Friedenskundgebungen verzögern aber nur den Frieden. Unsere auf die Vernichtung Deutschlands bedachten Feinde erblicken in ihnen nur den Zusammenbruch deutscher Kraft. Und das zu einer Zeit, da wir nach dem Zeugnis unseres Hindenburg militärisch günstiger dastehen denn je zuvor. Sichern wir dem Feinde zu, daß für ihn jederzeit ein ehrenvoller Verständigungsfriede zu haben ist, so kann er durch Fortsetzung des Krieges nur gewinnen und nichts verlieren.

Unsere Regierung befindet sich nach den Geschehnissen der Vergangenheit in einer Zwangslage. Ohne einen starken Rückhalt im Volk kann die Regierung allein der Lage nicht Herr werden. Sie braucht für eine kraftvolle Reichspolitik auch ein kraftvolles Werkzeug. Ein solches Werkzeug muß sein eine große, auf weiteste vaterländische Kreise gestützte Volkspartei.

Nicht Sonderbestrebungen zur Erringung parteipolitischer Macht dürfen jetzt das Deutsche Reich zersplittern, der unbeugsame, nur auf des Vaterlandes Sieg bedachte Wille muß es einen! In dankbarem Aufblick zu unserem unvergeßlichen geliebten ersten Kaiser und seinem eisernen Kanzler, den Einigern der deutschen Stämme, eingedenk des Titanenkampfes gegen den verderblichen Parteigeist, den Otto v. Bismarck mit flammenden Worten vor Gott und der Geschichte anklagte, haben die unterzeichneten ostpreußischen Männer, treu den Überlieferungen ihrer Vorväter, die Deutsche Vaterlandspartei gegründet, um das deutsche Vaterland in dieser größten und ernstesten Stunde deutscher Geschichte vor dem Erbübel der Uneinigkeit und Parteiung zu schützen und zu schirmen.

Die deutsche Vaterlandspartei bezweckt die Zusammenfassung aller vaterländischen Kräfte ohne Unterschied der politischen Parteistellung. Sie besteht aus vaterländisch gesinnten Einzelpersonen und Vereinigungen. Sie will Stütze und Rückhalt sein für eine kraftvolle Reichsregierung, die nicht in schwächlichem Nachgeben nach innen und außen, sondern in deutscher Standhaftigkeit und unerschütterlichem Glauben an den Sieg die Zeichen der Zeit zu deuten weiß!

Die Deutsche Vaterlandspartei will mit vaterländisch gerichteten politischen Parteien nicht in Wettbewerb treten. Mit ihnen will sie zur Stärkung des Siegeswillens und zur Überwindung aller ihm entgegentretenden Schwierigkeiten Hand in Hand arbeiten. Die Deutsche Vaterlandspartei ist eine Einigungspartei. Sie sieht deshalb von der Aufstellung eigener Kandidaten für die Volksvertretung ab. Mit dem Tage des Friedensschlusses löst sie sich auf.

Wir wollen keine innere Zwietracht! Über inneren Hader vergessen wir Deutsche zu leicht den Krieg. Der Feind vergißt ihn keinen Augenblick. Die in der deutschen Vaterlandspartei zusammengeschlossenen Deutschen verpflichten sich, mit allen Kräften dahin zu wirken, daß bis zum Friedensschluß der innere

Zwist ruht. Mag der einzelne zu den innerpolitischen Streitfragen stehen, wie er will, die Entscheidung hierüber ist der Zeit nach dem Kriege vorzubehalten. Dann sind unsere Tapferen aus dem Felde heimgekehrt und können am inneren Ausbau des Reiches mitwirken. Jetzt gilt es nur zu siegen!

Wir leben nicht, wie unsere Feinde lügen, unter autokratischem Absolutismus, sondern unter den Segnungen eines konstitutionellen Staates, dessen soziales Wirken alle Demokratien der Welt beschämt und dem deutschen Volk die Kraft gegeben hat, der ungeheuren Übermacht seiner Feinde zu trotzen. Deutsche Freiheit steht himmelhoch über der unechten Demokratie mit allen ihren angeblichen Segnungen, welche englische Heuchelei und ein Wilson dem deutschen Volk aufschwatzen wollen, um so das in seinen Waffen unüberwindliche Deutschland zu vernichten. Wir wollen nicht Englands Geschäfte besorgen.

Wir wissen, es geht um unseres Volkes Bestehen und Machtstellung in der Welt! Dem deutschen Volk geht es nicht wie England nur um das Geschäft! England, der Anstifter und beharrliche Schürer dieses Weltbrandes, ist in verzweifelter Lage. Zu Wasser und zu Lande sind wir die Sieger! Durch den U-Bootkrieg in seinem Lebensnerv getroffen, hofft England noch in letzter Stunde auf deutsche Unzufriedenheit und Uneinigkeit. In nicht zu ferner Zeit wird sein Hochmut gebrochen sein, wenn wir nur ausharren und trügerischen Friedenslockungen widerstehen!

Wir wissen, und auch die Feinde wissen es, wieviel Deutschland seiner militärischen Erziehung durch Preußens Könige aus dem Hohenzollernhause verdankt. In dem Kaisertum erblicken die Feinde das Haupthindernis für Deutschlands Niederringung. Mit allen Mitteln der List und Lüge wollen sie Deutschlands Söhne zum Verlassen ihres kaiserlichen Führers bestimmen. Sie wissen nicht, was deutsche Treue heißt, wie die deutschen Bundesfürsten und Stämme, durch Blut und Eisen zusammengeschweißt, bis zum letzten Atemzug zu Kaiser und Reich stehen! Sie ahnen nicht, wie kriegerische Zucht uns Deutschen kein Opfer, sondern freiester Stolz ist.

Wir wollen keinen Hungerfrieden! Um einen Frieden bald zu erreichen, müssen wir nach Hindenburgs Gebot die Nerven behalten. Tragen wir willig Not und Entbehrungen, so wird dem deutschen Volk ein Hindenburg-Friede zuteil werden, der den Siegespreis ungeheurer Opfer und Anstrengungen heimbringt. Jeder andere Friede bedeutet einen vernichtenden Schlag für unsere Zukunftsentwicklung. Die Verkümmerung unserer Weltstellung und unerträgliche Lasten würden unsere wirtschaftliche Lage und vor allem die Aussichten unserer Arbeiterschaft vernichten. Statt hochwertige Waren auszuführen, wird Deutschland dann wieder seine Söhne in Scharen auswandern sehen!

Die Gründer der Deutschen Vaterlandspartei haben Seine Hoheit, den Herzog Johann Albrecht zu Mecklenburg, und den Großadmiral v. Tirpitz gebeten, die Führung der Partei zu übernehmen.

An alle, die auf dem Boden dieser Anschauungen stehen, richten wir den Ruf, sich der Deutschen Vaterlandspartei anzuschließen! Jeder, der helfen will, ist willkommen! Die Ziele der Partei müssen sofort verwirklicht werden. Kein Augenblick ist zu verlieren.

Es gilt Deutschlands Rettung, Ehre und Zukunft! [60]

NATURGESCHICHTE EINES AUFSTANDES 11

Linienschiff »Helgoland«, 4. September 1917

Eines Nachmittags mußten alle Mann auf der Schanze antreten, um zu hören, wie der Kommandant die in letzter Zeit gefällten Gerichtsurteile vorlas. Von fünf Todesurteilen seien »nur« zwei vollstreckt, während die anderen zu lebenslänglich »begnadigt« wurden. Auch die Zuchthausstrafen sind größtenteils ermäßigt worden. Unsere beiden müssen nun anstatt zehn nur sechs Jahre büßen. Auf weitere Begnadigung sei aber nicht zu hoffen, und ein Amnestieerlaß käme für Kriegsverrat gar nicht in Frage. Damit hat nun das grausige Drama seinen (vorläufigen?) Abschluß gefunden. Wir aber, die hier geblieben sind, genießen nun die Früchte des Opfers. In der richtigen Erkenntnis, daß ein gefüllter Magen nicht leicht zu Gewalttätigkeiten neigt, gibt man uns jetzt gut und reichlich zu essen. Der alte Trick: Zuckerbrot und Peitsche. Die im Zuchthaus sitzen, sind fast vergessen. Von nun ab erhalten fünf Mann ein ganzes Brot. [21]

Die Verlagsanstalt Alexander Koch, Darmstadt, wirbt für ihre Erzeugnisse:

Sie sind heiß begehrte Liebesgaben. Sie erheben Herz und Seele. Sie lenken ab von den schaudervollen Erlebnissen des Kriegsschauplatzes. Sie regen an zu hoffnungsfreudigem Durchhalten – zu neuem Schaffen. Sie lassen sich als Feldbrief-Sendung leicht befördern.

– und sie druckt als Werbung folgenden Brief eines Feldgrauen ab:

Flandern, 5. September 1917

Sehr geehrter Herr Hofrat!
Wochenlang in dem schlammigen Flandern dem stärksten Trommelfeuer trotzend, jetzt für kurze Zeit in Ruhe kommend, finde ich zu meiner Überraschung die von Ihnen gesandten Hefte der ›Innen-Dekoration‹, sowie ›Deutsche Kunst und Dekoration‹ vor. Beide Zeitschriften legen Zeugnis ab von dem Ernst, mit dem in Deutschland die Kunst gepflegt wird, trotz dreier Kriegsjahre. Eins bin ich gewiß, solange unsere heiligsten Güter in so zuverlässigen Händen, wird es keinem Feinde gelingen, unserer Herr zu werden und ists für uns Feldgraue ein erhebendes Gefühl und Ansporn, diese auch fernerhin zu wahren.
Möge Sie Gott behüten, zum Wohle der deutschen Kunst und zum Heil unseres lieben Vaterlandes.
Herzlichen Dank für die herrliche Spende und treudeutschen Kriegergruß aus Flandern. [102]

ANWEISUNG FÜR BRIEFE AN DIE FRONT

8. September 1917

Damit sich die pessimistische Stimmung der Heimat nicht auch an der Front ausbreite, werden die Frauen ermahnt, von Klagebriefen abzusehen.

Wie sind nun Feldpostbriefe zu schreiben und wie sind sie nicht zu schreiben? Schon der Ernst der Zeit gebietet es, daß man möglichst kurz und bestimmt mit voller Überlegung schreibt, um dem Betreffenden das Leben zu erleichtern und ihn aufzuheitern. Dagegen ist alles zu vermeiden, was ihn verstimmen könnte; jede Unlust, jede Klage, überhaupt jede »Jeremiade« ist sorgfältig zu vermeiden. – Aus deinen Feldpostbriefen muß ein »Talisman« sprechen, der keine Ungeduld und Schwachheit, sondern nur Stärke und Willenskraft kennt. Deine Briefe dürfen nicht verstimmend, niederdrückend, entmutigend, hoffnungslos, sondern müssen erfrischend, belebend, tröstend wirken. Ja, sie müssen, »Psaltern« gleich, von Herzen kommend und zu Herzen gehend, als eine frohe Botschaft, gleich Balsam auf Wunden geträufelt, wirken; sie müssen beim Sturmangriff den Kämpfenden die »Musik« – und beim Lesen derselben ihnen den »Feldgottesdienst« ersetzen. Nur so geschriebene Briefe erfüllen ihren Zweck, haben Wert für unsere Krieger, ermutigen, befriedigen sie und ersetzen ihnen Heimat und Familie. Solche Briefe legen Zeugnis ab von dem Mitfühlen, Miterleben, Mitkämpfen und Durchhalten in der Heimat. – Nur in solchem Sinn und Geist geschriebene Briefe stärken den Lieben den Mut, die Kraft und die Ausdauer, die Hingabe, die Siegeshoffnung und erleichtern ihnen sowie dir selbst die Kriegslast. [78]

MASSVOLLE KRIEGSZIELE

Reichskanzler Michaelis richtet an Hindenburg einen Brief, in welchem er der Obersten Heeresleitung dafür dankt, daß sie ihn bei seinen Bemühungen um maßvolle Kriegsziele unterstützt habe. Er fährt dann fort:

12. September 1917

Ich nehme als Forderung der O. H. L., an denen unbedingt nach Ihrer Meinung festgehalten werden muß, in unsere Verhandlungspläne auf, daß Sie beide zum Schutz unserer westlichen Industrie in erster Linie Lüttich und ein Sicherungsgelände fordern, daß Sie beide von einem wirklich engen wirtschaftlichen Anschluß Belgiens an Deutschland einen Zustand erhoffen, der es den Belgiern in Zukunft aus rein egoistischen wirtschaftlichen Gründen ausgeschlossen erscheinen lassen wird, mit uns in kriegerische Differenzen zu geraten, und daß daher, wenn Belgien alles getan haben wird, was zur Sicherung des wirtschaftlichen Anschlusses von uns gefordert werden wird – was natürlich mehrere Jahre von den ersten Friedensverhandlungen ab dauern würde –, die militärischen Sicherungen fortfallen können. Lüttich pp. würde daher nur als Sicherungsfaktor und auf Zeit gefordert werden.

An Eure Exzellenz habe ich nun die dringende Bitte, daß wenn – wie zu erwarten ist – Besucher ins Hauptquartier kommen, die einer einseitig annexionistischen Richtung angehören (– ich selbst habe z. B. Graf Westarp zureden lassen, mal nach Kreuznach zu fahren –), und die von den großen Zusammenhängen bei den Bundesgenossen usw. wenig wissen und deshalb noch immer geneigt sind, einen Frieden bezgl. Belgiens auf der angedeuteten Grundlage als einen faulen anzusehen, diesen von Ihrer Auffassung Kenntnis zu geben, damit die extremen Wünsche eingedämmt werden.

Man muß den Leuten vorhalten, was die Feinde mit uns vorhatten und was wir erreichen. Statt Vernichtung und Länderraub: im Westen intakte Grenzen und die gesicherte Aussicht der Nutzung der Rohstoffe in den besetzten Gebieten, günstige Wirtschafts- und Verkehrsbedingungen auf Eisenbahnen und Wasserstraßen, Vorzugsplätze im Hafen von Antwerpen, Einfluß auf die deutschorientierte flamische Bevölkerung, Auferlegung zum Selbsttragen der von uns den Nachbarn zugefügten schweren Schäden, Ausschaltung des englischen Einflusses an der Küste Flanderns und Nordfrankreichs und die Forderung der Rückgewähr unserer Kolonien evtl. als Ausgleichsobjekt.

Dazu kommt, was wir im Osten an Macht und Einfluß in politischer, wirtschaftlicher und militärischer Beziehung hinzuerwerben.

Sieht so ein »Hunger-, ein Verzichtfrieden« aus? Wer wird wagen, Deutschland, das sich drei und vier Jahre weit im feindlichen Land siegreich gegen eine vielfache Übermacht behauptet, das noch letzthin eine unvergleichliche Probe seiner Schlagkraft im entfernten Osten gab, je wieder angreifen?

Nein, unsere Stürmer und Dränger sollen sich beruhigen! Wenn wir auf obiger Grundlage unserem armen gequälten Volke und der Welt den Frieden verschaffen können, dann sollen wir es tun und nicht einen Monat länger eines noch so wertvollen Stützpunktes wegen Krieg führen.

Helfen Sie also, bitte, für Aufklärung sorgen!

Ich bin, Herr Gen.-Feld-M., Ihr dankbar ergebenster Michaelis. [109]

21. September 1917

[Der Journalist] Max Bewer erzählt im [Berliner] ›Lokalanzeiger‹
von seinem Besuch im Hauptquartier und einem Gespräch mit dem
Kaiser, der ihm sagt:

Sie haben recht, Hindenburg ist unser Wotan und Ludendorff
der Siegfried unserer Zeit! [43]

FÜR KAMPF UND SIEG GERÜSTET

Großes Hauptquartier, 25. September 1917

Es ist mir vom Kriegsminister mitgeteilt worden, es würde
vielfach von unberufener Seite behauptet, daß nach meinen und
des Generals Ludendorff Äußerungen drohender wirtschaftlicher Zusammenbruch und Versiegen der militärischen Kraft-
quellen uns zum Frieden um jeden Preis zwingen. Ich will nicht,
daß unsere Namen mit derartigen grundfalschen Behauptungen
verknüpft werden. Ich erkläre in voller Übereinstimmung mit
der Reichsleitung, daß wir wirtschaftlich und militärisch für weiteren Kampf und Sieg gerüstet sind.
v. Hindenburg, Generalfeldmarschall. [16]

ÜBERLEGENHEIT

25. September 1917

Hindenburg an eine Versammlung von Patrioten in Minden:

Die deutsche konstitutionelle Monarchie steht an freiheitlicher
Gestaltung hoch über jeder der feindlichen demokratischen
Republiken. [15]

VIELLEICHT

27. September 1917

... vielleicht bringen die heimkehrenden Heere die Verständigung der Völker mit; vielleicht kommt uns aus den Schützengräben die Idee Europa zurück, und stärker, inniger, reiner,

MIT GOTT FÜR KAISER UND REICH

auch breiter, schwerer, tiefer, und eingesenkt ins Erdreich unmittelbaren Erlebens. Europa hat sich doch früher eigentlich bloß vom Sehen gekannt, jetzt ist es durch das Blut verwandt. Und da hätte dann der Krieg doch auch seinen Sinn gehabt. [43]

EIN PROPHET

29. September 1917

Hauptmann Walter Bloem [sonst Unterhaltungsschriftsteller] schreibt in der ›Woche‹:

Das Gesamtergebnis wird sein: Englands gänzlicher Zusammenbruch. Er läßt sich nicht auf Monate und Tage bestimmt voraussagen, kommen wird er, und er ist näher, als die Heimat denkt. [24]

WIE ZWISCHEN MANN UND WEIB

2. Oktober 1917

Die ›Kriegszeitung von Baranowitschi‹ schreibt unter dem Titel ›Was schenken wir unserem Hindenburg?‹ u. a.:

Vertrauen und Vertrautheit ist es wie zwischen Mann und Weib, was ihn mit der unvergleichlichen deutschen Armee verbindet, der Drang nach Ergänzung zwischen zweien, die einander wert sind, die gegenseitige Achtung des Großen vor dem

Großen, die liebende Anerkennung vollbewußter Kraft vor dem Gewaltigen, der den Mut fand, sie zu wecken. Daß er schonend und gütig gegen sie war, wenn er konnte, hart und fordernd, wenn er mußte, das danken ihrem Hindenburg die deutschen Soldaten ... Wir wollen ihm, jeder für sich, unsere Herzen schenken; denn er ist ihr fester Haushalter. [16]

NACH DER MELODIE ›PUPPCHEN, DU BIST MEIN AUGENSTERN‹ ZU SINGEN

Hamburg, 2. Oktober 1917

Die Hamburger Schuljugend gratulierte Hindenburg zum 70. Geburtstag mit folgendem Lied:

Hindenburg, bist unser Hoffnungsstern,
Hindenburg, wir haben dich bannig gern,
Hindenburg, bist ein schneid'ger Mann
Und schaffst, was kein anderer kann.
Hindenburg, schlag die Russen platt,
Hindenburg, mach uns alle satt.
Hindenburg, wir gratulieren schön,
Wünschen, du darfst bald zu Muttern gehn. [16]

NOCH EINE PFLICHT

Berlin, 2. Oktober 1917

Hofprediger Doehring bei der Feier zu Hindenburgs 70. Geburtstag, im Berliner Tiergarten:

... Er ist der Held, auf dem unsere Zuversicht auf den Endsieg beruht. Das deutsche Volk hat die Pflicht, sich das Bild dieses Mannes tief ins Herz zu schreiben, damit das Gottvertrauen Hindenburgs, seine innere Kraft und seine eiserne Manneszucht, unserem Volke die Kraft verleihen, allen seinen Feinden zu trotzen. [16]

12. Oktober 1917

Armeeoberkommando 3
11a Nr. 907 geheim.
Vertraulich!
Die Klagen über üppiges Leben der Offiziere kehren immer wieder.

Ich verweise in dieser Beziehung auf meine bereits ergangenen vielfachen Verfügungen, insbesondere auf die vom 22. 8. 17 11a Nr. 773 pers. und vom 25. 9. 17 11a Nr. 871 pers. Alle höheren Vorgesetzten müssen ihren ganzen Einfluß geltend machen, daß derartige Klagen verstummen.

Es läßt sich nichts dagegen sagen, wenn versucht wird, die gelieferte Kost der Magazinverpflegung für den Offiziersmittagstisch durch Ankauf von Lebensmitteln zu verbessern, solange sie eine einfache bleibt, und die Mannschaften hierdurch in ihren Ankäufen bei den Marketendereien nicht beschränkt werden. Es muß den Mannschaften aber auch klar gemacht werden, daß solche Verbesserung infolgedessen nicht zu ihrem Nachteil geschieht.

Auch gegen das Schicken von Lebensmitteln nach Hause für den Bedarf der eigenen Familie ist, solange es in den vorgeschriebenen Grenzen bleibt, nichts einzuwenden.

Unter keinen Umständen dürfen aber Mannschaften, auch nicht Burschen, lediglich zu solchen Zwecken nach Hause geschickt werden. Gerade dieser Punkt erregt ganz besondere Mißstimmung unter den Mannschaften.

Daß die Marketendereien für Offiziere und Soldaten in gleicher Weise vorhanden sind und letztere nicht benachteiligt werden dürfen, ist selbstverständlich. Ich bin auch überzeugt, daß dieses seitens der Offiziere nicht geschieht, und wo es dennoch geschehen sollte, von der Leitung der Kantine bzw. den Kommandeuren nicht geduldet wird.
Der Oberbefehlshaber: von Einem. [13]

Oktober 1917

Der Schauspieler und Schriftsteller Friedrich Kayßler veröffentlicht einen Lyrikband ›Zwischen Tal und Berg der Welle‹. Dort fragt er in einem Gedicht nach der Vollmacht der patriotischen Sänger:

Der Mensch und der Krieg.

Ein Dichter singt: »Er fiel für dich.«
Ich lese staunend das Gedicht.
Mir steigt der Zorn ins Angesicht.
Ich frage: Dichter, meinst du mich?

Ich wollte keines Menschen Tod,
ich sprach zu Keinem: fall für mich.
Ich sprach zur Welt: ich liebe dich,
Wer fragte mich, ob Haß, ob Not?

Der Stern, wo ich geboren bin,
mir nicht zur Wahl gegeben ward.
Ich trage meinen eignen Sinn,
ich trage meine eigne Art.

Leicht steht es da – und fürchterlich.
Wer gab dir Recht, das Wort zu wagen?
Und ich verbiete dir, zu sagen:
Für mich! [126]

AUS DEM TAGEBUCH EINES DICHTERS

1. November 1917

Von einer Freude muß ich berichten; ich pflanzte eine Kriegs-Blutbuche, einen bereits recht stattlichen Stamm, mitten auf der Waldwiese, über dem betenden Knaben, der die Gottheit anfleht um Deutschlands glorreichen Sieg. Unter dem Baum ließ ich ein Felsstück anbringen; auf diesem soll mit ausgebreiteten Schwingen ein Adler kauern. [8]

11. Dezember 1917

*Das Große Hauptquartier bereitet die große Frühjahrsoffensive 1918
vor. Sind die Generale noch von ihrem Entschluß abzubringen? In
Berlin kursiert eine vertrauliche Niederschrift, die eine politische War-
nung enthält. Ob sie zu Ludendorff vordrang, ist ungewiß.*

Es ist von größter Bedeutung für unsere gesamte innenpolitische
Entwicklung, daß der Friede zustande kommt auf Grund einer
Mäßigung unseres Militärs. Soll unser Volk militärfreudig bleiben, so darf niemals gesagt werden, daß eine diplomatisch für
den Frieden reife Situation vorüberging, weil die Militärs erst
restlos ihre Trümpfe ausspielen wollten. Auch der genialste
Feldherr, auch Moltke, brauchte das Gegengewicht des politischen Maßhaltens. Heute haben wir keinen Bismarck als Gegengewicht. Das legt unseren Feldherren die große, die ungeheuere,
die übermenschliche Verantwortung auf, selbst das Gegengewicht gegen die rein militärischen Forderungen zu bilden. [83]

DIE UNTERSCHÄTZUNG AMERIKAS

*Walther Rathenau an seinen Freund, den Reichstagsabgeordneten Con-
rad Haußmann, Stuttgart:*

15. Dezember 1917

An eine baldige Kriegsbeendigung glaube ich nicht; unsere
Westoffensive müßte mindestens Paris und Calais gewinnen,
wenn die politische Situation sich radikal ändern sollte, und auch
in diesem Falle fürchte ich den unabsehbaren Handelskrieg von
England und den Vereinigten Staaten. Man tut sehr unrecht,
Amerika zu unterschätzen, und irrt sich, wenn man jede neue
Kriegserklärung aus Südamerika oder Übersee lächerlich findet.
Es gibt im Drama Spieler, die im ersten Akt auftreten, dann
unsichtbar bleiben und schließlich im fünften Akt als bedeuten-
de Figuren hervortreten. [69]

22. Dezember 1917

Der › Allgemeine Wegweiser‹ empfiehlt für die Weihnachtstafel zeitgemäße Leckereien:

In mäßigen Grenzen gehalten, darf man sich auch von Zeit zu Zeit eine den Verhältnissen entsprechende Leckerei bieten. Dazu gehört eine Sperlingssuppe, gehören Kartoffelküchlein und Marmeladenudeln. Zu jedem dieser Gerichte muß entweder vorher oder hinterher noch etwas Kompaktes gereicht werden, aber, da es die Feiertagswoche ist, wird sich wohl jede Hausfrau darauf eingerichtet haben. – Auf den Mehlabschnitt der Brotkarte erhält man häufig Maismehl statt Mehl. Man lehne diesen Ersatz ja nicht ab, da aus Maismehl verschiedenartige, sehr wohlschmeckende Suppen bereitet werden können.

Sperlingssuppe. Die Sperlinge werden sauber wie junge Tauben zugerichtet, in ein wenig Butter gebräunt und mit Suppengrün und Zwiebeln ganz weich gekocht. Salz, ein Lorbeerblatt und Petersilie erhöhen den Wohlgeschmack, wie auch ein Glas Weißwein. Auf einen Sperling für die Person rechnet man $1/4$ Liter Wasser.

Kartoffelküchlein. Übriggebliebene Kartoffeln reibt man oder treibt sie durch die Maschine. Mit der gleichen Menge Mehl und etwas Mager- oder Trockenmilch, wenig Salz, arbeitet man einen Teig, rollt denselben aus und sticht oder schneidet größere Stücke ab, die man einfach auf der sauberen Herdplatte bäckt. Öfteres Wenden ist erforderlich. Sie können warm oder kalt gegessen werden, mit und ohne Obstmusaufstrich.

Marmelade-Nudeln. Da man beide Teile hin und wieder erhält oder selbst bereitet, kann man leicht diese Mittag- oder Abendschüssel herstellen. Die Nudeln werden in siedendem Salzwasser gekocht und auf ein Sieb zum Abtropfen getan. In eine vorbereitete Form gibt man sie lagenweise mit Kriegsmus oder Marmelade, streut obenauf Semmelkrume und bäckt das Gericht eine Stunde. [78]

»WIR HALTEN DURCH!«

›Die Hamsterfamilie‹, Zeichnung von H. Rasche
›Reclams Universum‹, 27. April 1918

Dezember 1917

Unter dieser Überschrift schreibt Hermann Hesse in der ›Neuen Zürcher Zeitung‹ u. a.:

Auf zwei Orte hin blickt seit vielen Tagen die ganze Welt. An zwei Orten fühlt man Völkerschicksale reifen, Zukunft winken, Verhängnis drohen. Im Osten sind es die Friedensverhandlungen von Brest-Litowsk, denen die Welt mit der äußersten Spannung zuhört. Zugleich aber lauscht man mit Angst nach der deutschen Westfront hin, denn jedermann fühlt, jedermann weiß, daß hier, wenn nicht vorher ein Wunder geschieht, das Furchtbarste bevorsteht, was jemals zwischen Menschen vor sich gegangen ist: der brutalste, grimmigste, blutigste, scheußlichste Riesenkampf, den die Welt bis heute gesehen hat.

Jedermann weiß das, und jedermann, mit Ausnahme einiger kühner politischer Redner und Kriegsgewinner, zittert davor. Über den Erfolg dieses Massenwürgens sind die Meinungen und Hoffnungen verschieden. Bei beiden Parteien gibt es eine Minderzahl, die ernstlich an einen entscheidenden Sieg glaubt. Woran aber niemand glaubt, der einen Rest von Denkfähigkeit besitzt, das ist die Erreichung der idealen Menschheitsziele, von denen in den Reden aller Staatsmänner so viel gesprochen wird. Je größer, je blutiger, je vernichtender diese Endkämpfe des Weltkrieges ausfallen, desto weniger wird erreicht für die Zukunft, desto weniger wird Haß und Rivalität gelindert, desto weniger der Gedanke an das Erreichen politischer Ziele durch das verbrecherische Mittel des Krieges zur Unmöglichkeit gemacht. Sollte gar tatsächlich eine Partei den Endsieg davon tragen (und einzig mit diesem Ziel rechtfertigen ja die Anführer ihre Hetzreden), dann hat das, was man »Militarismus« nennt und mit Recht verabscheut, glücklich das Spiel gewonnen! Es ist nicht auszudenken, wie ziellos, wie irrsinnig alle Bestrebungen der Kriegsparteiler sind, vorausgesetzt, daß ihnen auch nur je ein einziges Wort von ihren idealen Zielen Ernst war und aus dem Herzen kam. Nicht auszudenken! [73]

1917

Heinrich Claß, Vorsitzender des Alldeutschen-Verbandes, Anführer der »nationalen Opposition«, unter dem Decknamen »Einhart« Verfasser einer Deutschen Geschichte, im Hauptberuf Rechtsanwalt in Mainz, ist auch der Verfasser der »Kriegsziele« der Alldeutschen. Claß fordert u. a.:

Wenn wir in dem mit dem Blute der Gefallenen und Ermordeten erworbenen Lande nicht nur Herren werden, sondern bleiben wollen, müssen die Bewohner sich fügen.

Wer das nicht will, erhält das Recht, binnen kurzer Frist nach Beendigung des Krieges auszuwandern – wer da bleibt, hat sich zu fügen ... Es wird zu prüfen sein, ob und inwieweit für die Fremdblütigen, die noch kein Vollbürgerrecht im Deutschen Reiche besitzen, eine Beschränkung der Freizügigkeit eingeführt werden soll – dabei sei, um klarzumachen, worauf diese Anregung sich bezieht, auf die Wallonen im Westen und die im Osten etwa verbleibenden Litauer, Letten und Esten verwiesen.

In bezug auf Litauer, Letten und Esten sollte übrigens, auch wenn wir sie jetzt behalten und unter eine Art Fremdenrecht stellen, dem sie abtretenden russischen Staat gegenüber ausbedungen werden, daß wir uns im Falle der Unbrauchbarkeit oder Unverdaulichkeit dieser Stämme das Recht der Ausweisung etwa für eine Frist von 25 Jahren vorbehalten, so daß Rußland verpflichtet ist, sie aufzunehmen, wenn wir von der Ausweisung Gebrauch machen.

Der Boden des Reiches soll saubergehalten werden; deshalb dulden wir keine Farbigen mehr in ihm, auch wenn sie aus unseren eigenen Kolonien stammen. Soweit sie für die Zwecke der Auslandsschiffahrt wirklich unbedingt nötig sind, werden sie in den Seehäfen zugelassen; dort aber werden ihnen engbegrenzte Bezirke vorgeschrieben, aus denen sie sich nicht entfernen dürfen. Sonst soll sich kein Farbiger auf deutschem Boden zeigen – der Unfug der schwarzen, braunen und gelben Reklamepförtner usw. muß ein Ende haben.

Die deutschen Hochschulen sind grundsätzlich nur für Deutsche und für Ausländer germanischer Abstammung da; sonstige Fremdlinge werden nur zugelassen, wenn besondere politische und wirtschaftliche Umstände es rechtfertigen. Diese Forderung braucht nach den Erfahrungen, die wir jetzt mit

Japan und Rußland gemacht haben, nicht begründet zu werden; die deutschen Unterrichtsverwaltungen müssen aber das Recht haben, studierende Angehörige von Völkern und Staaten, auf deren engere Heranziehung an uns wir Wert legen, zuzulassen, wenn die notwendige Vorbildung nachgewiesen ist; es sei nach dieser Richtung, um Beispiele zu geben, auf die Türken und Ruthenen verwiesen.

Im deutschen Heere werden zum Zwecke der Ausbildung nur Offiziere aufgenommen, die einem mit uns im Bundesverhältnis lebenden Staate angehören.

Junge Deutsche beiderlei Geschlechts dürfen ausländische Erziehungsanstalten erst besuchen, wenn sie ein den ausländischen Einflüssen gegenüber hinreichend widerstandsfähiges Lebensalter erreicht haben.

Unser gesamtes Leben soll deutschen Anstrich tragen; deshalb sorge ein Reichssprachamt, wie es der Alldeutsche Verband auf den Vorschlag von Geheimrat Dr. Trautmann längst empfohlen hat, für die Reinigung und Reinhaltung unserer Sprache – wir sehen es jetzt, wie im geschäftlichen Leben das Unwesen fremdsprachiger Bezeichnungen als unwürdig empfunden und bekämpft wird; es muß von Reichs wegen dafür gesorgt werden, daß dies anhält und weiter ausgeführt wird.

Auch die im Auslande aufgebrachten Moden wollen wir abschütteln und daran denken, wie unwürdig es ist, den Unsinn und die Geschmacklosigkeit der Fremden nachzuäffen; wir sind längst in der Lage, alles für eine angemessene Bekleidung Geeignete im Lande zu erzeugen, und wollen mit der überlebten Abhängigkeit von fremden Stoffen usw. brechen.

Das Land im Osten und Westen, das wir von Frankreich und Rußland jetzt erwerben, soll deutsch bleiben für alle Ewigkeit; es soll deshalb sofort den deutschen Stempel aufgedrückt bekommen, indem wir Städten, Dörfern, Flüssen, Bergen usw. deutsche Namen geben.

Des weiteren wollen wir auf jeden Fall für die Zukunft sorgen; deshalb sollte aus der Kriegsentschädigung der Reichskriegsschatz außerordentlich verstärkt werden; außerdem müßte das Reich ständig einen für mehrere Monate ausreichenden Getreidevorrat unterhalten, der durch fortlaufende Abgabe an den privaten Verkehr und Neuanschaffungen frisch und brauchbar erhalten würde; dabei wären alle Vorkehrungen zu treffen, um spekulativen Mißbrauch unmöglich zu machen.

Es wäre unverantwortlich, wenn wir derer vergessen wollten,

Kunstfreunde,
zeichnet Kriegsanleihe!
–sie schafft den
Stachelzaun
auch um
Euren
Blütengarten

›Deutsche Kunst und Dekoration‹, XXII. Jhg., Heft 1, Oktober 1918

die den jetzigen Daseinskampf für die Volksgesamtheit durch-
gekämpft haben; es muß deshalb verlangt werden, daß aus den
Kriegsentschädigungen so reichliche Mittel zur Auffüllung des
»Invalidenfonds«, der hoffentlich einen andern Namen erhält,
entnommen werden, daß die zurückkehrenden Invaliden so
versorgt werden können, wie es des Deutschen Reiches würdig
ist; als Mindestjahresgeld eines ganz arbeits- und erwerbsun-
fähig Gewordenen sollten 2400 Mark gewährt werden; der Satz

würde sich naturgemäß entsprechend dem Arbeits- oder Diensteinkommen vor dem Kriege erhöhen. [60]

GEGEN LUDENDORFFS MILITÄRDIKTATUR

1917

Ein deutscher Offizier, der Major a. D. Franz Carl Endres, sagt in seiner Schrift ›Politik und Kriegführung‹ (München, 1917) so deutlich man es damals sagen konnte:

. . . Der Politiker aber muß an zeitlich weit zurückliegende Entwicklungen und Zustände geschichtlicher Art anknüpfen und ebensolche weit in die Zukunft hinein hellsichtig voraussehen . . .Das ist eine außerordentlich feine Art der Denkmethode, zu der in der Regel der Offizier – trotz höchster militärischer Fähigkeiten – nur wenig geschult zu sein pflegt. Es ist eine historisch-soziologisch-wissenschaftliche und völkerpsychologische Feinarbeit, eine langfristige Kunst in der Erfassung von Zuständen im Gegensatz zu der kurzfristigen militärischen Kunst der Waffentat. Die normalen militärischen Ausbildungsmethoden des Generalstabes sind für solche Betätigung nicht eingerichtet und können und brauchen es auch nicht zu sein. [76]

GEISELN

Tausend Männer und Frauen der »ersten Gesellschaftskreise« wurden nach Litauen und nach Holzminden »überführt«; sie erhalten einen Tag vor dem Abschub ein Schreiben:

Lille, den 4. Januar 1918

Kaiserliche Kommandantur Lille.
No. 9191 M. O.
An Herrn . . . .
Als Gegenmaßregel gegenüber der von der französischen Regierung verweigerten Freigabe der verschleppten Elsässer ist die Überführung von französischen Staatsangehörigen nach einem Orte zwischen Kowno und Wilna angeordnet.

Dementsprechend haben Sie sich am 6. Januar 1918, vormittags 8½ Uhr auf dem Nordbahnhof zur Abreise einzufinden. Vorkehrungen für längere Abwesenheit sind zu treffen. Mitnahme von warmer Kleidung wird empfohlen. Es ist Ihnen gestattet, Gepäck bis zu 50 kg mitzunehmen. Für die Reise haben Sie sich mit Brot für fünf Tage zu versehen.

Sollten Sie diesem Befehl nicht Folge leisten, würden Sie zwangsweise abgeführt und außerdem bestraft werden. Dieses Schreiben ist zum Bahnhof mitzubringen.
[Unterschrift] [51]

600 000 TOTE VORAUSBERECHNET

Berlin, 13. Januar 1918

Alle Welt spricht von der kommenden Frühjahrsschlacht die – wieder einmal – die große Entscheidung im Westen bringen soll. Auch Max Weber erfährt davon:

Die große Offensive im Westen ist beschlossen; die Verluste für uns sind auf 600 000 Tote allein (!) kalkuliert . . . Politisch ist das hier ein Irrenhaus, und die verständigen Leute sind machtlos . . . Was im Osten zustande kommt [Brest-Litowsk], weiß niemand, ebenso nicht, wie lange Kühlmann und selbst Hertling sich gegen die Intrigen der Schwerindustriellen und

Alldeutschen, die immer den Anschluß an die Heeresleitung finden, noch behaupten werden. Denn Ludendorff ist in allem Nichtmilitärischen völlig blind. [23]

UNSER SCHICKSAL – UNSERE SCHULD?

Berlin, 13. Januar 1918

Der deutsche Gesandte in Kopenhagen, Graf Ulrich v. Brockdorff-Rantzau, meldet sich bei dem Reichskanzler, um ihm eine als streng vertraulich bezeichnete Mitteilung des Königs von Dänemark zu über-bringen. Der König fragt an, ob er einen Friedensfühler nach England ausstrecken solle. Nach Rücksprache mit dem Kaiser und der Ober-sten Heeresleitung wird dem Gesandten die folgende Instruktion erteilt: Er solle dem König erklären, Deutschland habe an sich nichts gegen einen solchen Schritt. Bisher sei freilich aus Englands Verhalten keine Bereitwilligkeit zum Frieden zu entnehmen gewesen. Daher müsse Deutschland so lange auf die Entscheidung mit den Waffen vertrauen, die es auch in diesem Jahre sicher zu erringen hoffe, als man nicht von England Nachricht habe, daß es verhandeln wolle. In einer hinter-lassenen Aufzeichnung nimmt Brockdorff-Rantzau dazu Stellung:

Was schließlich die Stellung des Kaisers zu der dänischen Frie-densvermittlungsaktion betrifft, so habe ich während des Krie-ges wiederholt Gelegenheit gehabt, seine Auffassung in un-mittelbarem Gedankenaustausch zu erfahren. Mein erster Vor-trag fand Ende September 1916, ein zweiter Anfang Mai 1917 statt. Ich habe dabei die Überzeugung gewonnen, daß der Kaiser, den ich seit dem Jahre 1891 kenne, wenn er sich nicht von manchen verantwortlichen und unverantwortlichen Ratgebern zweifelhafter Eignung hätte leiten lassen, persönlich geneigt gewesen wäre, jedem sachlichen Argument in der Friedensfrage Gehör zu schenken. Unter der Last der Verantwortung, die auf ihm lag, und deren furchtbare Schwere seine innerlich weiche Natur nicht gewachsen war, hatte er die Führung aber aus der Hand gegeben und mühte sich, nach außen eine Sicherheit zur Schau zu tragen, die er innerlich nicht besaß, und die in der Form, in der sie überlaut kundgegeben wurde, jeden Einge-weihten nur mit ernster Sorge erfüllen konnte. Da ich dem Kai-ser nach der Eröffnung des uneingeschränkten Unterseeboot-krieges als Defaitist verdächtigt worden war, empfing er mich im Mai 1917 sehr ungnädig, obgleich er mich noch wenige

Monate vorher zu der von mir in Kopenhagen durchgeführten Politik, insbesondere zu meinem Zusammenarbeiten mit der dänischen sozialdemokratischen Partei, warm beglückwünscht und der Vermittlungsaktion von Anfang an das lebhafteste Interesse entgegengebracht hatte. Er verlangte, und zwar noch bis zuletzt von England, daß Deutschland als gleichberechtigter Partner anerkannt und behandelt werde.

Gewiß haben die leitenden Männer im Kriege – jeder an seinem Platze – ihr Bestes geben wollen. Den Einzelnen mag dieser Wille moralisch entlasten, historisch kann er es nicht. Ihr Bestes, was sie vermeinten, zu geben, war nicht gut genug, das Unheil abzuwenden von einem Volke, das in unvergleichlichem Heldenmut und Vertrauen, beinahe blind, ihnen gefolgt war. Romantischer Mystizismus, plan- und hemmungsloses Draufgängertum, widerwillig gepaart mit grübelnd skrupelvoller Entschlußlosigkeit, pietistischer Fatalismus und greisenhaft müde Resignation haben mit der Kraft des Volkes Raubbau getrieben und sie vernichtet.

Ein Führer hat gefehlt, der in dem übermenschlichen Ringen die Möglichkeiten weise wog, ein überragender Führer, der weitausschauend die Kräfte sorgsam sammelte und zielsicher einsetzte; sie waren sieghaft und stark genug, der Nation, allen Feinden zum Trotz, die Weltgeltung zu schaffen, die ihr gebührt.

Dieser Führer hat gefehlt und ist nicht gefunden worden. Das war des deutschen Volkes Verhängnis.

War es Schicksal? War es Schuld? Oder war wirklich unser Schicksal auch unsere Schuld? [108]

ABSICHTLICHE VERSCHLEPPUNG

Berlin, den 19. Januar 1918

Die ›Frankfurter Zeitung‹ berichtet über den Stand der Wahlreform, welche das Drei-Klassen-Wahlrecht in Preußen beseitigen sollte:

Der Verfassungsausschuß des [Preußischen] Abgeordnetenhauses hat die Reformvorlagen einer Generaldebatte unterworfen, die vier lange Sitzungen ausfüllte; das ist mehr Zeit, als das Plenum den Vorlagen widmete. Dann beschloß der Ausschuß, zuerst die Vorlage über das Herrenhaus zu beraten. Damit ist die Wahlreform zurückgestellt und die Absicht der Verschleppung offenkundig geworden. [3]

25. Januar 1918

Von der Papierschnur

Hast du auch schon den morschen Ton gehört, mit dem so saft- und kraftlos die Papierschnur bricht, wenn du sie spannen willst? Ist's nicht, als wenn sie kein Gewissen und keine Seele hätte?

Da war die Schnur aus Hanf gedreht ein ganz ander Ding. Was sie umschlungen hielt war wohlverwahrt. Ein jeder Knoten war ein Stück Vertrauen. Und wenn du je ihr einmal zu viel zugemutet, dann wehrte sie sich trotzig ihrer letzten Faser und schnitt dir deinen Finger wund. Doch über ihre letzten Kräfte angespannt schnellte sie mit hartem, scharfem Ton entzwei. Wie wohl ein Mensch, der bis zum letzten Atemzug sich seines Lebens wehrt, mit einem Schmerzlaut ohnmächtiger Wut zusammenbricht. Im Brechen noch die innere Kraft verratend.

Dumpf berstend als wäre ihre Seele längst schon tot, bleibt dir die Papierschnur in der Hand. Und ganz verdutzt siehst du verächtlich ihre beiden Enden an, und ganz gewiß hast du dich schon geärgert, daß sich mit ihr kein sicherer, treuer Knoten binden läßt. Doch sei nicht streng mit ihr. Die Not der Zeit hat sie geboren. Sie will nicht mehr als nur Papierschnur sein.

Doch, daß es Menschen gibt, die über Menschenblut und Landesnot sich ein Ersatzgewissen selbst zusammenbasteln und daß wo Herz und Seele mitfühlend schlagen sollen, nur Papiermaschee zu finden ist, das ist dem Menschenjammer und dem Herrgott ins Gesicht schlagen. Ersatz, Ersatz ringsum! Sieh nur zu, daß wenn du eines Tages, wo du sie selber für dich nötig hast und nach deinem Herzen und nach deiner Seele suchst, du nicht irgendeinen Kriegsersatz an ihrer Stelle findest. Auch nicht der allerdickste Papiergeldmantel deckt dir dann deine Blöße zu. Ersatz, Ersatz ringsum soviel als wie nur nötig ist. Sogar Ersatz für Gold. Das Gold der Reichsbank, heißt es. Meinetwegen. – Doch nicht das Gold in uns.

[Frontsoldat Willy Schramm in
›Velhagen und Klasings Monatshefte‹]

Walther Rathenau an General v. Wandel:

Berlin, 26. Januar 1918

. . . Von der Frühjahrsoffensive erwarte auch ich einen großen militärischen Erfolg, jedoch nicht den Frieden. Selbst wenn wir von Petersburg bis Bordeaux Europa unter Sequester nehmen, wird der angelsächsische Wille nicht gebrochen, und ich befürchte die Wirkung eines langen See- und Überseekrieges, währenddessen unsere Wirtschaft, die heute ausschließlich dem Territorialkriege dient, keine Aufgaben, keinen Absatz und keine Zufuhr findet. Diese Verhältnisse sind freilich einer verwilderten öffentlichen Meinung nicht klarzulegen, die im Laufe von vier Jahren erwachsen zu sein glaubt und dauernd die militärische Lage mit der politischen verwechselt. [69]

FORDERUNGEN DER STREIKENDEN

Berlin, den 29. Januar 1918

Die Streikbewegung in Groß-Berlin gewinnt an Ausdehnung, obschon sie ohne Zutun der Gewerkschaften und ohne organisatorische Vorbereitung aus der Arbeiterschaft heraus entstanden ist. Die Zahl der Streikenden wurde gestern abend auf 150000, von amtlicher Stelle auf 120000 geschätzt. Heute vormittag fanden Verhandlungen zwischen Mitgliedern des sozialdemokratischen Parteivorstandes und den Vertrauensmännern der Streikenden statt. Die Generalkommission der Gewerkschaften Deutschlands beschäftigte sich mit der Bewegung in einer Ausschußsitzung, in der die Neutralität der Gewerkschaften beschlossen wurde; nach Ansicht der Generalkommission ist die Bewegung eine rein politische Angelegenheit. In den Betrieben, wo gestreikt wird, wurden Delegierte gewählt, die zu einem Arbeiterrat zusammentraten; dieser wählte einen Aktionsausschuß, der aus zehn Arbeitern und einer Arbeiterin besteht, und der auch sechs sozialdemokratische Abgeordnete hinzugezogen hat, nämlich drei Vertreter der Unabhängigen, Haase, Ledebour und Dittmann, und drei Vertreter der alten Partei, Scheidemann, Ebert und Braun. Der Arbeiterrat wählte eine Deputation von fünf Arbeitern und vier Abgeordneten, die mit dem Staatssekretär Wallraf verhandeln sollten, um die

Freiheit der Versammlungen durchzusetzen. Der Staatssekretär lehnte es jedoch ab, die Deputation zu empfangen; mit den Abgeordneten wollte er verhandeln, aber nicht mit den Arbeitern, da Besprechungen mit diesen über allgemeine politische Fragen vor den Reichstag gehörten. Die Deputation erklärte dann, daß sie nur unter Zuziehung der Arbeiter verhandeln werde. Am Nachmittag tagte im Gewerkschaftshause eine Versammlung, die folgende Forderungen der Streikenden aufstellte:

1. Schleunige Herbeiführung des Friedens ohne Annexionen, ohne Kriegsentschädigung und auf Grund des Selbstbestimmungsrechts der Völker nach den Vorschlägen der russischen Volksbeauftragten;

2. Zuziehung von Arbeitern zu den Friedensverhandlungen;

3. Ausgiebigere Nahrungsversorgung;

4. Aufhebung des Belagerungszustandes, Schutz der Vereins- und Versammlungsfreiheit;

5. Aufhebung der Militarisierung von Betrieben;

6. Freilassung von Verurteilten und Verhafteten;

7. Demokratisierung aller Staatseinrichtungen und zunächst Einführung des allgemeinen, gleichen, direkten und geheimen Wahlrechts für alle Männer und Frauen von über 20 Jahren in Preußen. [3]

GERÜCHTE, DEN KRONPRINZEN BETREFFEND

Aus einem anonymen Bericht an das Große Hauptquartier:

1. Februar 1918

Das planmäßige Vorgehen gegen den deutschen Kronprinzen, von dem die Gegner wissen, daß er außerordentlich beliebt war, hat bereits Erfolg gehabt. Sowohl im Volke als auch im Heer ist die Stimmung vollständig umgeschlagen. Um so bedenklicher ist es, daß der Kronprinz durch viele Unvorsichtigkeiten die Arbeit der Gegner erleichtert. Seit Jahr und Tag laufen Gerüchte durch das Heer, wonach der Kronprinz sehr lebhaften Verkehr mit Französinnen unterhält und dabei keinerlei Rücksicht auf die Außenwelt nimmt. Herren aus der Umgebung des Kronprinzen haben mir eingestanden, daß diese Gerüchte zwar übertrieben, aber nicht grundlos wären. Vor einigen Tagen wurde einem Gewährsmann, der sehr zuverlässig ist, von einem Offizier, der aus dem Westen auf Urlaub kam, mitgeteilt, der Kronprinz hätte neuerdings wieder Beziehungen mit einer hübschen Französin angeknüpft; er hätte diese Person in Öl malen lassen, und der Maler hätte diese Gelegenheit benutzt, um ebenfalls in recht innige Beziehungen zu der Französin zu treten. Der Kronprinz hätte das erfahren und hätte den Maler im ersten Ärger in den Schützengraben schicken wollen. Das hätte seine Umgebung noch glücklich verhindert. Auch von diesem Gewährsmann wurde mitgeteilt, der Kronprinz habe sich mit dieser Französin öffentlich gezeigt. Solche Erzählungen gehen wie ein Lauffeuer durch die Schützengräben und wirken dort keineswegs im staatserhaltenden Sinne. Vielleicht ließe sich feststellen, wieweit diese Behauptungen richtig sind, damit ihnen entweder entgegengetreten werden kann oder damit dem Kronprinzen in geeigneter Weise klargemacht wird, welche Pflichten der Erbe der Deutschen Kaiserkrone und der Krone Preußens hat.

[64]

VERPFLICHTENDE IDEALE

Bad Homburg, 10. Februar 1918

Aus Anlaß des Friedensschlusses mit der Ukraine bringt die Bevölkerung dem Kaiser eine Huldigung dar. In seiner Dankrede sagt dieser u. a.:

Es hat unser Herrgott entschieden mit unserm deutschen Volk noch etwas vor; deswegen hat er es in die Schule genommen; und ein jeder ernsthaft und klar Denkende unter Euch wird mir zugeben, daß es notwendig war. Wir gingen oft falsche Wege. Der Herr hat uns durch diese harte Schule darauf hingewiesen, wo wir hin sollen. Zu gleicher Zeit ist die Welt aber nicht auf dem richtigen Wege gewesen, und wer die Geschichte verfolgt hat, kann beobachten, wie es unser Herrgott mit einem Volke nach dem andern versucht hat, die Welt auf den richtigen Weg zu bringen. Den Völkern ist es nicht gelungen. Das römische Reich ist versunken, das fränkische zerfallen und das alte Deutsche Reich auch. Nun hat er uns Aufgaben gestellt. Wir Deutsche, die wir noch Ideale haben, sollen für die Herbeiführung besserer Zeiten wirken; wir sollen kämpfen für Recht, Treue und Sittlichkeit. Unser Herrgott will den Frieden haben, aber einen solchen, in dem die Welt sich anstrengt, das Rechte und das Gute zu tun. Wir sollen der Welt den Frieden bringen, wir werden es tun auf jede Art. Gestern ist's im gütlichen gelungen. Der Feind, der, von unseren Heeren geschlagen, einsieht, daß es nichts mehr nützt, zu fechten, und der uns die Hand entgegenhält, der erhält auch unsre Hand. Wir schlagen ein. Aber der, welcher den Frieden nicht annehmen will, sondern im Gegenteil, seines eignen und unsers Volkes Blut vergießend, den Frieden nicht haben will, der muß dazu gezwungen werden. Das ist jetzt unsre Aufgabe, dafür müssen jetzt alle wirken, Männer und Frauen. Mit den Nachbarvölkern wollen wir in Freundschaft leben, aber vorher muß der Sieg der deutschen Waffen anerkannt werden. Unsre Truppen werden ihn weiter unter unserm großen Hindenburg erfechten. Dann wird der Friede kommen. Ein Friede, wie er notwendig ist für eine starke Zukunft des Deutschen Reiches, und der den Gang der Weltgeschichte beeinflussen wird. [Bravo und Hurra!] Dazu müssen uns die gewaltigen Mächte des Himmels beistehen, dazu muß ein jeder von Euch, vom Schulkinde bis zum Greise hinauf, immer nur dem einen Gedanken leben: Sieg und ein deutscher Friede. Das deutsche Vaterland soll leben! Hurra! [30]

MIT MASCHINENGEWEHREN

Februar 1918

Die – im Untergrund erscheinenden – ›Spartakusbriefe‹ machen ihre Leser auf eine Verfügung des Oberkommandos »Innere Unruhen betreffend« aufmerksam. Unter der Überschrift ›Zum Blutbad gerüstet‹ teilen sie den Wortlaut eines Befehls an sämtliche Infanterietruppenteile des Gardekorps und des 3., 4. und 5. Korps mit. Der streng geheimzuhaltende und nur den Kommandeuren zugängige Befehl bezieht sich auf den Truppeneinsatz beim Streik von Fabrikarbeitern. Er lautet:

Auf das Telegramm hin »*Streikabwehr vorbereiten*«, muß der Truppenteil mobil gemacht werden.

Wenn das weitere Telegramm »*Streikabwehr*« kommt, dann ist die Linien-Kommandantur* benachrichtigt, welche die Wagengestellung zum Transport der Leute in der Umgegend von Berlin veranlaßt. Die Leute müssen ausgerüstet sein feldmarschmäßig mit Handgranaten und ohne Gasmasken.

* Bezeichnung für die der Eisenbahnabteilung beim Großen Generalstab unterstellten Militärbehörden, die die Zusammenarbeit mit den zivilen Eisenbahnverwaltungen leiteten.

Wenn das Telegramm kommt: »*Einschließung vorbereiten*«, treten sämtliche Truppenteile an die ihnen im voraus bestimmten Stellen. Die Bataillonskommandeure haben anwesend zu sein und sämtliche weitere Vorbereitungen zu leiten.

Auf das Telegramm »*Einschließung*« marschieren das 3., 4. und 5. Korps, das zu diesem Zweck herangezogen wird, auf Berlin bis zum Stadtring. Das Gardekorps drückt vom Stadtinnern nach der Ringbahn, woselbst die Menschenmengen *zusammengetrieben werden*. Das Hauptquartier befindet sich in Kaulsdorf.

Die ›Spartakusbriefe‹ ergänzen den Befehl:

Aus den weiteren Anordnungen geht noch hervor, daß mit *Maschinengewehren* gearbeitet werden muß, wie denn ausdrücklich bemerkt wird, daß die *schärfsten Maßregeln* die besten sind.

und kommentieren ihn:

»Man muß diesem Volke auf den Knien danken«, deklamierte gefühlvoll Herr von Bethmann-Hollweg in einer Reichstagssitzung. Inzwischen hat sich die Dankesformel Bethmann-Hollwegs gewandelt, und so lautet sie denn jetzt: »Man muß dieses Volk *auf die Knie zwingen* und es mit Maschinengewehrfeuer und Handgranaten zur Ruhe bringen!« So dankt das Haus Hohenzollern »seinem« geliebten Volke. *Legt an, gebt Feuer! Auf Vater und Mutter, auf Bruder und Schwester. Auf Weib und Kind: Gebt Feuer!* Aus Maschinengewehren und mit Handgranaten: *Gebt Feuer!* Und es sind Arbeiter, Arbeitersöhne, die auf solchen Befehl gehorchen sollen. Schmach und Schande, wenn sie noch gehorchen! [9]

ANEKDOTISCH

Frühjahr 1918

»Ob mir etwas fehlt? Asthma hab' ich, Herr Regimentsarzt, und Rheumatismus, und magenleidend bin ich und nervenkrank und 'nen Blähhals hab' ich und Gallensteine...«

»Wirklich?! Da wird ja der Heldentod eine wahre Erlösung für Sie sein! K. v.« [88]

18. Februar 1918

Richard Huelsenbeck darf seine Züricher Dada-Rede vom Frühjahr 1916 in Berlin wiederholen. Die Zeiten haben sich geändert. Der Rahmen ist eine Dichterlesung, veranstaltet von der Galerie Neumann, Kurfürstendamm. Natürlich wiederholt sich Huelsenbeck nicht wortwörtlich:

Meine Damen und Herren, ich muß Sie heute enttäuschen, ich hoffe, daß Sie es mir nicht allzu übel nehmen. Aber wenn Sie es mir übel nehmen, ist es mir auch egal. Wir sind hier für eine Dichterlesung zusammengekommen. Sie wollen einige Dichter hören, wie sie sich präsentieren und wie sie ihre Verse vortragen. Die Dichter sind Träger der Kultur und Sie wollen die Kultur absorbieren. Sie haben Geld gezahlt, um die Kultur absorbieren zu können. Aber ich muß Sie, wie gesagt, enttäuschen. Ich habe mich entschlossen, diese Vorlesung dem Dadaismus zu widmen. Der Dadaismus ist etwas, was Sie nicht kennen, aber Sie brauchen ihn auch gar nicht zu kennen. Dadaismus war weder eine Kunstrichtung noch eine Richtung in der Poesie; noch hatte er etwas mit der Kultur zu tun. Er wurde während des Krieges in Zürich im Cabaret Voltaire von Hugo Ball, von mir, von Tristan Tzara, Janco, Hans Arp und Emmy Hennings gegründet. Dada wollte mehr sein als Kultur und es wollte weniger sein, es wußte nicht recht, was es sein wollte. Deswegen, wenn Sie mich fragen, was Dada ist, würde ich sagen, es war nichts und wollte nichts. Ich widme deshalb diesen Vortrag der respektierten Dichter dem Nichts. Bitte bleiben Sie ruhig, man wird Ihnen keine körperlichen Schmerzen bereiten. Das einzige, was Ihnen passieren könnte, ist dies: daß Sie Ihr Geld umsonst ausgegeben haben. In diesem Sinne, meine Damen und Herren. Es lebe die dadaistische Revolution. [95]

EUROPA-GESINNUNG

Gerrit Engelke, derzeit Gefreiter, ein junger Arbeiterdichter, Schützling von Richard Dehmel und Jakob Kneip, hat das Manuskript seines ersten Gedichtbandes fertiggestellt; der Verlag Eugen Diederichs hat es angenommen. Engelke hat noch die ersten Druckbogen gesehen; er fällt am 13. Oktober 1918 im Westen. Sein Buch erschien erst im Jahre

1921 unter dem Titel ›Rhythmus des neuen Europa‹. Engelke an Diederichs:

Düren, 20. Februar 1918

... Wie steht es mit Ihrer Absicht, mein Buch ›Dampforgel und Singstimme‹ zu drucken?

In den Buchhändlerfenstern seh ich als Neuigkeiten: Wincklers ›Ozean‹, Lerschs ›Deutschland‹ und ein anderes Buch von ihm; über mein Buch scheint das Schweigen zusammenzuschlagen. Nun werden Sie wohl sagen, daß diese Bücher zeitgemäß und daher leicht auf den Markt zu bringen sind; ich glaube aber, daß sich gerade jetzt (aus Kriegsmüdigkeit und Voraussicht des baldigen Endes entspringend) viele Menschen unausgesprochene Gemeinden bilden, die aufstehen und Verbreitung des Gut-Menschen- und Europäertums wünschen und erhoffen. So wäre denn auch mein Buch, das immerhin Träger solchen Sinnes ist, nicht ganz »unaktuell« und marktungsgemäß. Ich möchte Sie also bitten, in meiner Sache etwas tun zu wollen. [91a]

DIE FELDGRAUEN UND DIE UNBESIEGBAREN KLUBSESSEL

30. März 1918

Prof. Max Dessoir veröffentlicht einen Artikel ›Kriegspsychologie‹, der deutliche Rückschlüsse auf die Stimmung an Front und Heimat zuläßt. Es heißt u. a.:

Wie denken unsere Kämpfer über die Zustände daheim? Mir stellte sich ein Bild dar, das mich aufs tiefste erschütterte. Da liegen sie, halb betäubt vom Krachen und Wimmern der Geschosse, im Schlamm neben ihren eigenen Ausleerungen, neben stinkenden Leichen, neben Verwundeten, die nicht zurückzubringen sind und so lange zerfetzt werden, bis der Tod sie erlöst – und zur gleichen Stunde lassen in allen Großstädten der Welt Kriegslieferanten die Sektpropfen knallen. Ich dachte mit Grauen an die Erbitterung, die die Verteidiger Deutschlands erfüllen muß. Doch fand ich sie meist ziemlich gleichgültig, wenn ich auf solche Dinge anspielte. Nach der Meinung des Frontsoldaten haben die Heimgebliebenen es auf jeden Fall so unsinnig gut, daß es auf das Maß der Zerstreuung nicht sonderlich ankommt; im Gegenteil, die Feldgrauen wünschen für den eigenen Urlaub die Möglichkeit zu derben Vergnügungen. Ihr

Haß richtet sich gegen hochmütiges Reden und Schreiben, gegen kriegerische Katheder, heldenhafte Redaktionen und unbesiegbare Klubsessel. Die Männer draußen erwarten von uns mehr Bescheidenheit und mehr Standhaftigkeit, sie wünschen, daß die Ordnung aufrecht erhalten und die Zeit nach dem Kriege gut vorbereitet wird, sie verlangen von der Regierung, daß sie die militärischen Erfolge ausnutze.

Aber das ist ein weites Feld und nicht von jemand zu bestellen, der nur ein paar Anmerkungen über die seelische Verfassung der Kämpfenden machen wollte. [17]

IHRE LETZTE HOFFNUNG

30. März 1918

Flugzeug-Obermaat Horst Schöttler macht Stimmung für die achte Kriegsanleihe, indem er plaudert:

Als der Friedensengel seine Aufgabe im Osten erfüllt sah, wandte er sich gen Westen und belauschte dort die Stimmung.

»Wenn Hindenburg losschlägt, kann mich auch Amerika nicht retten«, sagte der Franzose kleinlaut. »Aber ich habe noch eine Hoffnung: Deutschland wird es an der letzten silbernen Kugel fehlen. Und ich habe hierfür meine Gründe! Der Deutsche besitzt nicht die Anlage zum kleinen Rentner, wie sie dem Franzosen schon angeboren ist. Viele Deutsche stecken ihr Geld lieber in den Strumpf und ins Bettstroh und lassen sich's dort stehlen, als daß sie ihre Angst vor ›Börsengeschäften‹ überwinden. In Frankreich weiß jedermann, was das heißt, wenn nach solchem Riesenerfolge, wie die Deutschen ihn jetzt im Osten hatten, noch eine Kriegsanleihe mit 5 Prozent Verzinsung zu haben ist; ja bei uns würde jeder Zeitungsjunge hundert Frank zusammenkratzen, um den sichersten Grundstein zu seinen künftigen Bankunternehmungen zu legen. Der Deutsche ist jedoch anders. Er glaubt immer noch, daß die einzelnen Millionenzeichnungen ausschlaggebend sind. Er ist zu bescheiden, um seine paar hundert Mark für wertvoll zu halten. Und er denkt, den Krieg gewinnen zu können, auch ohne daß er sich mit der achten deutschen Kriegsanleihe beschäftigt. Das ist meine letzte Hoffnung.«

»Die Tage, in denen ich glaubte, den Krieg durch die Länge der Zeit zu gewinnen, sind längst vorbei«, klagte der Engländer. »Die U-Boote räumen mit meiner Handelsflotte derartig auf, daß ich schon den Monat berechnen kann, in dem ich Frieden schließen muß. Ich hoffe jedoch, daß den Deutschen einen Monat früher das Geld ausgehen wird. Bei ihrer achten Kriegsanleihe rechne ich darauf, daß die Erleichterung im Osten sie sorgloser machen muß. Bisher haben sie keine Anstrengung gescheut, um die Milliarden zusammenzubringen; vielleicht sind sie jetzt aber zu vertrauensselig und bequem geworden. Ein Mißerfolg der achten deutschen Kriegsanleihe würde unseren Verbündeten neuen Mut geben, und Hindenburg kann nichts unternehmen, wenn ihm Granaten und Kanonen fehlen. Das ist meine letzte Hoffnung.«

»Ich lag bei der Spekulation auf der falschen Seite«, bekannte der Amerikaner. »Um meine Milliarden zu retten, steckte ich meinen Kopf in das Unternehmen. Leider sagte einer meiner Schuldner – Rußland – bald darauf die Generalpleite an. Nun soll ich die russische Dampfwalze ersetzen und mir meine Milliarden erkämpfen. Unsinn – ich bin doch Geschäftsmann! Ich rechne mit der Börse. Wenn jetzt wieder jeder Deutsche seine paar hundert Mark zeichnet, dann werde ich meinen unglücklichen Verbündeten den Frieden anraten, um das Geschäft, bei dem nur noch zu verlieren ist, schleunigst auflösen zu können. Als Geschäftsmann weiß ich, daß nur die zahllosen kleinen Zeichnungen die Milliarden zusammenbringen, und daß es bei der achten deutschen Kriegsanleihe an ihnen fehlen könnte, ist meine letzte Hoffnung.« – Der Friedensengel wußte Bescheid, wann die letzte Entscheidung fallen mußte. [17]

GOTTESDIENST

München, 30. April 1918

Richard Voss besucht die »Luftkriegsbeute-Ausstellung«:

In keiner Kirche, auf keinem Friedhof war mir zumute wie heute in dieser Halle unter den bekränzten Bildnissen dieser Helden. Jünglinge beinahe sie alle! Sie blickten auf mich herab mit lachenden Augen, die Brust geschmückt mit den höchsten Ehrenzeichen, wahrhaft strahlende Gestalten, strahlend im Ruhmesglanz und Jugendstolz. Und alle so deutsch, so deutsch!
...

Es war keine Besichtigung, es war ein Gottesdienst, der Kult der reinen Vaterlandsliebe, die sich zum Opfer darbrachte mit Jubel und Frohlocken... Ich mußte weinen. [8]

1. Juni 1918

Sehr verehrte Exzellenz!

Wohl weiß ich, daß ich nicht berufen bin, in politischen Dingen mitzureden, und dennoch scheint es mir eine vaterländische Pflicht, Euer Exzellenz meine Meinung nicht vorzuenthalten, die ich mir nach fast vierjährigem Verweilen an einer der Hauptkampffronten im Westen gebildet habe, wenn diese Meinung vielleicht auch nicht übereinstimmt mit jener anderer Stellen.

So günstig unsere militärische Lage auch augenblicklich ist, kranken wir doch an zwei Übeln, denen nicht abzuhelfen ist, dem allmählich eingetretenen Mangel an Ersatzmannschaften und an Pferden, ein Mangel, der sich immer mehr steigern muß. Wir werden zwar in der Lage sein, dem Gegner im Westen noch ein paar gewaltige Schläge zu versetzen, kaum aber, ihm eine entscheidende Niederlage zu bereiten, so daß zu erwarten steht, daß der Kampf in einigen Monaten wieder den Charakter des schleppenden Stellungskrieges annehmen wird. Wer in diesem schließlich siegt, hängt vor allem davon ab, wer am längsten mit seinen Mannschaftsbeständen auszukommen vermag, und in dieser Hinsicht sind meiner Überzeugung nach unsere Gegner besser dran, dank der amerikanischen Hilfe, die freilich erst allmählich wirksam zu werden vermag. Ich habe diese meine Ansicht schon vor der Märzoffensive Seiner Majestät dem Kaiser ziemlich unverblümt vorgetragen und ich will sie nun auch Eurer Exzellenz nicht vorenthalten, denn es ist meines Erachtens der Zeitpunkt gekommen zur Anbahnung von Friedensverhandlungen. Jetzt haben wir noch Trümpfe in der Hand – nämlich die Drohung mit in Bälde sich verwirklichenden neuen Angriffen –, später, wenn diese Angriffe einmal erfolgt sind, nicht mehr. – General Ludendorff ist gleichfalls der Ansicht, daß aller Wahrscheinlichkeit nach ein entscheidender, den Gegner vernichtender Sieg sich nicht mehr wird erringen lassen; er hofft jedoch auf die rettende Hilfe eines Deus ex machina, nämlich auf den plötzlichen inneren Zusammenbruch einer der Westmächte nach Art des Zusammenbruchs des russischen Reiches. Ost und West sind aber grundverschieden, und keiner der westlichen Staaten ist so morsch, wie das Russische Reich schon vor dem Kriege es war. Ich selbst vertrat einst den Gedanken der Angliederung Belgiens an das Deutsche Reich in irgendwelcher

Form, jetzt aber bin ich, abgesehen von andern Gründen, schon deshalb davon abgekommen, weil ich der Überzeugung bin, daß der einzige Weg, der uns zum Frieden führen kann, der ist, daß wir erklären, die Selbständigkeit Belgiens unangetastet erhalten zu wollen. Gewiß ist das Sichbescheiden mit dem Status quo ante im Westen für uns keine erfreuliche Lösung, aber ich glaube nicht, daß eine günstigere sich wird erreichen lassen, da wir hierzu nicht die Kräfte besitzen, und so meine ich, daß wir uns mit dem im Osten Erreichten begnügen müssen. Damit, daß der eine Gegner im Osten völlig erledigt ist, sind wir die Sieger; auch selbst ein Friede, der uns im Westen keinerlei Gewinn brächte, wäre ein siegreicher Friede. Müssen wir über den Winter weiterkämpfen, wird dies auf den Geist der Truppe nachteilig wirken, bei der allgemein die Hoffnung besteht, daß der Krieg bis zum Herbste beendigt sein wird.

Ich hätte nicht geschrieben, würde ich nicht Eile für geboten erachten, und jede Woche ist kostbar.

Sollten Eure Exzellenz mich zu sprechen wünschen, könnte ich ganz gut auf ein paar Stunden nach Brüssel kommen, Spa ist für mich zu weit, oder der Sohn Eurer Exzellenz könnte mich in meinem Quartier aufsuchen. Ich stelle es dem Belieben Eurer Exzellenz anheim, von dem Inhalte dieses Briefes gelegentlich Seiner Majestät dem Kaiser Kenntnis zu geben, und verbleibe Eurer Exzellenz aufrichtig ergebener
Rupprecht, Kronprinz von Bayern. [39]

ZWEI AUF EINEN STREICH

1. Juni 1918

Den Zusammenhang zwischen einem guten deutschen Frieden und dem Barfußgehen erläutert Sanitätsrat Dr. Lots aus Friedrichroda in Thüringen in ›Reclams Universum‹:

Nach Hindenburg werden nicht die letzten silbernen Kugeln, sondern die besseren Nerven den Sieg im Weltkrieg bringen. Unseren westlichen Feinden, diesem edlen Paar von »Kulturnationen«, sind wir »Barbaren« in den Nerven immer überlegen gewesen. Sorgen wir, daß wir diese Überlegenheit festhalten. Und dazu kann uns das Barfußgehen helfen. Wenn nebenbei noch an Leder gespart wird, so muß das wirtschaftlich außerordentlich hoch bewertet werden. Aber die Hauptsache darf es nicht sein. Die ist und bleibt stets, daß wir in der jetzigen ernsten Zeit »die Nerven behalten«, wir in der Heimat sowohl wie unsere Brüder im Felde, wir gewöhnlichen Staatsbürger, wie auch die erleuchteten Geister der Nation einschließlich der Herren Diplomaten und Reichstagsmitglieder, von denen einigen aber doch das Barfußgehen recht dringend empfohlen werden muß. Dann werden wir gewiß einen guten deutschen Frieden bekommen, trotz aller unserer Friedenskundgebungen und Friedensangebote. [17]

STICHWORT »BERLIN 1918«

Juni 1918

›Spartakus‹ Nr. 9 bringt seinen Lesern ein Dokument zur Kenntnis, welches beweist, was mit Arbeitern geschieht, die sich an Streiks beteiligen:

III. A.-K. Stellv. General-Kommando
Abt. I/Nr. 190082

Berlin, den 7. Februar 1918

An das
Stellvertretende General-Kommando I. A.-K. Königsberg
Im Anschluß an das diesseitige Telegramm vom 2. d. Mts. I./A. 173522 wird gebeten, die in Frage kommenden dort eingestellten Truppenteile nochmals mit besonderer Weisung über Grund und Anlaß der Einziehung der bei ihnen unter Stichwort »Berlin 1918« eingestellten Leute zu versehen.

Diese Leute haben sich nachgewiesenermaßen an dem Streik in Berlin und Umgegend beteiligt und sich hetzerisch und teilweise agitatorisch zur weiteren Entwicklung des Streiks betätigt. Um ihnen die Möglichkeit einer späteren Reklamation, auch Beurlaubung oder Entlassung zu nehmen, war von hier aus auf eine Anweisung des Kriegsministeriums gebeten, in die Militärpapiere der Leute folgenden Vermerk einzutragen: »Die Wiedereinstellung erfolgt, da die Bedingungen für eine Zurückstellung nicht erfüllt.«

Es wird nochmals ersucht, bei den in Frage kommenden Truppenteilen die sofortige Nachtragung dieses Vermerks in die Militärpapiere aller derjenigen Leute anzuordnen, bei welchen der Vermerk noch fehlen sollte, bezw. diesbezügliche Nachprüfung bei den Truppenteilen vornehmen zu lassen.

Auch wird gebeten, die Truppenteile anzuweisen, Anfragen dieser Leute auf Beurlaubung, namentlich nach Berlin und Umgegend, wenigstens für die nächste Zeit nicht stattzugeben.

Bemerkt wird noch, daß für den angeführten Beweis die Vorbedingungen für weitere spätere Reklamation dieser Leute zur Arbeitsleistung im Betrieb genommen sind, also etwaige Reklamationsanträge in allen Fällen abgelehnt werden müssen.

Von seiten des Stellv. General-Kommandos
für den Chef des Stabes
gez. von Höfer, Generalmajor [9]

GEDANKEN ÜBER DIE KRIEGSKOSTEN

Walter Rathenau an Leopold Ziegler:

Freienwalde, 22. Juli 1918

... Worüber soll man weinen? Über die Politik? Über das Volk? Ein Monat Kriegskosten hätte alles Elend aus der Welt geschafft. Ein weiterer Monat hätte alle geistigen Menschen auf Ewigkeit sichergestellt. Ein dritter hätte aus den Städten Paradiese gemacht. Ein vierter hätte die Forschung, ein fünfter die Kunst von jeder materiellen Bande befreit.

Das war für die Dämonen zu viel. Die Menschheit war nicht reif für Macht, Phaethon mußte die Fluren versengen. [69]

DAS CHRISTENTUM IN SEINER BLÖSSE

Der Student der Theologie Otto Brian (geb. 1898, gefallen Anfang November 1918 an der Maas) schreibt nach Hause:

2. Juli 1918, Offizierskorps, Munsterlager

Was Mama über die Predigt gesagt hat, ist richtig. Die Schuld liegt bei den Pfarrern, die sich mit den Ereignissen in ganz ungenügender Weise auseinandersetzen oder überhaupt um das heiße Feuer herumgehn. Daher diese Verachtung der Pfarrer bei so vielen unter uns und das Spotten über Religion, Kirche und Christentum: Weil es sich gezeigt hat, daß diese Kirche, dieses Christentum, wie es die meisten Pfarrer betätigen, diesen Krieg nicht erklären kann, vor diesem Krieg sich in seiner ganzen Blöße und Unvollkommenheit dartut. Darin können wir also auch dem Kriege dankbar sein, daß er uns das enthüllt.

Es wird doch kein Mensch behaupten wollen, daß der Krieg sich mit dem Wort Gottes verträgt! Oder hat die Mama vielleicht gar auch mich im Verdacht, daß ich das glaube? Dann hat sie mich aber gründlich mißverstanden! [55]

DIE ZEIT ARBEITET GEGEN UNS

Major Alfred Niemann, seit Februar 1918 Oberquartiermeister der Heeresgruppe Herzog Albrecht von Württemberg, an Ludendorff:

20. Juli 1918

Ich glaube an die Überlegenheit unserer Waffen wie an ein Evangelium, ich glaube aber nicht, daß wir mit Waffengewalt zum Diktieren eines Friedens kommen werden. Unsere militärische Kraft kulminiert, sie läßt sich nicht mehr steigern, weder zu Lande noch zu Wasser. Dauert der Krieg weiter, dann müssen wir den absteigenden Ast der Kurve betreten. Die intellektuelle und moralische Überlegenheit der Führung kann auf die Dauer die schwindenden Volkskräfte und den steigenden Rohstoffmangel nicht ersetzen... Das Schlagwort vom »Durchhalten bis zum siegreichen Ende« ist doch eben nur ein Schlagwort, ein euphemistischer Ausdruck für das freiwillige »ehrenvolle Sterben«, das nur dem deutschen Idealismus verständlich ist. Wir müssen unsere militärische Kraft als Druckmittel ausnutzen, so lange wir die militärische Überlegenheit noch besitzen. Treten wir im Zeichen des Abstiegs an den Verhandlungstisch, dann spielen wir ohne Atouts. Das Druckmittel wird dann von Tag zu Tag wirkungsloser. [39]

DER SCHWARZE TAG

8. August 1918

Die Hoffnungen der Obersten Heeresleitung auf eine Wiederaufnahme der Offensive werden zunichte gemacht. Die Engländer durchbrechen die Stellungen der 2. Armee. Der feindliche Geländegewinn beträgt 12 km. Erst am 12. August gelingt es den deutschen Streitkräften, den Stoß aufzufangen und eine neue haltbare Front herzustellen. Ludendorff schrieb – später – in seinen Kriegserinnerungen:

Der 8. August stellte den Niedergang unserer Kampfkraft fest und nahm mir ... die Hoffnung, eine strategische Aushilfe zu finden... Das Kriegführen nahm damit, wie ich mich damals ausdrückte, den Charakter eines unverantwortlichen Hazardspieles an, das ich immer als verderblich gehalten habe. Das Schicksal des deutschen Volkes war mir für ein Glücksspiel zu hoch. Der Krieg war zu beendigen. [39]

INTERMEZZO

Sommer 1918

Im Volke gehen Losungen um wie: »Gold gab ich gegen Eisen, daß ich ein Esel war, kann ich beweisen.« Oder: Der Krieg geht für die Reichen, die Armen zahlen mit Leichen. / Gleicher Urlaub, gleiches Essen, und der Krieg wär' längst vergessen. / Wer Kriegsanleihe zeichnet, verlängert den Krieg. / Entweder tötet der Krieg die Revolution, oder die Revolution den Krieg. / Wir kämpfen nicht für Deutschlands Ehr', wir kämpfen für die Millionär'. [5]

DER NIEDERSCHLAG IM SCHULHEFT

Sprottau, 9. August 1918

Ein junges Mädchen, Ilse Langner, schreibt in ihr Schulheft Skizzen und Gedichte, deren Thema die Auseinandersetzung mit dem Kriege ist.

Wir haben die Poesie von Seelen,
Die bald sterben werden.
Und selbst (es zu tun) wär ich zu feige.
Nur das Leben
Ist niemals zu feige
Einen Menschen sterben zu lassen

Zehn Jahre später, im November 1928, wird das »Theater Unter den Linden« in Berlin ein Antikriegsstück ›Frau Emma kämpft im Hinterland‹ von Ilse Langner mit Erfolg uraufführen.

BILANZZIEHEN

Avesnes, 11. August 1918

Der Kaiser hat eine Rücksprache mit den Heerführern in Avesnes. Dort erklärt Ludendorff, wir hätten eine schwere Niederlage erlitten;

der kriegerische Geist lasse bei einem Teil der Divisionen zu wünschen übrig, und es sei vorgekommen, daß einer angreifenden Division von Truppen, die aus vorderer Linie zurückkkamen, die Worte »Streikbrecher« und »Kriegsverlängerer« zugerufen wurden. Während der Kaiser betont, daß der Truppe zuviel zugemutet werde, eine Ansicht, die auch der Kronprinz teilt, ist Ludendorff der Meinung, das Versagen der 2. Armee am 8. August könne nicht mit einer Übermüdung unserer Divisionen entschuldigt werden. Schließlich trifft der Kaiser die Entscheidung:

»Ich sehe ein, wir müssen die Bilanz ziehen. Der Krieg muß beendet werden... Ich erwarte die Herren also in den nächsten Tagen in Spa. [39]

FLAMMENDE REDEN ALS GEGENMITTEL

14. August 1918

Protokoll über den Verlauf des Kronrats:

Staatssekretär von Hintze: Der Chef des Generalstabes des Feldheeres [Hindenburg] habe die kriegerische Situation dahin definiert, daß wir den Kriegswillen unsrer Feinde durch kriegerische Handlungen zu brechen nicht mehr hoffen dürften. Die politische Leitung beuge sich vor diesem Ausspruch der größten Feldherren, die dieser Krieg hervorgebracht habe, und ziehe daraus die politische Konsequenz...

Seine Majestät: ... Es müsse auf einen geeigneten Zeitpunkt geachtet werden, wo wir uns mit dem Feinde zu verständigen hätten. Neutrale Staaten seien dafür geeignete Media. Zur Schwächung der Siegeszuversicht des Feindes, zur Hebung der Zuversicht des deutschen Volkes sei die Bildung einer Propagandakommission erforderlich. Flammende Reden müßten gehalten werden von angesehenen Privatpersonen oder von Staatsmännern... Die einzelnen Ressorts müßten nicht wie bislang gegeneinander arbeiten und voreinander Geheimniskrämerei treiben...

Der Reichskanzler Graf Hertling: Diplomatisch müßten Fäden betreffend eine Verständigung mit dem Feinde im geeigneten Momente angesponnen werden. Ein solcher Moment böte sich nach den nächsten Erfolgen im Westen.

Generalfeldmarschall von Hindenburg führt aus, daß es gelingen werde, auf französischem Boden stehenzubleiben und dadurch schließlich den Feinden unseren Willen aufzuzwingen.

[Hindenburg hatte sich vorsichtiger ausgedrückt: er hoffe, daß es gelingen werde. Die nachträgliche Änderung in die bestimmtere Fassung stammt von Ludendorff.] [5]

ALLE WISSEN ES

München, 19. August 1918

Der Schriftsteller (und Gymnasialprofessor) Josef Hofmiller, ein Bayer, wie er im Buche steht, führt seit heute ein Tagebuch:

Die Zeiten werden betrüblich interessant. Ich muß rein wieder Tagebuch schreiben, was ich seit meiner Pennälerzeit nicht mehr getan habe. Damals war ich mir selbst interessant. Jetzt schreibe ich mir kleine Züge auf aus der Zeit, die ich sonst vergäße. Ich muß zum Schreiben meine Zuflucht nehmen, weil ich mit meinen alten Freunden immer noch weniger zusammenkomme. Und wenn wir zusammenkommen, sitzen wir uns stumm gegenüber. Unser Aussprachebedürfnis ist größer als je, aber wir können uns nicht mehr aussprechen. Keiner glaubt mehr, daß wir den Krieg gewinnen. Alle wissen, daß wir ihn verloren haben, und doch rückt keiner mit der Sprache heraus. Wir sind gereizt, sogar, wenn der andere dieselbe Meinung äußert, die wir im stillen selbst hegen; als wären wir abergläubisch, daß sie nicht ausgesprochen werden dürfe. Wir gehen gereizt und verstimmt auseinander, wenn wir es uns auch nicht einzugestehen wagen. Auch in Gesellschaft sind wir allein mit unseren Gedanken und Befürchtungen. Kein Wunder: es ist die seelische Stimmung einer belagerten Stadt, in der wir leben seit vier Jahren. [94]

RUF NACH POLITISCHER OFFENSIVE

Der Schweizer Schriftsteller Hermann Stegemann (Verfasser einer noch während des Krieges geschriebenen Geschichte des Weltkrieges), deutschfreundlich, schreibt dem Reichstagsabgeordneten Conrad Haußmann (Fortschrittliche Volkspartei) einen Brief, in welchem er sagt, was zu tun sei, um die Konsequenz aus den Rückschlägen an der Front zu ziehen:

Andererseits bedarf die politische Leitung des Deutschen Reiches einer klaren Einsicht in die militärische Lage, um den Krieg, der sich mehr und mehr der militärischen Behandlungs- und Betrachtungsweise und der Schwertführung entzieht, aus drohender »Verewigung« zu erlösen und um ihrerseits die Offensive auf die Hörner zu nehmen.

Ich halte nämlich eine große politische Offensive für absolut notwendig, und zwar eine Offensive, die dem Feinde die politischen Argumente, die seinen Kriegswillen über das rein Militärische hinaus zum Völkerwollen gesteigert haben, aus den Händen nimmt. Die deutsche Staatsleitung ist gegenüber dem kampffähigen Gegner stets in der politischen Defensive geblieben, während die Heeresleitung sich richtig und bis zur Kühnheit schrankenlosen Angriffsgeistes auf die Offensive verlegt hat. Politische Offensive heißt nichts anderes, als endlich Klarheit in der belgischen Frage schaffen, die als stärkstes Agens auf England und Amerika wirkt – ob mit Recht oder Unrecht, ist gleichgültig – und sich dem Gegner, mit den politischen Schutzwaffen angetan, entgegenstellen, die er selbst so meisterlich zu tragen und zu spiegeln versteht. In diesem Sinne ist eine Erklärung, daß Belgien kein Faustpfand sein soll, daß Brest-Litowsk nur ein Rahmen ist, in dem sich die Staatsgebilde des Ostens nach eigener Wahl gestalten sollen, ist endlich eine Einkleidung des Deutschen Reiches in moderne Staatsformen weder ein Verzicht, noch eine Schwächung Deutschlands, sondern ein Kriegsmittel, wie es schärfer und entwaffnender nicht gedacht werden kann. Es würde die Liberalen Englands, die Doktrinäre Amerikas, die Freunde, die Deutschland in Neutralien zählt, aus einer Befangenheit erlösen, in die sie der Bann dieses Krieges zum Unheil der Welt geschlagen hat...

Eine große politische Tat kann Deutschland erlösen – und unter Umständen auch der deutschen Heeresleitung die wahre Freiheit des Handelns wiedergeben. [6]

7. September 1918

Hauptmann Felix Neumann wendet sich gegen Gerüchtemacherei und »Gemütsschlappheit« der Heimat:

... Noch nie sind in Deutschland so wahnwitzige Gerüchte umgegangen, wie in den letzten Wochen, seit wir uns im Abwehrkampf im Westen befinden.

Die Männer, die unserem Herzen am nächsten stehen, wurden fortgesetzt totgesagt! Die Begleiterscheinungen, unter denen sie uns entrissen sein sollten, waren so raffiniert ausgeklügelt und mit Einzelheiten versehen, daß hunderttausend gedankenlose und – verzeiht das harte Wort – denkfaule Menschen an der Wahrheit nicht mehr zweifelten! Und wenn hier und da ein Wackerer im Zorn mit der Faust auf den Tisch schlug und in der glücklichen Lage war, den Beweis der Unsinnigkeit des Gerüchts zu erbringen, dann schwieg die Runde beschämt, kaum aber wandte der Warner den Verleumdern den Rücken, so ging es raunend um: »Es ist doch was dran!«

Man kann und darf diese Gemütsschlappheit nicht mit Kriegspsychose entschuldigen. Vor einigen Tagen ging die Mär um, daß eine große deutsche Festung im Westen schon geräumt würde! Der Verlust irgend eines Dorfes in Frankreich hatte also in den Köpfen der geistig Armen bereits die Besorgnis ausgelöst, daß wir uns nun an den Rhein zurückziehen müßten. In dem Buche, das einst über Deutschlands Ausharren im Weltkrieg geschrieben werden wird, diesem goldnen Buche, in dem unsere Enkel mit Stolz lesen, was wir litten und leisteten, wird man diese paradoxen Ausbrüche einer vorübergehenden Nervenschwachheit als Fußnoten zum Ganzen finden, und die neuen Geschlechter werden lächelnd und kopfschüttelnd von diesen Narrheiten Kenntnis nehmen. Sie können später das Gesamtbild unserer Größe nicht trüben. Im Augenblick aber verstimmen sie die Einsichtigen und schädigen unsere deutsche Sache.

Wir sind verwöhnt! Wir können es uns seit Jahren gar nicht anders vorstellen, als daß die Führung die Armeen ansetzt, daß der Vormarsch beginnt und der Sieg folgt. Und wenn der Stammtisch in Filehne ausgerechnet hat, daß wir Ende August in Paris einziehen würden, war es eine unerhörte Rücksichtslosigkeit des Großen Generalstabs, anders zu operieren, um hunderttausend Soldaten dem sicheren Tode im feindlichen Trommelfeuer zu entziehen.

Vergißt denn die Heimat ganz, welches unerhörte Mißtrauensvotum sie dem Heere draußen und den Führern ausstellt, wenn sie jedes irrsinnige, vielleicht durch feindliche Agenten ausgesprengte Gerücht prompt und gebührend aufgebauscht weiterbefördert? Ja – sie vergißt es, denn sonst würde sie anders handeln! Und fragt man eine von diesen herumschleichenden Jammergestalten, nachdem man sie am Rockknopf gepackt hat: »Das glauben Sie? Sie trauen also unseren siegerprobten Heeren, die Hunderte von Malen für Sie bluteten, nichts mehr zu!?« dann begegnet man entsetzter Abwehr: »Ich bitte Sie, wie können Sie mich für so undankbar halten, aber man erzählt doch –« Und der Unglückliche ist wieder im Banne seiner fixen Idee.

Nach menschlicher Voraussicht nähern wir uns dem schwersten und letzten Teile des Krieges um unsere Existenz. Die höchsten Anforderungen werden noch an uns gestellt, und wir müssen damit rechnen, daß auch unsere Gegner mit allen ihren reichen Mitteln versuchen werden, unsere zuversichtliche Stimmung, die doch immer wieder auftaucht, zu brechen.

Wer Krieg führt, hat mit Wechselfällen zu rechnen. Auf hundert Siege eine Schlappe? Wer möchte wohl mit uns tauschen? Wenn wir unsere Feinde befragten – alle ausnahmslos, denn sie sind vom Schicksal in vier Jahren mit spitzen Geißeln gepeitscht worden und wurden von der Schlachtengöttin nicht verwöhnt, wie wir! [17]

DIE NEUE STAATSGESINNUNG

14. September 1918

Es ist soweit; auch die innerpolitischen Kriegsziele dürfen öffentlich diskutiert werden. Die Redaktion von ›Reclams Universum‹ bittet den Verfasser des Buches ›Das innere Deutschland nach dem Kriege‹, Erich Everth, um eine Kurzfassung seiner Vorstellungen über die neue Staatsgesinnung als Frucht des Krieges:

So ist heute neben dem Verlangen nach einer Demokratisierung und Parlamentarisierung in breiten Schichten unleugbar eine Stärkung der Staatsgesinnung eingetreten, und beides geht nicht nur nebeneinander her, sondern miteinander zusammen. Denn Staatsgesinnung ist ja nicht zu verwechseln mit gouvernementaler Gesinnung oder mit einem erhöhten Respekt vor der Bureaukratie. Wo es sich um Lebensfragen des Staates handelt, da wird man einmütiger als bisher dem Staate geben, was des Staates ist; andererseits aber hat der Staat bereits gezeigt, daß er den Bedürfnissen und Wünschen des Volkes mehr als bisher sich anpassen will. »Es geht ebensowenig an, die Neuordnung der inneren Politik etwa ausschließlich in einer inneren Annäherung der Bürger an den Staat zu sehen, wie man von ihr umgekehrt bloß vermehrte Zugeständnisse des Staates erwarten darf; vielmehr müssen sich beide Teile entgegenkommen, auf diese Weise findet sich Volk und Staat am innigsten zusammen. Jetzt hat der Staat wertvolle Gesinnungen für sich gewonnen; daß sie ihm weiterhin entgegengebracht werden, ist eine Forderung, die sich an das ganze Volk richtet; für den Staat aber ergibt sich daraus die Verpflichtung, dieses nationale Kapitel verständnisvoll zu verwalten und sich zu hüten, daß jene Stimmungen, soweit an ihm liegt, nicht erkalten oder gar in Enttäuschung umschlagen. Er muß sich dem Willen des Volkes zur vermehrten Mitarbeit am Staate öffnen und solcher Betätigung neuen Raum schaffen, zumal er selber auf die Beteiligung immer breiterer Schichten an der Staatsarbeit bei dem Wiederaufbau nach dem Kriege, bei den neuen wirtschaftlichen Rüstungsaufgaben usw. angewiesen sein wird. Der Staat gewinnt durch die Mitwirkung möglichst vieler Bürger bei seinen Aufgaben an Kraft, und umgekehrt: je größer die Macht des Staates ist, desto größer kann die persönliche Freiheit der Bürger sein, um so weniger braucht der Staat vor Opposition besorgt zu sein. [17]

EINUNDZWANZIGMAL »DEUTSCH«!

München, 14. September 1918

Auf die Gefahr hin, für einen schlechten Patrioten gehalten zu werden, muß ich sagen, daß es mir gegen den Strich geht, wenn die Leute dieses heilige Wort »deutsch« fortwährend eitel nennen. Nicht immer ist das Herz voll von dem, wovon der Mund übergeht. Es gibt eine vaterländische Maulfrommheit, gegen die sich das unverdorbene Gefühl nicht minder sträubt als gegen Frömmelei in Glaubensdingen. Ich vermute, das ist auch der Grund, warum ›Deutschland, Deutschland über alles‹ nie volkstümlich werden kann. Ich habe nachgezählt: wenn man die zwei letzten Zeilen jeder Strophe wiederholt, wie es die Melodie verlangt, so kommen die beiden Wörter »Deutschland«

und »deutsch« in diesem kurzen Gedicht nicht weniger als einundzwanzigmal vor. Das ist ein Musterbeispiel für das aufdring-
liche Sich-selbst-Affichieren, mit dem wir vor dem Krieg unsern
Nachbarn auf die Nerven gingen, das mit wirklich deutscher
Art nichts zu tun hat. Man kann gut deutsch sein, aber deswegen braucht man nicht Wesen und Willen auf der Außen-
seite anzuschreiben, wie auf einem Sofakissen »Nur ein Viertel-
stündchen!«

So schön Richard Wagners Definition ist, »deutsch sein, heißt
eine Sache um ihrer selbst willen treiben«, schöner noch finde
ich die Uhlandische: »der König Karl am Steuer saß, der hat kein
Wort gesprochen.« Übrigens kommt auch in Hans Sachsens
Schlußansprache (›Meistersinger‹) das Wort »deutsch« zu oft
vor. [94]

RESIGNATION

September 1918

*Vierzehn Tage vor seiner Verabschiedung (3. Oktober 1918) geht der
Reichskanzler, Georg Graf Hertling, den Bülow hämisch einen »Biblio-
philen« nennt, durch die Räume seiner Bücherei und faßt die Gedanken,
die er dabei hegt, in ein Gedicht: ein Kriegskanzler, der sich in die
Literatur flüchtet.*

An meine Bücher.

Wie schön vergoldet der Abendschein
Die Bücher dort an den Wänden.
Mir ist's, als lüden sie freundlich mich ein,
Als winkten sie mir wie mit Händen.

Wir waren Gefährten der Jugendzeit,
Wir zeigten das Leben von ferne.
Wir waren zu helfen, zu trösten bereit
Wie stille, freundliche Sterne.

Dich trieben sie mitten ins Leben hinein,
Du solltest raten, entscheiden,
Der erste im Rate der Könige sein,
Das Schicksal der Völker zu leiten.

Nun bist du müde, die Bürde war schwer.
Wirf ab, die dich drücken, die Lasten.
Wirf ab der Sorgen quälendes Heer,
Bei uns magst du ruhen und rasten. [107]

DIE DRINGLICHKEIT UNSERES FRIEDENSANGEBOTS

Großes Hauptquartier, Dienstag, 1. Oktober 1918

An das Auswärtige Amt
(Aufgegeben 2. 10., 12 Uhr 10 vorm., angekommen: 12 Uhr 30 vorm.)

General Ludendorff erklärte mir, daß unser Angebot von Bern aus sofort nach Washington weitergehen müsse. 48 Stunden könne die Armee nicht noch warten. Er (bäte) Euere Exzellenz dringendst, alles zu tun, damit das Angebot auf allerschnellste Weise durchkäme.

Ich wies deutlich darauf hin, daß der Feind trotz aller Beschleunigung kaum vor Ablauf einer Woche antworten werde. Der General betonte, daß alles darauf ankäme, daß das Angebot spätestens Mittwoch nacht oder Donnerstag früh in Händen der Entente sei, und bittet Euere Exzellenz, alle Hebel dafür in Bewegung zu setzen. Er glaube, daß zur Beschleunigung vielleicht die Note von der schweizerischen Regierung durch Funkspruch von Nauen an den Adressaten mit Schweizer Chiffre gegeben werden könne.

gez. Lersner. [39]

HINDENBURGS ZUVERSICHT

Großes Hauptquartier, 1. Oktober 1918

Beim Abschiedstee für den Reichskanzler Grafen Hertling meint Hindenburg mit seiner ruhigen, tiefen Stimme:

Wir können die Entente noch den ganzen Winter beschäftigen. [107]

1. Oktober 1918

Der Bildhauer Erich Stephani veröffentlicht in ›Deutsche Kunst und Dekoration‹ Gedanken über die Entwicklung der bildenden Kunst während des Krieges:

. . . so sind doch die Anzeichen, die speziell für eine Förderung der bildenden Kunst durch den Krieg sprechen, bis jetzt äußerst gering. Was man bis heute zu sehen bekommen hat, sind summa summarum mehr oder weniger impressionistisch gehaltene, beiläufige Notierungen aus dem kriegerischen Alltagsleben, häufig nicht übel gelungen, die aber doch in der Mehrzahl in etwas schematischer Weise die altbekannte Form an den neuen Gegenstand herantragen und so weder das künstlerische Schaffen bereichern, noch auch da, wo die kriegerische Note entschieden hervortritt, ein weiteres Publikum befriedigen, das mit Recht aus erster Quelle schöpfen will und die authentische Photographie bevorzugt. Nirgends, soweit uns bekannt geworden, begegnen wir einem Bildwerk, in dem eine speziell kriegerische Emotion zu neuen Sichtbarkeiten und fruchtbaren bildnerischen Ansätzen geführt hätte. Auch die Karikatur hat nichts hervorgebracht, was man nicht schon in Friedenszeiten gesehen oder zu sehen erwartet hätte.

Wenn der Krieg wirklich, wie man von allen Seiten zu beteuern nicht müde wird, eine so innige Herzensangelegenheit der beteiligten Völker ist, so muß es befremden, daß er auf ein Geistesgebiet, das im Leben Aller von jeher einen so großen Raum eingenommen hat, so wenig evokatorisch zu wirken vermag, daß der gegebene Indikator der großen und nachhaltigen Bewegung der Kollektivseele mit dem Einsetzen des behaupteten ethischen Massenerlebnisses plötzlich nichts mehr registrieren will, daß uns im Gegensatz zu allen früheren Kriegsepochen kein Phidias, kein Michelangelo kein Velasquez oder Rubens, kein Meissonnier, Wereschtschagin, oder Menzel – und wenn auch nur dem Grade nach – entstehen will. Es muß befremden, daß die bildende Kunst dem kriegerischen Ereignis im Grunde so vollkommen wesensfremd und uninteressiert gegenübersteht, daß das »große Erlebnis« auch nicht eine bildnerische Seele zu kriegerischem Pathos größten Stiles entzündet hat. –

Die mangelnde Bildhaftigkeit des modernen Schlachtfeldes

und das durch die Mechanisierung der Kriegstechnik bedingte Unsichtbarwerden der individuellen körperlichen Leistung mögen viel zu dieser Teilnahmslosigkeit des künstlerisch beobachtenden Auges beitragen. Allein, es bliebe doch noch immer Außerordentliches genug, um den Jäger auf Kriegsmotive auf seine Kosten kommen zu lassen, brennende Dörfer, Kavallerieangriffe, Feldherrnzusammenkünfte, Überschwemmungen, Verwüstungen, Luft-, Licht- und Seekämpfe. An allen diesen Dingen ist die bildende Kunst bis jetzt relativ teilnahmslos vorübergegangen. [102]

DIE ZWEI URSACHEN DES »AUSGANGS«

Berlin, 2. Oktober 1918

Aus dem Vortrag des Majors im Generalstab von dem Bussche vor den Fraktionsführern des Reichstages:

... Trotzdem mußte die Oberste Heeresleitung den ungeheuer schweren Entschluß fassen, zu erklären, daß nach menschlichem Ermessen keine Aussicht mehr besteht, dem Feinde den Frieden abzuzwingen. Entscheidend für den Ausgang sind vor allem zwei Tatsachen: die Tanks. Der Gegner setzt sie in unerwartet großer Menge ein ... wo sie überraschend auftreten, waren ihnen häufig die Nerven unserer Leute nicht mehr gewachsen ... Aus den Erfolgen der Tanks sind die hohen Gefangenenzahlen, die unsere Stärke so empfindlich herabsetzen und einen schnelleren Verbrauch der Reserven als bisher gewohnt, herbeiführten, zu erklären. Dem Feind gleiche Massen deutscher Tanks entgegenzustellen, waren wir nicht in der Lage. Sie herzustellen ging über die Kräfte unserer aufs Äußerste angespannten Industrie, oder andere wichtige Dinge hätten liegen bleiben müssen.

Restlos entscheidend ist die Ersatzlage geworden ... Der laufende Ersatz, Wiedergenesende, Ausgekämmte, wird nicht einmal die Verluste eines ruhigen Winterfeldzuges decken. Nur die Einstellung des Jahrgangs 1900 wird die Bataillonsstärken einmalig um 100 Köpfe erhöhen. Dann ist unsere letzte Menschenreserve verbraucht ... Diese Erkenntnisse und die Ereignisse ließen in dem Herrn Generalfeldmarschall und General Ludendorff den Entschluß reifen, Seiner Majestät dem Kaiser vorzuschlagen, zu versuchen, den Kampf abzubrechen, um dem deutschen Volke und seinen Verbündeten weitere Opfer zu ersparen. Jede 24 Stunden können die Lage verschlechtern und den Feind unsere eigentliche Schwäche erkennen lassen.

Prinz Max v. Baden, der von dieser Veranstaltung nichts wußte, ließ sich von einem Teilnehmer die Wirkungen dieser Eröffnung schildern:

Die Abgeordneten waren ganz gebrochen. Ebert wurde totenblaß und konnte kein Wort herausbringen, Stresemann sah aus, als ob ihm etwas zustoßen würde, einzig und allein Graf Westarp begehrte auf gegen die vorbehaltlose Annahme der Vierzehn Punkte. Der Minister von Waldow [Leiter des Kriegsernährungsamtes] soll den Saal mit den Worten verlassen haben: Jetzt bleibt ja nur übrig, sich eine Kugel durch den Kopf zu schießen. – Der »Pole« [Abgeordneter aus den früher polnischen Teilen Preußens] Seyda kam zuerst heraus, strahlend. Der Unabhängige Haase stürzte dem Unabhängigen Ledebour mit dem Wort entgegen: »Jetzt haben wir sie!« [83]

ABBRUCH DES KAMPFES

Der Chef des Generalstabes des Feldheeres an den Herrn Reichskanzler:

Berlin, 3. Oktober 1918

Die Oberste Heeresleitung bleibt auf ihrer am Sonntag, den 29. September d. J., gestellten Forderung der sofortigen Herausgabe des Friedensangebotes an unsere Feinde bestehen.

Infolge des Zusammenbruchs der mazedonischen Front, der dadurch notwendig gewordenen Schwächung unserer Westreserven und infolge der Unmöglichkeit, die in den Schlachten der letzten Tage eingetretenen sehr erheblichen Verluste zu ergänzen, besteht nach menschlichem Ermessen keine Aussicht mehr, dem Feinde den Frieden aufzuzwingen.

Der Gegner seinerseits führt ständig neue frische Reserven in die Schlacht. Noch steht das deutsche Heer festgefügt und wehrt siegreich alle Angriffe ab. Die Lage verschärft sich aber täglich und kann die Oberste Heeresleitung zu schwerwiegenden Entschlüssen zwingen.

Unter diesen Umständen ist es geboten, den Kampf abzubrechen, um dem deutschen Volke und seinen Verbündeten nutzlose Opfer zu ersparen. Jeder versäumte Tag kostet Tausenden von Tapferen Soldaten das Leben.

gez. v. Hindenburg, Generalfeldmarschall. [39]

Berlin, 3. Oktober 1918

Die deutsche Regierung ersucht den Präsidenten der Vereinigten Staaten von Amerika, die Herstellung des Friedens in die Hand zu nehmen, alle kriegführenden Staaten von diesem Ersuchen in Kenntnis zu setzen und sie zur Entsendung von Bevollmächtigten zwecks Anbahnung von Verhandlungen einzuladen. Sie nimmt das von dem Präsidenten der Vereinigten Staaten von Amerika in der Kongreßbotschaft vom 8. Januar 1918 und in seinen späteren Kundgebungen, namentlich der Rede vom 27. September, aufgestellte Programm als Grundlage für die Friedensverhandlungen an. Um weiteres Blutvergießen zu vermeiden, ersucht die deutsche Regierung, den sofortigen Abschluß eines Waffenstillstandes zu Lande, zu Wasser und in der Luft herbeizuführen. [33]

DEIN GELD

5. Oktober 1918

Dein Geld
verkürzt den Krieg im Westen.
Dein Geld
schirmt draußen unsere Besten.
Dein Geld
mildert Wunden und Schmerzen und Leiden.
Dein Geld
schärft der Schwerter schartige Schneiden.
Gib ihm nur die rechte Weihe
und zeichne Kriegsanleihe,
damit es, gewandelt in Waffenmacht,
mitkämpfen kann in der blutigen Schlacht!
Otto Riebicke. [41]

AUF, ZUM LETZTEN AUFGEBOT!

Berlin, 7. Oktober 1918

Walther Rathenau schreibt in der ›Vossischen Zeitung‹ unter dem Titel ›Ein dunkler Tag‹ einen Artikel, in welchem er das Waffenstillstandsangebot vom 3. Oktober »einen übereilten Schritt« nennt und zu einer »levée en masse« aufruft:

Die nationale Verteidigung, die Erhebung des Volkes muß eingeleitet, ein Verteidigungsamt errichtet werden. Beides tritt nur dann in Kraft, wenn die Not es fordert, wenn man uns zurückstößt; doch darf kein Tag verloren gehen ... Seine Aufgabe ist dreifach. Erstens ... wer sich berufen fühlt, mag sich melden; es gibt ältere Männer genug, die gesund, voll Leidenschaft und bereit sind, ermüdeten Brüdern an der Front mit Leib und Seele zu helfen. Zweitens müssen alle Feldgrauen zur Front zurück ... Drittens müssen in Ost und West, in Etappen und im Hinterland, aus Kanzleien, Wachtstuben und Truppenplätzen die Waffentragenden ausgesiebt werden. Was nützen uns heute noch Besatzungen und Expeditionen in Rußland? Schwerlich ist in diesem Augenblick mehr als die Hälfte unserer Truppen an der Westfront. Einer erneuten Front werden andere Bedingungen geboten als einer ermüdeten. Wir wollen nicht Krieg, sondern Frieden. Doch nicht den Frieden der Unterwerfung. [83]

LETZTES INTERMEZZO

Helsingfors, 11. Oktober 1918

Der finnische Landtag hat in achtstündiger geheimer Sitzung durch Akklamation den Prinzen Friedrich Karl von Hessen zum König von Finnland gewählt und die Thronfolge seiner Nachkommen festgestellt.

Prinz Friedrich Karl ist ein Schwager des Deutschen Kaisers und gehört dem Heere als preußischer General der Infanterie und als Chef des 81. Infanterieregiments an. Im Weltkriege wurde er bei einem Sturm auf eine Höhe in Flandern an der Spitze seines Regiments schwer verwundet. Von seinen sechs Söhnen fielen die beiden ältesten Prinz Friedrich Wilhelm und Prinz Max in Rumänien und Flandern, während die Zwillinge Prinz Philipp und Prinz Wolfgang als Leutnants im Felde stehen. [18]

SCHARENWEISE ...

Kronprinz Rupprecht an den Reichskanzler:

18. Oktober 1918

Die Stimmung der Truppe hat sehr gelitten und ihre Widerstandskraft verringert sich ständig; die Leute ergeben sich scharenweise bei feindlichen Angriffen, und Tausende von Marodeuren treiben sich im Etappengebiet umher ... Ausgebaute Stellungen haben wir jetzt keine mehr und es lassen sich auch keine mehr schaffen ... Von einer »*levée en masse*« nach dem Muster Carnots zu Beginn der französischen Revolutionskriege verspreche ich mir nicht viel: sie war damals so ergiebig, weil sie zu Anfang eines Krieges vorgenommen wurde, wir aber stehen im fünften Kriegsjahr, und unsere Reserven an Mannschaften sind schon bis zur Neige erschöpft. Wie soll ferner bei einer »*levée en masse*« die Kriegsindustrie befähigt bleiben, weiter zu arbeiten, wo sie doch jetzt schon den zu stellenden Anforderungen durchaus nicht genügt ... Ich möchte betonen, daß schon jetzt unsere Lage eine überaus gefährliche ist und es nach Umständen über Nacht zu einer Katastrophe kommen kann. Ludendorff erkennt nicht den ganzen Ernst der Lage. Unter allen Umständen müssen wir zum Frieden gelangen, ehe der Gegner sich den Weg nach Deutschland erzwingt, denn dann wehe uns! [39]

DIE QUELLE DER KORRUPTION

Berlin, 22. Oktober 1918

Im Reichstag nimmt der Abgeordnete Stresemann Stellung zur Korruptionswirtschaft und sagt, daß

... beispielsweise in den Fragen der Vergebung von Lieferungen durch das Kriegsministerium gerade im ersten Jahre des Krieges ein System befolgt worden ist, dem wir die Schieberwirtschaft in Deutschland und die Kriegsgewinnlerschaft am allermeisten zu danken haben. [24]

ERLASS GEGEN DRÜCKEBERGER

München, 25. Oktober 1918

Nr. 270563 P
Kriegsministerium
Betr. Kriegsverwendung
In der Etappe, im besetzten Gebiet und in der Heimat ist eine sehr große Anzahl von nur garnisonsverwendungsfähigen aktiven Hauptleuten, Oberleutnants und Leutnants verwendet, die

nur sehr kurze Zeit während des Krieges an der Front verwendet waren, oder die sich schon lange in ihrer gegenwärtigen Verwendung befinden. Ich bitte, den betreffenden Offizieren eröffnen zu lassen, daß für ihre Belassung im aktiven Dienst bei der Demobilmachung die Gründe, aus denen sie längere Zeit dem Frontdienst entzogen waren, genau nachzuprüfen sein werden.

v. Hellingrath, Bayerischer Kriegsminister [24]

EINE ABSAGE

4. November 1918

In Kiel ist der Matrosenaufstand ausgebrochen; im Büro von Albert Ballin in Hamburg erscheinen Oberst Bauer (vom Generalstab) und der Industrielle Hugo Stinnes, um Ballin zu bitten, die Friedensverhandlungen wahrzunehmen. Er sei der einzige, der Entente international vertrauenswürdig präsentierbare Deutsche. Ballin antwortet:

»Friedensverhandlungen? Ich fürchte, meine Herren, es wird kaum zu einem Waffenstillstand für uns reichen. Wir kommen zu spät. Und Sie kommen zu spät zu mir. Wenn wirklich etwas zu retten sein würde, will ich nicht kneifen. Das habe ich nie getan. Aber ich bin müde. Man hat mich immer erst zu spät herangelassen. Immer erst, nachdem meine Warnungen sich als berechtigt erwiesen und bis dahin als Miesmacherei, als lokale Eigensucht eines Hamburger Schiffsreeders oder gar als rassisch international angekränkelter Hochverratsversuch verdächtigt wurden, und das selbst gelegentlich unter meinen nächsten Mitarbeitern.« [61]

NOCH EINMAL »HERRLICHE ZEITEN?«

5. November 1918

Die ›Frankfurter Zeitung‹ schreibt zur Kaiserfrage:

Denn, was in diesen fünf Wochen vor sich gegangen ist, das ist, nach innen und nach außen, die Liquidation der dreißigjährigen Regierungszeit Kaiser Wilhelms II., oder dessen, was von ihr noch übrig geblieben ist in der fürchterlichen Katastrophe dieses Krieges, die eben auch die Katastrophe des Kaisers ist.

AUFRUF
AN KÜNSTLER UND KUNSTFREUNDE!

In vielen Familien junger, aufstrebender Künstler herrscht bitterste Not! Ihre Not ist mit der Dauer des Krieges gestiegen, vielen Künstlern fehlt es am täglichen Brot und an den Mitteln, um weiter schaffen zu können. Und der Winter steht vor der Türe!

Hier muß die Hilfe der Kunstfreunde eingreifen! Das kulturelle Ansehen des Volkes steht auf dem Spiel. Ihr alle, denen die Kunst reinsten Genuß gegeben, erinnert Euch jetzt daran! Keiner entziehe sich der Ehrenpflicht, dem es mit seiner Liebe zur Kunst inwendig Ernst ist!

Auch wer schon reichlich zu wohltätigen Zwecken gespendet hat, versage den Künstlern, die zum großen Teil im Felde stehen, versage ihren notleidenden Angehörigen nicht seinen Beistand! Alles, was wir jetzt ihnen zuwenden, ist nur ein stiller Dank für die Erhebung, die uns die Kunst bereitet hat.

Der vom Herausgeber der »Deutschen Kunst u. Dekoration« im Verein mit einer Reihe von deutschen Kunstfreunden gegründete »Hilfsfonds für deutsche Künstler« hat eine allgemeine Sammlung eröffnet, die bis September 1918 etwas über M. 80 000 ergeben hat. Das neutrale Ausland hat sich mit erheblichen Summen beteiligt. Allein die Schweden haben über M. 23 000 beigesteuert. Hinter ihnen wollen wir nicht zurückbleiben. Wer irgend kann, trage sein Scherflein bei. Auch kleinere Beiträge sind herzlich willkommen!

Unterstützungen aus dem Hilfsfonds empfingen bisher 307 bedürftige Künstler, aber die Not der Künstler und der zurückgelassenen Frauen und Kinder steigt von Woche zu Woche! Bitte, helfet Alle! — Hunger tut weh!

Alle Spenden werden in der »Deutschen Kunst und Dekoration« monatlich veröffentlicht. Zuwendungen werden erbeten an die Verlagsanstalt Alexander Koch od. an die »Bank für Handel und Industrie« Darmstadt. Auch die Herren des Ehren-Ausschusses nehmen Spenden f. d. Hilfsfonds bereitwilligst entgegen.

DER EHREN-AUSSCHUSS:

In BERLIN: Prof. Peter Behrens, Direktor Prof. Dr. Ludw. Justi, Prof. Artur Kampf, Prof. Dr. Max Liebermann, Direktor Prof. Bruno Paul, Prof. E. R. Weiß; BIELEFELD: Direktor Prof. Max Wrba; DANZIG: Konservator Dr. Hans Secker; DARMSTADT: Hofrat Alexander Koch; DRESDEN: Geh. Rat Prof. Eugen Bracht, Prof. Ludwig von Hofmann, Prof. Robert Sterl, Prof. Hans Unger; FRANKFURT a. M.: Direktor Dr. Swarzenski; HAMBURG: Direktor Prof. Dr. Gustav Pauli, Prof. Leopold Graf v. Kalckreuth; KARLSRUHE i. B.: Prof. Dr. Hans Thoma, Exzellenz; MAGDEBURG: Direktor Prof. Dr. Th. Volbehr; MÜNCHEN: Prof. Ritter Franz von Stuck, Prof. Adolf Hengeler, Prof. Walther Püttner; STUTTGART: Prof. Adolf Hölzel, Prof. Bernh. Pankok; WEIMAR: Prof. Max Thedy; WIESBADEN: Prof. Hans Christiansen.

Hofrat Alexander Koch in ›Deutsche Kunst und Dekoration‹, September 1918

Was wir jetzt erleben, ist Ende und Abschluß; unmöglich schien der Gedanke, daß der Anfang des Neuen, das nun kommen muß, unter demselben Zeichen der Regierung Wilhelms II. (oder seines Sohnes) begonnen werden könnte. Nicht um die schwere Frage der Schuld handelt es sich dabei in erster Reihe; denn ebenso schuldig wie der Kaiser waren die Jämmerlichen, die ihm knechtisch dienten, statt ihn mannhaft in die Grenzen seiner Rechte und seiner Fähigkeiten zu verweisen. Aber der Kaiser selbst hat sich vor der ganzen Welt zum Symbol der Politik gemacht, die Deutschland in den Abgrund geführt hat; als sein System hatte diese immer in der Ichform geführte Politik vor der Zeit und vor der Geschichte gelten sollen – so gebietet es die Würde, daß er verzichte, wenn diese furchtbare Politik zusammenbricht. Was jetzt geschieht, ist das diametrale Gegenteil von dem, was er dreißig Jahre hindurch, nur allzu oft und allzu laut, als seinen Glauben bekundet, gelehrt, gehandelt hat. Wohl bekundet er jetzt, daß es ihm ernst sei auch mit dem Neuen, und wir achten in dieser Bekundung die späte Einsicht – aber kann der Sechzigjährige wirklich selbst glauben, daß er nochmals berufen sei, uns herrlichen Zeiten entgegenzuführen? [3]

VERBOT DER REVOLUTION

Berlin, 7. November 1918

Öffentliche Bekanntmachung
In gewissen Kreisen besteht die Absicht, unter Mißachtung gesetzlicher Bestimmungen Arbeiter- und Soldatenräte nach russischem Muster zu bilden.

Derartige Einrichtungen stehen mit der herrschenden Staatsordnung in Widerspruch und gefährden die öffentliche Sicherheit.

Ich verbiete auf Grund des § 9 b des Gesetzes über den Belagerungszustand jede Bildung solcher Vereinigungen und die Teilnahme daran.
Der Oberbefehlshaber in den Marken
v. Linsingen
Generaloberst [89]

317

Auf der »Wittelsbach«, 8. November 1918

Wie es kam? Unter dem »es« ist ein Zustand gemeint, der für die meisten Menschen der Inbegriff alles Schreckens, für viele die Erfüllung ersehnter Ideale und für eine geringe Anzahl nur Erntezeit bedeutet, das Wort Aufstand oder Revolution. Nun ist sie da! Heute morgen vernahm ich das erste Rauschen ihrer Flügel. Sie kam blitzschnell, fast unerwartet, mit einem Schlage war sie da und hielt uns alle in ihren Fängen. Noch mitten im Erleben, habe ich es noch nicht erfaßt, wie schnell diesen Morgen die Parole durchs Schiff lief: Auf zur Demonstration an Land. Der Divisionsoffizier, der Adjutant, der Erste Offizier kamen in die Wohnräume und fragten ganz bestürzt: »Was habt ihr denn?« »Gegen das Kommando haben wir nichts«, war die Antwort, »jetzt gehen wir auf die Straße und suchen unser Recht.« Dieses »Recht« aber, glaubte ein jeder, wäre mit seinen Einzelwünschen identisch. Die Sache schien interessant zu werden; so zog ich denn meine Sonntagsgarnitur an und ging mit. »Ich kann euch nicht hindern«, sagte der Erste Offizier traurig. Kaum einer von der Stammbesatzung blieb zurück. In der gegenüberliegenden alten Hafenkaserne standen bereits lange Reihen Seesoldaten unter Gewehr. Bei unserem Herannahen erhoben sie ein lautes Jubelgeschrei und brachten auch drei Hurras aus. Von allen Seiten strömten nun Menschen zu, und im Verlaufe von Minuten wogte eine gewaltige Menge von Soldaten auf dem Exerzierplatze. Ab und zu suchte sich irgendeiner Gehör zu verschaffen, schließlich war man sich einig, auch nach dem in der Nähe liegenden Flottenflaggschiff zu ziehen und die Besatzung zu veranlassen, sich dem Zuge anzuschließen. Das einzig Interessante an der ganzen Geschichte folgte nun. Ein Rededuell zwischen dem Kommandanten und einigen Deputierten der Demonstranten. Der Siegespreis war die auf dem Oberdeck versammelte Besatzung der »Baden«. Wäre nun der Offizier ein einigermaßen geschickter Redner gewesen, so hätten die Abgeordneten ziehen müssen, ohne einen einzigen Mann hinter sich zu haben. Der schreckensbleiche Herr aber machte seine Sache schlecht. Der Soldatenrat ebenfalls, und das Ergebnis war, daß ein knappes Drittel mit uns zog.

Ordnung war in den großen Menschenhaufen nicht mehr zu bringen, deshalb erscholl gar bald und laut der Ruf nach Musik. Im Verein mit der Werft-Divisions-Kapelle holten wir

Bekanntmachung

über

Pferdefleisch.

Nachtrag

zur Bekanntmachung vom 10. Dezember 1919 über die
Eintragungen in das Kundenverzeichnis zum Bezuge
von Pferdefleisch und Pferdefleischwaren.

Außer bei den in der vorgenannten Bekanntmachung aufgeführten Verkäufern
können Eintragungen in das Kundenverzeichnis noch bei nachstehenden
Verkäufern bis 23. Dezember 1919 bewirkt werden.

Berlin, den 19. Dezember 1919.

Magistrat.

Wermuth.

Plakatanschlag, Berlin Dezember 1919

dann unsere Instrumente und ließen Lieder und Märsche erschallen...

Hoch über allen thronte das eherne Standbild des Admirals Coligny mit gezücktem Degen. Atemlose Stille trat ein, als sich wiederum ein Redner aus der Menge heraushob und eine Botschaft des Admirals Krosigk verkündete, daß die Forderungen des Kieler Soldatenrats auch hier gelten. Brausender Jubel. Freilassung der politischen Gefangenen, soweit sie im Machtbereiche der Festung sind. Hier erhob sich Widerspruch: »Alle frei, alle!! Nieder mit Wilhelm!« Nachdem ergriff ein Werftarbeiter das Wort. »Der Mensch hat ein unverfälschtes, wahrhaft klassisches Apachengesicht«, war mein erster Gedanke. Nur aus einer solchen Visage heraus konnte die Forderung nach sofortiger Einführung der Sowjetrepublik kommen. Der Kerl tat mir leid; noch mehr aber eine Menschenmenge, die solchen Irrsinn beklatscht. Der erste Redner, welcher nochmals das Wort ergriff und sofortige Wiederaufnahme des Dienstes verlangte, wurde weidlich ausgelacht. Dann aber stürzte alles davon in der Richtung, in welcher ein gefüllter Eßnapf zu finden war. Die Revolution hatte unblutig gesiegt. [21]

FREISTAAT BAYERN

München, in der Nacht zum 8. November 1918

Kurt Eisner, der erste Vorsitzende des Rates der Arbeiter, Soldaten und Bauern erläßt einen Aufruf:

An die Bevölkerung Münchens!
Das furchtbare Schicksal, das über das deutsche Volk hereingebrochen, hat zu einer elementaren Bewegung der Münchner Arbeiter und Soldaten geführt. Ein provisorischer Arbeiter-, Soldaten- und Bauernrat hat sich in der Nacht zum 8. November im Landtag konstituiert.

Bayern ist fortan ein Freistaat.

Eine Volksregierung, die von dem Vertrauen der Massen getragen wird, soll unverzüglich eingesetzt werden.

Eine konstituierende Nationalversammlung, zu der alle mündigen Männer und Frauen das Wahlrecht haben, wird so schnell wie möglich einberufen werden.

Eine neue Zeit hebt an!

Bayern will Deutschland für den Völkerbund raten.

Die demokratische und soziale Republik Bayern hat die moralische Kraft, für Deutschland einen Frieden zu erwirken, der es vor dem Schlimmsten bewahrt. Die jetzige Umwälzung war notwendig, um im letzten Augenblick durch die Selbstregierung des Volkes die Entwicklung der Zustände ohne allzuschwere Erschütterung zu ermöglichen, bevor die feindlichen Heere die Grenzen überfluten oder nach dem Waffenstillstand die demobilisierten deutschen Truppen das Chaos herbeiführen.

Der Arbeiter-, Soldaten- und Bauernrat wird strengste Ordnung sichern. Ausschreitungen werden rücksichtslos unterdrückt. Die Sicherheit der Personen und des Eigentums wird verbürgt.

Die Soldaten in den Kasernen werden durch Soldatenräte sich selbst regieren und Disziplin aufrechterhalten. Offiziere, die sich den Forderungen der veränderten Zeit nicht widersetzen, sollen unangetastet ihren Dienst versehen.

Wir rechnen auf die schaffende Mithilfe der gesamten Bevölkerung. Jeder Arbeiter an der neuen Freiheit ist willkommen. Alle Beamten bleiben in ihren Stellungen. Grundlegende soziale und politische Reformen werden unverzüglich ins Werk gesetzt.

Die Bauern verbürgen sich für die Versorgung der Städte mit Lebensmitteln. Der alte Gegensatz zwischen Land und Stadt wird verschwinden. Der Austausch der Lebensmittel wird rationell organisiert werden.

Arbeiter, Bürger Münchens! Vertraut dem Großen und Gewaltigen, das in diesen schicksalsschweren Tagen sich vorbereitet!

Helft alle mit, daß sich die unvermeidliche Umwandlung rasch, leicht und friedlich vollzieht.

In dieser Zeit des sinnlos wilden Mordens verabscheuen wir alles Blutvergießen. Jedes Menschenleben soll heilig sein.

Bewahrt die Ruhe und wirkt mit an dem Aufbau der neuen Welt!

Der Bruderkrieg der Sozialisten ist für Bayern beendet. Auf der revolutionären Grundlage, die jetzt gegeben ist, werden die Arbeitermassen zur Einheit zurückgeführt.

Es lebe die bayerische Republik!

Es lebe der Frieden!

Es lebe die schaffende Arbeit aller Werktätigen! [37]

Spa, 9. November 1918

Seine Abreise in ein neutrales Land – nach Beratschlagung mit Hindenburg nach Holland (es ist eine Monarchie und liegt am nächsten) – steht fest, aber seine Heldenpose gibt er auch im letzten Augenblick nicht auf. Er sagt zu einem seiner Flügeladjutanten:

Und wenn mir nur noch einige von meinen Herren treu bleiben, mit denen ich kämpfe bis zum äußersten, und wenn wir alle totgeschlagen werden, vor dem Tod habe ich keine Angst. Auch lasse ich Frau und Kinder im Stich, das kann ich nicht, ich bleibe hier.

Zu General v. Gontard sagt er:

Ich will bei meinem Heer bis zum äußersten ausharren und mein Leben einsetzen. Man will mich veranlassen, meine Armee zu verlassen. Das ist eine unerhörte Zumutung. Das sieht so aus, als ob ich mich fürchte. Meine Frau bleibt mitten in den Unruhen tapfer in Potsdam. Ich bleibe hier.

Ein paar Stunden später ist diese Pose vergessen, der Kaiser entschließt sich zur Flucht. Unmittelbar vorher schreibt er dem Kronprinzen:

Lieber Junge! Da der Feldmarschall mir meine Sicherheit nicht mehr gewährleisten kann und auch für die Zuverlässigkeit der Truppe keine Bürgschaft übernehmen will, so habe ich mich entschlossen – nach schwerem inneren Kampf – das zusammengebrochene Heer zu verlassen. Berlin ist total verloren und in der Hand der Sozialdemokraten, und sind dort schon zwei Regierungen gebildet, eine von Ebert als Reichskanzler, eine daneben von den Unabhängigen. Bis zum Abmarsch der Truppen in die Heimat empfehle ich, auf Deinem Posten auszuharren und die Truppen zusammenzuhalten! So Gott will, auf Wiedersehen! General von Marschall wird Dir weiteres mitteilen.
Dein tiefgebeugter Vater [47]

Berlin, 9. November 1918

In der Abendausgabe des ›Berliner Tageblatts‹ kommentiert Theodor Wolff die Abdankung des Kaisers:

So sicher es ist, daß der von der Höhe herabfallende Stein nicht in der Luft hängen bleiben kann, so sicher stand, nach dem Gesetz der Schwere, seit Wochen diese Lösung der großen Frage fest. Besser wäre es auch hier gewesen, dem Willen des Volkes nicht hinterdrein zu folgen, sondern ihm mit Herrscherwürde voranzugehen. Aber trifft die Könige die alleinige Schuld, wenn sie zu lange glauben, das ganze Volk sei in liebender Anhänglichkeit um sie geschart? Wann tritt, zwischen huldigenden Bürgermeistern, Ehrenjungfrauen, Spalierenthusiasten, Lakaien und Triariern, die Wahrheit an sie heran? Und wie sollen sie verstehen, daß plötzlich so mancher, der gestern noch den Roten Adlerorden vierter Klasse glückstrahlend entgegennahm, heute die demokratische Überzeugung möglichst sichtbar ins Knopfloch steckt? Es ist verzeihlich, wenn sie an eine so schnelle Wandlung nicht glauben wollen, die doch nur dartut, daß selbst in der furchtbarsten geschichtlichen Tragödie die menschliche Komödie unverändert weitergeht.

Wer dem Kaiser nie die Rosen, die aus den Gärten von Byzanz stammen, dargebracht hat, wird in diesem Augenblick darauf verzichten, auf die Schwelle, über die er hinausschreitet, nur Beschuldigungen zu streuen. Er hat dreißig Jahre lang regiert, und er ist das Opfer von Eigenschaften geworden, die ein Teil seiner Natur waren und von fatalen Persönlichkeiten zugunsten falscher Ziele ausgebeutet worden sind. Man kann ihn nicht mit wenigen Worten und Strichen zeichnen, denn sein Wesen ist sehr gemischt, und es geht in ihm vieles, was unvereinbar scheint, durcheinander und nebeneinander. Er schien, wie ein moderner Mensch, überall Wissen und Berührung zu suchen, und er war doch offenbar überzeugt, Gott habe ihn und sein Haus zu Sendboten, zu Vollstreckern seines Willens gewählt . . .

Es wäre eine gewaltsame Ungerechtigkeit, zu behaupten, er habe alle Fehler selbst begangen, uns allein so weit gebracht. In der Marokkopolitik hatte Wilhelm II. instinktiv richtiger als Fürst Bülow gesehen. Aber er operierte doch auch mit phantastischer Verkennung der tatsächlichen Verhältnisse auf eigene Hand . . . Die Reden, die vielen Reden kamen hinzu. Wilhelm II.

war kein »Alldeutscher« er ist von den Alldeutschen lange als ein friedliebender Schwächling angesehen worden, und er hat doch das alldeutsche Vokabularium abwechselnd bereichert und ausgeschöpft. Wie er Berlin mit Statuen anfüllte, so waren seine Reden mit historischen Bildern und Symbolen angefüllt . . . Kriegerische Worte zählten, wenn er sie ausgesprochen hatte, gewöhnlich nicht mehr für ihn. Aber der Eindruck im Ausland blieb.

Kann man behaupten, er habe diesen entsetzlichen Krieg gewollt? Er war nie der »Attila«, dessen blutgieriges, grausames Bild die Ententepresse so rastlos malt. Über den Ursprung dieser Menschheitskatastrophe werden wir sprechen, wenn der Frieden geschlossen sein wird. Wilhelm II. hat dabei nicht die Rolle des Führenden und Voranschreitenden, sondern nur die Rolle des Gedrängten und Geschobenen gespielt. Seine Ratgeber, verantwortliche und unverantwortliche, hielten, wenn man die Aktion bis ans Ende durchführte, in ihrer Ahnungslosigkeit einen glänzenden diplomatischen Erfolg für gewiß. Andere flüsterten, wenn der Krieg doch einmal kommen müsse, sei es besser, er komme jetzt. Die offizielle Weisheit spielte vabanque. Der Kaiser wich schrittweise zurück. Bis zu dem entscheidenden Schritt . . .

Das alles wird später in Ruhe – denn einmal werden wir doch wieder zur Ruhe kommen müssen – besser und gründlicher zu zeigen sein. Wilhelm II. war nicht der alleinige Urheber, aber der Repräsentant einer aberwitzig kurzsichtigen, alle Kräfte und Ideen des Auslands falsch schätzenden Politik, und er war das Symbol einer Zeit und eines Geistes, der, in Machtbegehren und Selbstüberhebung, die Katastrophe herbeigeführt hat. Er mußte abdanken, auch wenn die Aufstandsbewegung im ganzen Land nicht so brausend und unbezwingbar angeschwollen wäre, wie es niemand erwartet hat. Nur diejenigen sollten ihn heute nicht anklagen, die Hurra gerufen haben, als er ihnen »herrliche Zeiten« und, im August 1914, die glanzvollsten Siege versprach. [70]

Conrad Haußmann, jetzt Staatssekretär ohne Portefeuille (im Kabinett des Prinzen Max v. Baden), führt Tagebuch:

Berlin, 9. November 1918

Die Blätter melden von weiterer Ausdehnung der revolutionären Bewegung. In Bayern hat sich die Umwandlung zur Republik über Nacht und völlig unblutig vollzogen. In Braunschweig wurde der Herzog zur Abdankung gezwungen. Am ordnungsmäßigsten vollzieht sich die Umwandlung bisher in Württemberg, wo Liesching noch Ministerpräsident ist.

Zwölf Uhr Kriegskabinett. Ebert und Scheidemann kommen aus ihrer Fraktionssitzung. Ebert erklärt in völlig ruhigem und weichem Tone, daß die Sozialdemokratie im Interesse von Ruhe und Ordnung die Leitung der Geschäfte in die Hand nehmen müsse. Einviertel zwei Uhr kommt ein langer Demonstrationszug aus der Voßstraße und bewegt sich in völliger Ordnung durch die Wilhelmstraße, Richtung Linden. Meist besser aussehende Arbeiter. Halbzwei Uhr fährt das erste Auto mit roter Flagge vorüber, zirka zehn Soldaten, ein Zivilist. Vorne ein Maschinengewehr, von den Demonstranten mit lautem Hurra begrüßt. Essen im Hotel. Während des Essens passieren viele Autos und Fahrzeuge mit roter Flagge, meist nur ein schmaler Tuchstreifen. Der neue Reichskanzler Ebert fordert mich auf, in die Regierung einzutreten. Ich erwidere, daß meine Stellungnahme lediglich von der Stellung meiner Partei und auch von dieser nicht allein, sondern auch von der der übrigen Parteien abhänge.

Die Waffenstillstandsbedingungen sind noch nicht eingetroffen. Kurier angeblich im Trichterfeld verirrt. Die Reichskanzlei teilt mit, daß Haase und Liebknecht in die Regierung eintreten sollen. Unter den Linden sehr lebhafter Verkehr. Ledebour hält Ansprachen und bringt ein Hoch auf die Internationale aus. Alle Soldaten haben Kokarden und Achselklappen und Koppel entfernt. Soweit Soldaten es noch nicht getan haben, werden sie gewaltsam entfernt. Dr. B. teilt mit, daß blutige Ausschreitungen gegen Offiziere vorgekommen seien. Auf der Straße vereinzelte Flintenschüsse. [11]

Großes Hauptquartier, 11. November 1918

Bei Abwehr amerikanischer Angriffe östlich der Maas zeichneten sich durch erfolgreiche Gegenstöße das brandenburgische Reserve-Infanterie-Regiment Nr. 207 unter seinem Kommandeur Oberstleutnant Hennings und Truppen der 192. sächsischen Infanterie-Division unter Führung des Oberstleutnants v. Zeschau, Kommandeur des Infanterie-Regiments Nr. 183, besonders aus.

Infolge Unterzeichnung des Waffenstillstandsvertrages wurden heute vormittag an allen Fronten die Feindseligkeiten eingestellt. [3]

ZUM BESCHLUSS

November 1918

Der Schriftsteller Friedrich Lienhart ruft dem heimkehrenden Heere einen Wunsch zu, der – für viele andre stehend – beweist, daß der Zusammenbruch keine Einsicht gebracht hat.

Wir können nicht, du tapfres Heer,
mit Glockenschlag dich lohnen –
wir haben keine Glocken mehr,
sie wurden zu Kanonen.
Doch ein Wunsch tönt wie Glockenhall
empor aus allen Gauen:
Helft uns mit eurem Feldmarschall
ein würdig Deutschland bauen! [118]

DIE BILANZ

1. Verluste in Heer und Marine

Nach einer privaten, möglichst sorgsamen Bearbeitung der deutschen Verlustlisten beträgt der Gesamtverlust bis zur Verlustliste Nr. 1284 vom 24. Oktober 1918 an Toten 1 611 104, an Verwundeten 3 683 143 und an Vermißten 772 522, insgesamt 6 066 769. Auf die einzelnen Kontingente verteilt sich dieser Verlust wie folgt:

	Tote	Verwundete	Vermißte	Insgesamt
Preußen . . .	1 262 060	2 882 671	616 139	4 760 870
Bayern	150 658	363 823	72 115	586 596
Sachsen . . .	108 017	252 027	51 787	411 831
Württemberg .	64 507	155 654	16 802	236 963
Marine	25 862	28 968	15 679	70 509
	1 611 104	3 683 143	772 522	6 066 769

Bei der Zahl der Vermißten mit 772 522 sind bereits 65 291 Mann in Abzug gebracht, die seit Anfang März 1918 in den Listen als »aus der Gefangenschaft zurück« gemeldet worden sind. Bei der Zahl der Vermißten sind zu trennen solche, die in Gefangenschaft geraten und deren Namen bekannt sind, und solche, über deren Verbleib kein Anhaltspunkt gegeben ist. In der Sitzung des Hauptausschusses des Reichstags am 27. April 1918 gab ein Vertreter des Kriegsministers bekannt, daß die Zahl der vermißten Heeresangehörigen bis 31. März 1918 im ganzen 664 104 betrage. Davon befänden sich als Gefangene in Frankreich 236 676, in England 119 000 und in Rußland und in Rumänien 157 000, insgesamt 512 676. Es blieben dann noch 151 428 wirklich Vermißte, über die nichts zu ermitteln war. Man darf als sicher annehmen, daß der weitaus größte Teil dieser Leute nicht mehr am Leben ist; nur ein sehr kleiner Teil dürfte einmal wieder zum Vorschein kommen. Im Verhältnis zu dieser amtlichen früheren Berechnung kann man bis Ende September 1918 etwa 180 000 von der Gesamtziffer aller Vermißten als tot annehmen. Diese Zahl und die Zahl der Toten aus dem Gesamtverlust ergeben bis zum Oktober 1918 eine Gesamtzahl an Toten von 1 790 000. Diese Zahl umfaßt die Gefallenen, die an Wunden, Krankheit, Unfall oder in der Gefangenschaft Gestorbenen, und die als tot angenommenen oder gerichtlich als tot erklärten Verschollenen. Wenn die noch ausstehenden Verlustmeldungen – es fehlen noch die Verlustlisten über die Kämpfe an der Westfront bis 11. November, ferner die Verluste in Palästina usw. – alle vorliegen, die jetzigen oder etwa noch bevorstehenden Bewegungen beendet sind, und die Zahl der Verschollenen sich einigermaßen übersehen läßt, wird die Zahl der Toten noch erheblich gewachsen sein. Der Wirklichkeit sehr nahe wird die Schätzung kommen, die für diesen Krieg den Verlust der Deutschen an Toten auf rund zwei Millionen berechnet. [25]

Über 3 Millionen Kilo warfen unsere Bombengeschwader seit 1. Januar 1918.

JANUAR :	183 568 kg
FEBRUAR :	362 600 "
MÄRZ :	316 775 "
APRIL :	253 130 "
MAI :	830 450 "
JUNI :	672 084 "
JULI :	759 649 "
	3 378 256 kg.

Die Tätigkeit der deutschen Bombengeschwader. Die deutschen Flieger leisten nicht nur im Luftkampf gegen den an Zahl überlegenen Feind Hervorragendes, sondern fügen auch durch Angriffe auf militärische Anlagen, Truppenunterkünfte und Verkehrsanlagen dem Gegner großen Schaden zu. Um einen richtigen Begriff von der seit Januar 1918 gegen den Feind verwandten Sprengstoffmenge von 3 378 256 kg zu geben, sei gesagt, daß zur Beförderung dieser Menge 338 Eisenbahnwagen, also etwa zehn gewöhnliche Güterzüge, nötig wären.

Amtliches Propagandainserat, 1918

2. Verluste durch die Todesstrafe

Im deutschen Heer sind während des Krieges insgesamt 150 Todesurteile ausgesprochen und davon 48 vollstreckt worden. [5]

3. Verluste der Zivilbevölkerung

a) durch Luftangriffe (geschätzt):   2 600 Personen

b) durch Zunahme der Sterbefälle (Unterernährung infolge der Blockade):

1914: keine merkliche Erhöhung der Sterbefälle

1915: Erhöhung um 9,5%	=	88 235 Personen
1916: Erhöhung um 14,3%	=	121 174 Personen
1917: Erhöhung um 32,2%	=	259 627 Personen
1918: Erhöhung um 37,0%	=	293 760 Personen
		762 796 Personen

c) durch Geburtenausfall: Nach Berechnungen des Preußischen Statistischen Landesamtes betrug die Zahl der Lebendgeborenen in Preußen durchschnittlich in den Jahren

1910/1913:	1 192 081
1914:	1 166 580
1915:	890 714
1916:	676 023
1917:	603 496
1918 (geschätzt):	642 000
1919 (geschätzt):	481 500

Diese Zahlen auf das Reich übertragen ergeben einen Ausfall von 4 093 000 Lebendgeborenen

Insgesamt: 5 858 396 Seelen. [89]

Verluste an Geld:

Der Krieg hat Deutschland zu Beginn täglich 36 Millionen Mark gekostet; der Preis ging so in die Höhe, daß am Schluß täglich 146 Millionen Mark aufzubringen waren.

Ratifikationen des Friedens:

Am 10. Januar 1920: zwischen Deutschland und England, Frankreich, Italien, Japan, Belgien, Bolivia, Brasilien, Guatemala, Peru, Polen, Siam, Tschechoslowakei, Uruguay, Jugoslawien, Kuba, Griechenland, Portugal, Haiti, Liberia, Rumänien, Honduras, Nicaragua, Panama.
Am 1. Juli 1921: zwischen Deutschland und China.
Am 25. August 1921: zwischen Deutschland und USA.

Quellenverzeichnis

Um die Übereinstimmung in der Numerierung der Quellen zu wahren, wurde die Zählung der Originalausgabe beibehalten, obwohl aufgrund der vom Herausgeber vorgenommenen Kürzungen einige Dokumente und folglich auch deren Quellenangaben in der Taschenbuchausgabe entfallen.

[1] Thissen, Otto: Mit Herz und Hand fürs Vaterland! Zeitbilder des Weltkrieges 1914. Köln, 1915.

[2] Engel, Eduard: 1914. Ein Tagebuch. Mit Urkunden, Bildnissen, Karten. 1. Bd.: Vom Ausbruch des Krieges bis zur Einnahme von Antwerpen. 2. Bd.: Von der Einnahme Antwerpens bis zum Ende des Jahres 1914. Braunschweig, 1915.

[3] Der große Krieg. Eine Chronik von Tag zu Tag. Urkunden, Depeschen und Berichte der Frankfurter Zeitung. Frankfurt, 1914–1918.

[4] Rosen, Erwin (Hrsg.): Der große Krieg. Ein Anekdotenbuch. Erster Teil. Zweiter Teil. Stuttgart (1915).

[5] Schneider, Benno, u. Haacke, Ulrich: Das Buch vom Kriege, 1914–1918. Urkunden, Berichte, Briefe, Erinnerungen. Ebenhausen, 1933.

[6] Ziegler, Wilhelm: Volk ohne Führung. Das Ende des Zweiten Reiches. Hamburg (1938).

[7] Wöhrle, Oskar: Querschläger. Das Bumserbuch. Aufzeichnungen eines Kanoniers. Berlin, 1929.

[8] Voss, Richard: Aus einem phantastischen Leben. Stuttgart, 1922.

[9] Hrsg. vom Institut für Marxismus-Leninismus beim Zentralkomitee der SED: Spartakusbriefe. Berlin, 1958.

[10] Kriegs-Ernährungsamt (Hrsg.): Die Kriegsernährungswirtschaft 1917. (Berlin, 1917.)

[11] Welchert, Hans-Heinrich: Weltgewitter. Intimitäten der Kriegspolitik. 1914 bis 1919. Hamburg.

[12] Strohschnitter, Valentin: Der deutsche Soldat 1913–1919. Frankfurt a. M. (1930).

[13] Wandt, Heinrich: Erotik und Spionage in der Etappe Gent. Wien-Berlin, 1928.

[14] Endres, Fritz (Hrsg.): Hindenburg. Briefe. Reden. Berichte. Ebenhausen (1934).

[15] Dehn, Paul (Hrsg.): Hindenburg als Erzieher in seinen Aussprüchen. Leipzig, 1918.

[16] Haase, Ernst (Hrsg.): Hugo Haase. Sein Leben und Wirken. Berlin-Frohnau (1929).

[17] Reclams Universum: Moderne illustrierte Wochenschrift. 34. Jg. II. Halbband. Leipzig, 1918.

[18] Reclams Universum: Moderne illustrierte Wochenschrift. 35. Jg. II. Halbband (Sept. 1918 bis März 1919). Leipzig, 1919.

[19] Ludendorff, Erich: Urkunden der Obersten Heeresleitung. Berlin, 1920.

[20] Guttmann, Bernhard: Schattenriß einer Generation. 1888–1919. Stuttgart (1950).

[21] Stumpf, Richard: Warum die Flotte zerbrach. Kriegstagebuch eines christlichen Arbeiters. Berlin, 1927.

[22] Wrisberg, Ernst v., Generalmajor a. D.: Heer und Heimat. 1914–1918. Leipzig, 1921.

[23] Mommsen, Wolfgang J.: Max Weber und die deutsche Politik. 1890–1920. Tübingen, 1959.

[24] Anonym (von einem Deutschen): Die Tragödie Deutschlands. Im Banne des Machtgedankens bis zum Zusammenbruch des Reiches. Stuttgart, 1924.

[25] Böninger, Curt: Grundlagen und Bekenntnisse einer Weltanschauung. Notizen 1905–1930. Bonn, 1931.

[26] Luxemburg, Rosa: Im Kampf gegen den deutschen Militarismus. Prozeßberichte und Materialien aus den Jahren 1913–1915. Berlin, 1960.

[27] Flex, Walter: Briefe. München (1927).

[28] Hrsg. v. Eberhard v. Vietsch: Gegen die Unvernunft. Der Briefwechsel zwischen

Paul Graf Wolff Metternich und Wilhelm Solf 1915–1918 mit zwei Briefen Albert Ballins. Bremen (1964).

[29] Friedrich, Ernst: Krieg dem Kriege. Band II. Berlin (1926).

[30] Hrsg. v. Ernst Johann: Reden des Kaisers. München, 1966.

[31] Anders, Karl: Die ersten hundert Jahre. Zur Geschichte einer demokratischen Partei. Hannover, 1963.

[32] Björnson, Björn: Vom deutschen Wesen. Impressionen eines Stammverwandten 1914–1917. Mit einem Geleitwort von Gerhart Hauptmann. Berlin, 1917.

[33] Hrsg. v. Georg Kotowski, Werner Pöls, Gerhard A. Ritter: Das Wilhelminische Deutschland. Stimmen der Zeitgenossen. Frankfurt a. M., 1965.

[34] Hamann, Otto: Bilder aus der letzten Kaiserzeit. Berlin (1922).

[35] Kessler, Johannes: Ich schwöre mir ewige Jugend (Taschenbuch-Ausgabe). München (1962).

[36] Treuberg, Hetta, Gräfin; Hrsg. v. M. J. Bopp: Zwischen Politik und Diplomatie. Memoiren. Straßburg, 1921.

[37] Hirschfeld, Magnus: Sittengeschichte des Weltkrieges. Leipzig und Wien. 1930.

[38] Keller, Mathilde, Gräfin von: Vierzig Jahre im Dienst der Kaiserin. Ein Kulturbild aus den Jahren 1881–1921. Leipzig (1935).

[39] Schwertfeger, Bernhard: Das Weltkriegsende. Gedanken über die deutsche Kriegführung 1918. Potsdam, 1937.

[40] Der Deutsche in seiner Karikatur. Hundert Jahre Selbstkritik. Ausgewählt von Friedrich Bohne, kommentiert von Thaddäus Troll. Mit einem Essay von Theodor Heuss. Stuttgart o. J.

[41] Die Woche. Jhrg. 1914/15. Jhrg. 1918. Berlin.

[42] Hrsg. v. Franz Pfemfert: Die Aktion. Wochenschrift für Politik, Literatur, Kunst. IV. Jhrg. Berlin, 1914.

[43] Bahr, Hermann: 1917. Innsbruck, München, Wien, 1918.

[45] Salzer, Marcell: Kriegsprogramme, Heft 1. Hamburg, 1914.

[46] Schweder, Paul: Im kaiserlichen Hauptquartier. Deutsche Kriegsbriefe. Zwei Bände. Leipzig, 1915.

[47] Reventlow, Ernst, Graf zu: Von Potsdam nach Doorn. Berlin, 1940.

[48] Regierte der Kaiser? Kriegstagebücher, Aufzeichnungen und Briefe des Chefs des Marine-Kabinetts Admiral Georg Alexander von Müller, 1914–1918. Göttingen (1959).

[49] Moltke, Helmut, Graf von: Erinnerungen, Briefe, Dokumente. Stuttgart, 1922.

[50] Schmaltz, Elfriede (Hrsg.): Maximilian Harden Brevier. Berlin, 1947.

[51] Anonym: Lille. Beiträge zur Naturgeschichte des Krieges. Zweite, umgearbeitete Auflage, Berlin, 1920.

[52] Herrmann, Georg: Randbemerkungen (1914–17). Berlin, 1919.

[53] Bodenhausen-Degener, Dora v. (Hrsg.): Eberhard von Bodenhausen. Ein Leben für Kunst und Wirtschaft. Düsseldorf, 1955.

[54] Hugo v. Hofmannsthal / Eberhard v. Bodenhausen: Briefe der Freundschaft. (Düsseldorf) 1953.

[55] Witkop, Philipp (Hrsg.): Kriegsbriefe gefallener Studenten. München (1928).

[56] Liebknecht, Karl: Briefe aus dem Felde, aus der Untersuchungshaft und aus dem Zuchthaus. Berlin-Wilmersdorf, 1920.

[57] Pfemfert, Franz (Hrsg.): Das Aktionsbuch. Berlin-Wilmersdorf, 1917.

[58] Pross, Harry: Literatur und Politik. Olten und Freiburg (1963).

[59] Müller, Karl Alexander, von: Deutsche Geschichte und deutscher Charakter. Stuttgart, 1927.

[60] Pross, Harry (Hrsg.): Die Zerstörung der deutschen Politik. Dokumente 1871–1933. Frankfurt, 1959.

[61] Leip, Hans: Des Kaisers Reeder. Eine Albert-Ballin-Biographie. München (1956).

[62] Hrsg. v. Willi Boelcke: Krupp und die Hohenzollern. Berlin (1956).

[63] Borchard, Rudolf: Der Krieg und die deutsche Verantwortung. Berlin, 1916.

[64] Jonas, Klaus W.: Der Kronprinz Wilhelm. Frankfurt, 1962.

[66] Binding, Rudolf G.: Dies war das Maß. Die gesammelten Kriegsdichtungen und Tagebücher. Potsdam, 1940.

[67] Deutsche Reden in schwerer Zeit. Zweiter Band. Berlin, 1915.

[68] Vesper, Will: Kranz des Lebens. Gesamtausgabe meiner Gedichte. München, 1934.

[69] Rathenau, Walther: Briefe. Dresden, 1926.

[70] Mendelssohn, Peter de: Zeitungsstadt Berlin. Berlin (1959).

[71] Tucholsky, Kurt: Ausgewählte Briefe 1913–1935. Hamburg (1962).

[72] Polgar, Alfred: Hinterland. Berlin, 1929.

[73] Hesse, Hermann: Krieg und Frieden. Betrachtungen zu Krieg und Politik seit dem Jahr 1914. Berlin (1948).

[74] Krieger, Bogdan: Der Kaiser im Felde. Berlin (1916).

[75] Zglinicki, Friedrich v.: Der Weg des Films. Berlin (1956).

[76] Foerster, Friedrich Wilhelm: Weltpolitik und Weltgewissen. München, 1919.

[78] Allgemeiner Wegweiser für jede Familie (Wochenschrift) Jg. 1917. Berlin, 1917.

[79] Schnitzler, Arthur: Aphorismen und Betrachtungen. Hrsg. von Robert O. Weiss. Frankfurt a. M. (1967).

[80] Lichnowsky, Fürst v.: Auf dem Wege zum Abgrund. Dresden, 1927.

[81] Volkmann, E. O.: Der große Krieg 1914/18. Berlin, 1922.

[82] Skalweit, August: Die deutsche Kriegsernährungswirtschaft. Stuttgart, 1927.

[83] Baden, Max, Prinz v.: Erinnerungen und Dokumente. Stuttgart, Berlin u. Leipzig, 1927.

[84] Gottberg, Otto v.: Als Adjudant durch Frankreich und Belgien, Berlin (1915).

[85] Ball, Hugo: Die Flucht aus der Zeit. München und Leipzig, 1927.

[86] Fendrich, Anton: Wir. Ein Hindenburgbuch. Stuttgart, 1917.

[87] Kemmer, Ludwig: Von Hermanns und Dorotheas Ahnen und Enkeln. München, 1917.

[88] Graff, Sigmund (Hrsg.): Dicke Luft, eine neue Ladung Frontwitze. Magdeburg (o. J.).

[89] Ursachen und Folgen. Eine Dokumentensammlung. 1. Bd.: Die Wende des Ersten Weltkrieges und der Beginn der innerpolitischen Wandlung 1916/1917. Berlin (1958).

[90] Lemmer, Ernst: Manches war doch anders. Erinnerungen eines deutschen Demokraten. Frankfurt a. M., 1968.

[91] Zeitschrift Daheim, Jahrgang 1915/16.

[92] Die Insel: Eine Ausstellung zur Geschichte des Verlags unter Anton und Katharina Kippenberg (Katalog Nr. 15 des Schiller-National-Museums). Stuttgart, 1965.

[94] Hofmiller, Josef: Revolutionstagebuch, 1918/1919. (Schriften, Bd. 2). Leipzig, 1938.

[95] Huelsenbeck, Richard (Hrsg.): DADA, eine literarische Dokumentation. Hamburg, 1964.

[96] Gräf, Hans Gerhard (Hrsg.): Jahrbuch der Goethe-Gesellschaft (1916). Leipzig, 1916.

[97] Diederich, Franz u. Siemsen, Anna (Hrsg.): Von unten auf. Das Buch der Freiheit. Dresden (1928).

[98] Frobenius, Else: Mit uns zieht die neue Zeit. Eine Geschichte der deutschen Jugendbewegung. Berlin (1927).

[99] Marwitz, Bernhard v. der: Eine Jugend in Dichtung und Briefen. Herausgegeben von Otto Grautoff. Dresden, 1924.

[102] Deutsche Kunst und Dekoration: XXII. Jahrgang, Heft 1. Darmstadt, 1918.

[103] Ganghofer, Ludwig: Reise zur deutschen Front 1915. Berlin, 1915.

[104] Müller, Johannes: Vom Geheimnis des Lebens. Erinnerungen (Schicksal und Werk). Stuttgart/Berlin (1938).

[105] Velhagen u. Klasings Monatshefte: 30. Jahrgang, 1915/1916, 1. Band. Berlin, Bielefeld.

[106] Winckler, Josef: Mitten im Weltkrieg. Leipzig, 1915.

[107] Hertling, Karl, Graf von: Ein Jahr in der Reichskanzlei. Freiburg i. B., 1919.

[108] Stern-Rubarth, Edgar: Graf Brockdorff-Rantzau. Ein Lebensbild. Berlin (1929).

[110] Ziegler, Leopold: Der deutsche Mensch. Berlin, 1915.

[112] George/Gundolf: Briefwechsel. Herausgegeben von Robert Boehringer. München u. Düsseldorf, 1962.

[113] Gundolf, Friedrich: Briefe. Neue Folge. Amsterdam, 1965.

[114] Lersch, Heinrich: Herz! aufglühe dein Blut. Gedichte im Kriege. Jena, 1917.

[116] Radbruch, Gustav: Der innere Weg. Aufriß meines Lebens. Stuttgart (1951).

[118] Langenbucher, Hellmuth: Friedrich Lienhard und sein Anteil am Kampf um die deutsche Erneuerung. Hamburg (1935).

[119] Becher, Johannes R.: Ausgewählte Gedichte 1911–1918. Berlin und Weimar, 1966.

[121] Wolff, Kurt: Briefwechsel eines Verlegers. Frankfurt a. M. (1966).

[122] Neue Kriegslieder: Berlin-Charlottenburg (1915).

[123] Kolb, Annette: Briefe einer Deutschfranzösin. Berlin, 1917.

[124] Xenien-Almanach für das Jahr 1916. Leipzig (1916).

[126] Das Jahrzehnt 1908–1918. Ein Almanach. Berlin, 1919.

[127] Biographie von Aennchen Schumacher, Godesberg, genannt »Die Lindenwirtin«. Leipzig, 1929.

[128] Kriegsalmanach 1915, Leipzig (o. J.).

Namenregister